CBAC Bioleg UG

Canllaw Astudio ac Adolygu

Neil Roberts

CBAC Bioleg UG: Canllaw Astudio ac Adolygu

Addasiad Cymraeg o *WJEC Biology AS Level: Study and Revision Guide* a gyhoeddwyd yn 2016 gan Illuminate Publishing Ltd, P.O. Box 1160, Cheltenham, Swydd Gaerloyw GL50 9RW

Cyhoeddwyd dan nawdd Cynllun Adnoddau Addysgu a Dysgu CBAC

Archebion: Ewch i www.illuminatepublishing.com neu anfonwch e-bost at sales@illuminatepublishing.com

Data Catalogio Cyhoeddiadau y Llyfrgell Brydeinig

Mae cofnod catalog ar gyfer y llyfr hwn ar gael gan y Llyfrgell Brydeinig

ISBN 978-1-911208-15-0

Printed by Severn, Gloucester

04.21

Polisi'r cyhoeddwr yw defnyddio papurau sy'n gynhyrchion naturiol, adnewyddadwy ac ailgylchadwy o goed a dyfwyd mewn coedwigoedd cynaliadwy. Disgwylir i'r prosesau torri coed a chynhyrchu papur gydymffurfio â rheoliadau amgylcheddol y wlad y mae'r cynnyrch yn tarddu ohoni.

Dyluniad y clawr a'r testun: Nigel Harriss

Testun a'i osodiad: EMC Design Ltd, Bedford

Cydnabyddiaeth

I Isla a Lucie.

Hoffai'r awdur ddiolch i dîm golygyddol Illuminate Publishing am eu cefnogaeth a'u harweiniad.

Cynnwys

Sut i ddefnyddio'r llyfr hwn

Gwybodaeth a Dealltwriaeth

Mae rhan gyntaf y llyfr yn cynnwys gwybodaeth allweddol sy'n ofynnol ar gyfer yr arholiad. Mae'n cynnwys nodiadau am:

- Uned 1, Biocemeg Sylfaenol a Threfniadaeth Celloedd
- Uned 2, Bioamrywiaeth a Ffisioleg Systemau'r Corff.

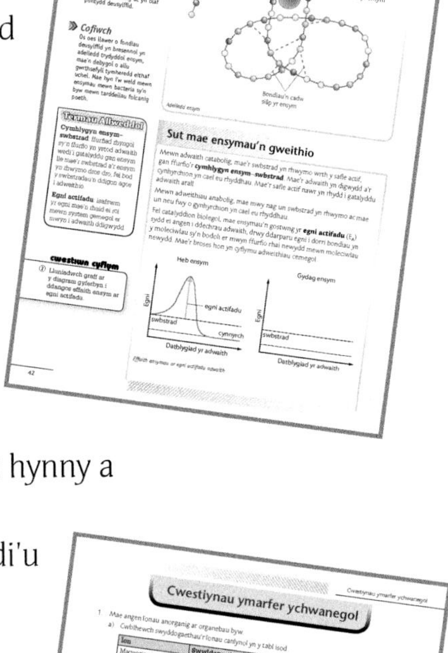

Does dim asesiad ymarferol yn y cwrs UG, felly mae angen i chi allu ateb cwestiynau sy'n seiliedig ar waith ymarferol yn yr arholiad. Mae enghreifftiau ac awgrymiadau arholiad wedi'u cynnwys yn y canllaw i'ch helpu chi i baratoi.

Fe welwch chi hefyd:

- **Termau allweddol**: mae llawer o'r termau ym manyleb CBAC yn gallu cael eu defnyddio fel sail i gwestiwn, felly rydym ni wedi amlygu'r termau hynny a chynnig diffiniadau.
- **Cwestiynau cyflym/ychwanegol**: mae'r rhain wedi'u cynllunio i brofi eich gwybodaeth a'ch dealltwriaeth o'r deunydd wrth i chi fynd yn eich blaen.
- **Awgrym a Gwella gradd**: mae'r rhain yn cynnig mwy o gyngor ar gyfer yr arholiad i ddatblygu eich techneg arholiad a gwella eich perfformiad yn yr arholiad.
- **Cwestiynau ymarfer ychwanegol**: adran yng nghefn y llyfr i chi gael mwy o ymarfer ateb cwestiynau o wahanol raddau o anhawster.

Bydd tua 10% o'ch marciau'n dod o asesu eich sgiliau mathemategol. Mae cymorth wedi'i ddarparu drwy'r canllaw i gyd, gan gynnwys enghreifftiau wedi'u cyfrifo.

Ymarfer a Thechneg Arholiadau

Mae ail adran y llyfr yn ymdrin â'r sgiliau allweddol i lwyddo yn yr arholiad ac yn cynnig atebion enghreifftiol i gwestiynau arholiad posibl. Yn gyntaf, cewch chi eich arwain i ddeall sut mae'r system arholi'n gweithio; caiff Amcanion Asesu eu hesbonio ynghyd â sut i ddehongli'r ffordd mae cwestiynau arholiad wedi'u geirio a beth yw ystyr hyn o ran atebion yn yr arholiad.

Yna, mae detholiad o gwestiynau arholiad a chwestiynau enghreifftiol gydag atebion gan ddisgyblion go iawn. Mae'r rhain yn cynnig canllaw i'r safon ofynnol, a bydd y sylwadau'n esbonio nifer y marciau a roddwyd i'r atebion.

Mae'n syniad da rhannu'r cwrs yn ddarnau hawdd eu trin, cwblhau nodiadau adolygu wrth i chi fynd yn eich blaen, a cheisio ateb cymaint o gwestiynau ag y gallwch chi. Y gyfrinach go iawn i lwyddo yw ymarfer, ymarfer, ymarfer cwestiynau hen bapurau, felly rwy'n eich cynghori chi i edrych ar www.cbac.co.uk i gael papurau enghreifftiol a hen bapurau. Mae Safon Uwch yn naid fawr iawn o TGAU; mae angen i chi ddechrau gweithio ar gyfer yr arholiadau o'r diwrnod cyntaf un!

Pob lwc wrth adolygu,

Dr Neil Roberts

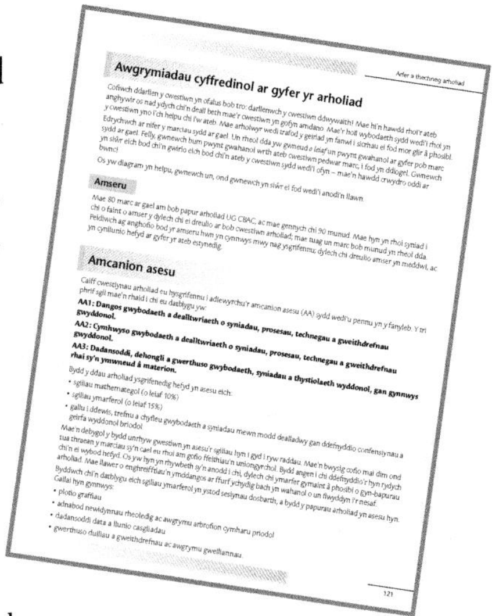

Arfer a thechneg arholiad

Awgrymiadau cyffredinol ar gyfer yr arholiad

Cofiwch ddarllen y cwestiwn yn ofalus bob tro: darllenwch y cwestiwn ddwywaith! Mae hi'n hawdd rhoi'r ateb anghywir os nad ydych chi'n deall beth mae'r cwestiwn yn gofyn amdano. Mae'r holl wybodaeth sydd wedi'i rhoi yn y cwestiwn yno i'ch helpu chi i'w ateb. Mae arholwyr wedi trafod y geiriad yn fanwl i sicrhau ei fod mor glir â phosibl.

Edrychwch ar nifer y marciau sydd ar gael. Un rheol dda yw gwneud *o leiaf* un pwynt gwahanol ar gyfer pob marc sydd ar gael. Felly, gwnewch bum pwynt gwahanol wrth ateb cwestiwn pedwar marc, i fod yn ddiogel. Gwnewch yn siŵr eich bod chi'n gwirio eich bod chi'n ateb y cwestiwn sydd wedi'i ofyn – mae'n hawdd crwydro oddi ar bwnc!

Os yw diagram yn helpu, gwnewch un, ond gwnewch yn siŵr ei fod wedi'i anodi'n llawn.

Amseru

Mae 80 marc ar gael am bob papur arholiad UG CBAC, ac mae gennych chi 90 munud. Mae hyn yn rhoi syniad i chi o faint o amser y dylech chi ei dreulio ar bob cwestiwn arholiad; mae tuag un marc bob munud yn rheol dda. Peidiwch ag anghofio bod yr amseru hwn yn cynnwys mwy nag ysgrifennu; dylech chi dreulio amser yn meddwl, ac yn cynllunio hefyd ar gyfer yr ateb estynedig.

Amcanion asesu

Caiff cwestiynau arholiad eu hysgrifennu i adlewyrchu'r amcanion asesu (AA) sydd wedi'u pennu yn y fanyleb. Y tri phrif sgil mae'n rhaid i chi eu datblygu yw:

AA1: Dangos gwybodaeth a dealltwriaeth o syniadau, prosesau, technegau a gweithdrefnau gwyddonol.

AA2: Cymhwyso gwybodaeth a dealltwriaeth o syniadau, prosesau, technegau a gweithdrefnau gwyddonol.

AA3: Dadansoddi, dehongli a gwerthuso gwybodaeth, syniadau a thystiolaeth wyddonol, gan gynnwys rhai sy'n ymwneud â materion.

Bydd y ddau arholiad ysgrifenedig hefyd yn asesu eich:
- sgiliau mathemategol (o leiaf 10%)
- sgiliau ymarferol (o leiaf 15%)
- gallu i ddewis, trefnu a chyfleu gwybodaeth a syniadau mewn modd dealladwy gan ddefnyddio confensiynau a geirfa wyddonol briodol.

Mae'n debygol y bydd unrhyw gwestiwn yn asesu'r sgiliau hyn i gyd i ryw raddau. Mae'n bwysig cofio mai dim ond tua thraean y marciau sy'n cael eu rhoi am gofio ffeithiau'n uniongyrchol. Bydd angen i chi ddefnyddio'r hyn rydych chi'n ei wybod hefyd. Os yw hyn yn rhywbeth sy'n anodd i chi, dylech chi ymarfer gymaint â phosibl o gyn-bapurau arholiad. Mae llawer o enghreifftiau'n ymddangos ar ffurf ychydig bach yn wahanol o un flwyddyn i'r nesaf.

Byddwch chi'n datblygu eich sgiliau ymarferol yn ystod sesiynau dosbarth, a bydd y papurau arholiad yn asesu hyn. Gallai hyn gynnwys:
- plotio graffiau
- adnabod newidynnau rheoledig ac awgrymu arbrofion cymharu priodol
- dadansoddi data a llunio casgliadau
- gwerthuso dulliau a gweithdrefnau ac awgrymu gwelliannau.

121

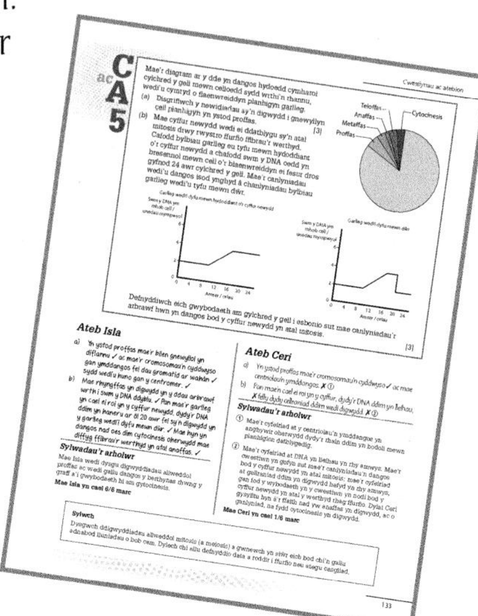

Cwestiynau ac atebion

C ac A 5

Mae'r diagram ar y dde yn dangos hydoedd cymharol cylchred y gell mewn celloedd sydd wrthi'n rhannu, wedi'u cymryd o flaenwreiddyn planhigyn garlleg.

(a) Disgrifiwch y newidiadau sy'n digwydd i gnewyllyn cell planhigyn yn ystod proffas. [3]

(b) Mae cyffur newydd wedi ei ddatblygu sy'n atal mitosis drwy rwystro ffurfio ffibrau'r werthyd. Cafodd bylbiau garlleg eu tyfu mewn hydoddiant o'r cyffur newydd a chafodd swm y DNA oedd yn bresennol mewn cell o'r blaenwreiddyn ei fesur dros gyfnod 24 awr cylchred y gell. Mae'r canlyniadau wedi'u dangos isod ynghyd â chanlyniadau bylbiau garlleg wedi'u tyfu mewn dŵr.

Defnyddiwch eich gwybodaeth am gylchred y gell i esbonio sut mae canlyniadau'r arbrawf hwn yn dangos bod y cyffur newydd yn atal mitosis. [3]

Ateb Isla

a) Yn ystod proffas mae'r bilen gnewyllol yn diflannu ✓ ac mae'r cromosomau'n cyddwyso gan ymddangos fel dau gromatid ar wahân ✓ sydd wedi'u huno gan y centromer. ✓

b) Mae rhyngffas yn digwydd yn y ddau arbrawf wrth i swm y DNA ddyblu. ✓ Pan mae'r garlleg yn cael ei roi yn y cyffur newydd, dydy'r DNA ddim yn haneru ar ôl 20 awr fel sy'n digwydd yn y garlleg wedi'i dyfu mewn dŵr. ✓ Mae hyn yn dangos nad oes dim cytocinesis oherwydd mae diffyg ffibrau'r werthyd yn atal anaffas. ✓

Sylwadau'r arholwr

Mae Isla wedi dysgu digwyddiadau allweddol proffas ac wedi gallu dangos y berthynas rhwng y graff a'i gwybodaeth hi am gytocinesis.

Mae Isla yn cael 6/6 marc

Ateb Ceri

a) Yn ystod proffas mae'r cromosomau'n cyddwyso ✓ ac mae centriolau'n ymddangos. ✗ ①

b) Pan mae'n cael ei roi yn y cyffur, dydy'r DNA ddim yn lleihau ✗ felly dydy cellraniad ddim wedi digwydd. ✗ ②

Sylwadau'r arholwr

① Mae'r cyfeiriad at y centriolau'n ymddangos yn anghywir oherwydd dydy'r rhain ddim yn bodoli mewn planhigion datblygedig.

② Mae'r cyfeiriad at DNA yn lleihau yn rhy amwys. Mae'r cwestiwn yn gofyn sut mae'r canlyniadau'n dangos bod y cyffur newydd yn atal mitosis; mae'r cyfeiriad at gellraniad ddim yn digwydd hefyd yn rhy amwys, gan fod y wybodaeth yn y cwestiwn yn nodi bod y cyffur newydd yn atal y werthyd rhag ffurfio. Dylai Ceri gysylltu hyn â'r ffaith nad yw anaffas yn digwydd, ac o ganlyniad, na fydd cytocinesis yn digwydd.

Mae Ceri yn cael 1/6 marc

Sylwch

Dysgwch ddigwyddiadau allweddol mitosis (a meiosis) a gwnewch yn siŵr eich bod chi'n gallu adnabod lluniadau o bob cam. Dylech chi allu defnyddio data a roddir i ffurfio neu stegu casgliad.

133

Uned 1 Gwybodaeth a Dealltwriaeth

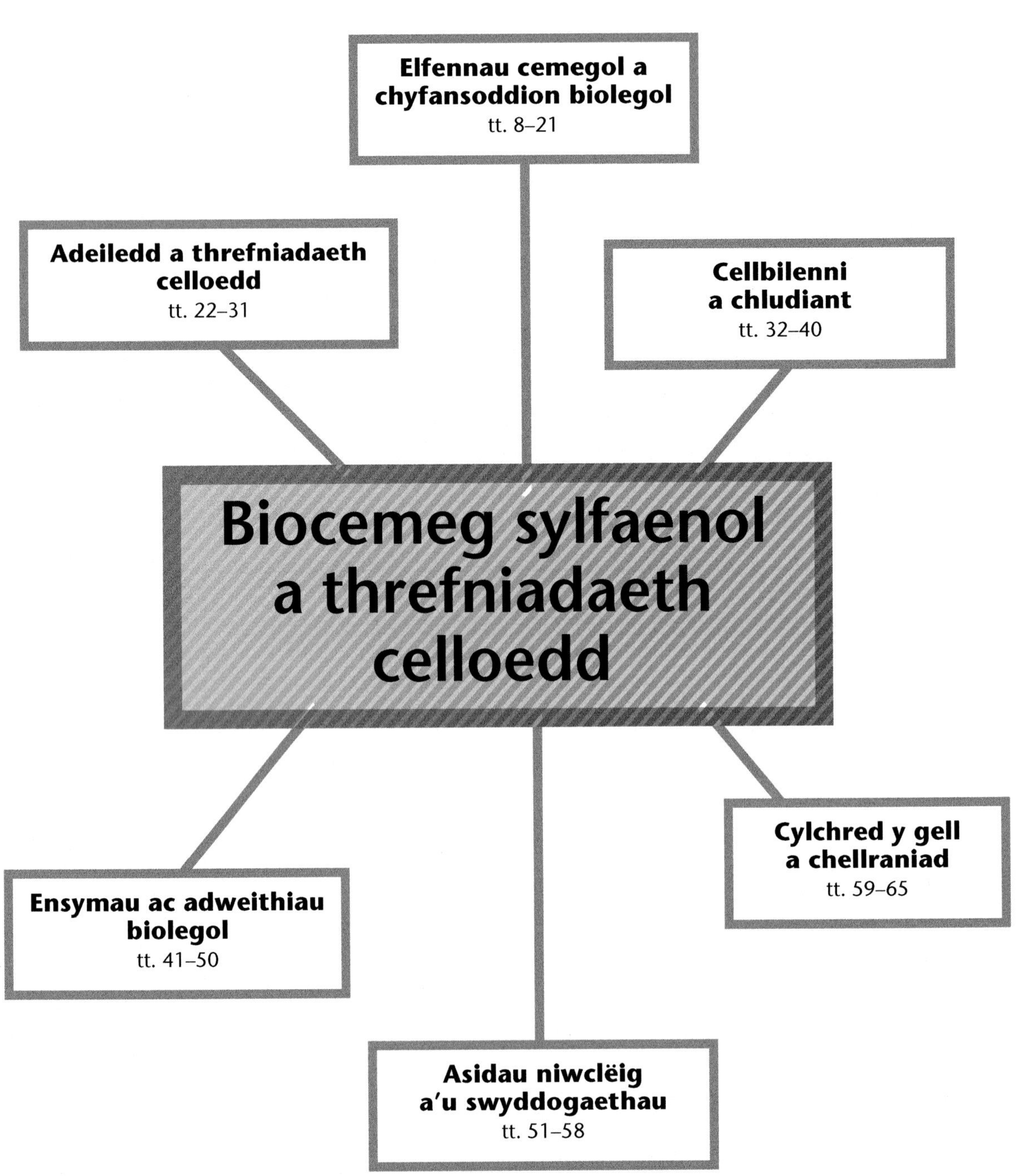

Wedi ei adolygu!

Nodiadau bras | *Gafael dda* | *Adolygu'n llawn*

Elfennau cemegol a chyfansoddion biolegol

Mae cyfansoddion biolegol wedi'u gwneud o elfennau cemegol, ac maen nhw'n hanfodol i organebau byw. Mae'r pwnc hwn yn edrych ar adeiledd a swyddogaethau carbohydradau, lipidau, proteinau, dŵr ac ïonau anorganig mewn organebau byw.

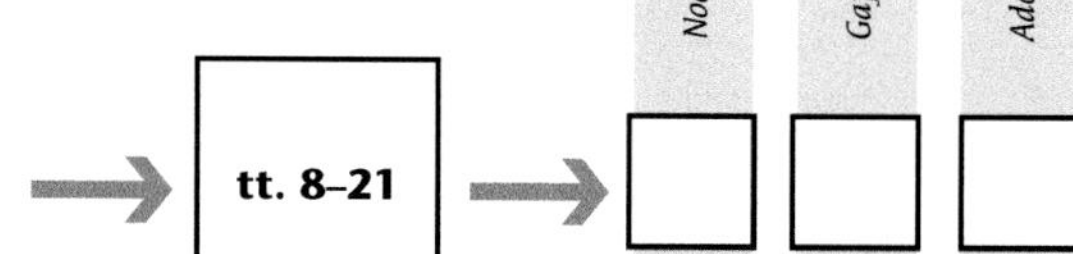

tt. 8–21

Adeiledd a threfniadaeth celloedd

Celloedd yw unedau hanfodol bywyd, ac mae adweithiau metabolaidd yn digwydd ynddynt. Mae'r pwnc hwn yn edrych ar uwchadeiledd celloedd planhigyn ac anifail fel maen nhw'n edrych dan y microsgop electron. Mae hefyd yn edrych ar adeiledd a swyddogaethau'r organynnau sydd yn y celloedd, gan gynnwys y gwahaniaethau rhwng y celloedd ewcaryotig hyn a chelloedd procaryotig a firysau.

tt. 22–31

Cellbilenni a chludiant

Mae pilen arwyneb y gell yn amgylchynu celloedd, gan reoli cyfnewid defnyddiau fel maetholion a nwyon resbiradol rhwng y gell a'r amgylchedd. Mae'r pwnc hwn yn cynnwys adeiledd y bilen hon a sut mae'n gweithio, a'r gwahanol fecanweithiau sy'n bodoli i gyfnewid defnyddiau.

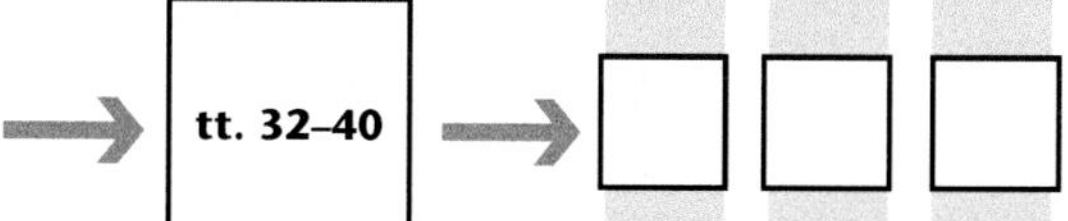

tt. 32–40

Ensymau ac adweithiau biolegol

Ensymau sy'n rheoli adweithiau metabolaidd mewn celloedd mewn organebau byw. Mae'r pwnc hwn yn sôn am adeiledd ensymau a sut maen nhw'n gweithio, a'u swyddogaeth mewn diwydiant.

tt. 41–50

Asidau niwclëig a'u swyddogaethau

Mae'r pwnc hwn yn sôn am swyddogaeth ATP fel cludydd egni a DNA fel y cod genetig mewn organebau. Mae'n rhoi manylion am sut mae DNA a RNA yn cyfrannu at synthesis proteinau, a sut mae DNA yn cael ei ddyblygu mewn celloedd.

tt. 51–58

Cylchred y gell a chellraniad

Mae'r pwnc hwn yn sôn am sut mae celloedd yn dyblygu ac yn rhannu drwy gyfrwng cylchred y gell, ac am swyddogaeth meiosis o haneru nifer y cromosomau cyn ffurfio gametau.

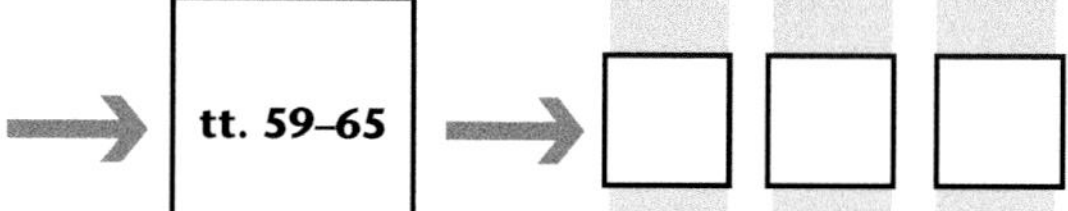

tt. 59–65

Termau Allweddol

Cyddwysiad: dileu moleciwl dŵr a ffurfio bond cofalent rhwng dau grŵp biocemegol, e.e. glwcos + glwcos = maltos + dŵr.

Hydrolysis: torri moleciwlau mawr i ffurfio rhai llai drwy ychwanegu moleciwl dŵr, e.e. lactos + dŵr = glwcos + galactos.

» *Cofiwch*

Dylech chi allu adnabod fformiwlâu adeileddol y prif foleciwlau biolegol a dangos sut mae bondiau'n cael eu ffurfio a'u torri yn ystod adweithiau **cyddwyso** a **hydrolysis.** Does dim angen i chi allu eu hatgynhyrchu nhw.

1.1 Elfennau cemegol a chyfansoddion biolegol

Ïonau anorganig

Mae angen amrywiaeth o ïonau anorganig ar gyfer llawer o brosesau celloedd, gan gynnwys cyfangiad cyhyrau a chyd-drefniant nerfol. Rydym ni hefyd yn eu galw nhw'n electrolytau, ac mae angen symiau bach iawn o rai ohonynt (microfaetholion), e.e. sinc, a symiau bach o rai eraill (macrofaetholion).

Swyddogaethau ïonau anorganig

Ïon anorganig	Swyddogaeth	Diagram
Magnesiwm (Mg^{2+})	Rhan o gloroffyl, felly mae ei angen ar gyfer ffotosynthesis. Os nad oes digon ohono, mae dail yn edrych yn felyn (clorosis).	H_2C, CH_3, H_3C, N, Mg^{2+}, O, $O-CH_3$
Haearn (Fe^{2+})	Rhan o haemoglobin, felly mae'n ymwneud â chludo ocsigen. Mae diffyg haearn yn y deiet yn gallu arwain at anaemia.	polypeptid α_1; haem (grŵp sydd ddim yn brotein, sy'n cynnwys haearn (*non-protein*)); polypeptid β_2; polypeptid β_1; polypeptid α_2
Calsiwm (Ca^{2+})	Cydran adeileddol o esgyrn a dannedd (mae angen ffosffad hefyd).	
Ffosffad (PO_4^{3-})	Mae ei angen i wneud niwcleotidau, gan gynnwys ATP. Mae'n rhan o ffosffolipidau mewn cellbilenni.	HO-P-O-P-O-P-O-CH_2; NH_2; Adenin; Ribos; OH OH; 3 grŵp ffosffad

Cofiwch: ïon yw atom neu foleciwl â gwefr sydd wedi ennill neu golli electron(au).

Dŵr

Mae dŵr yn hanfodol i fywyd ar y Ddaear: dŵr yw rhwng 65% a 95% yn ôl màs o'r rhan fwyaf o organebau, mae'n caniatáu i adweithiau pwysig ddigwydd, ac mae'n ffurfio cynefin sy'n gorchuddio dros 70% o arwyneb y Ddaear.

Mae llawer o briodweddau dŵr yn deillio o'i adeiledd sylfaenol: mae'n foleciwl **deupol**, h.y. mae ganddo ben â gwefr bositif (hydrogen) a phen â gwefr negatif (ocsigen), ond dim gwefr gyffredinol. Mae **bondiau hydrogen** yn ffurfio'n rhwydd rhwng yr hydrogen ar un moleciwl a'r ocsigen ar un arall. Er bod y bondiau hyn yn unigol yn wan, gyda'i gilydd maent yn ei gwneud hi'n anodd gwahanu moleciwlau oddi wrth ei gilydd. Dyma sy'n arwain at nifer o briodweddau dŵr. Mae dŵr yn hydoddydd rhagorol: oherwydd ei natur ddeupol mae'n denu gronynnau â gwefr a moleciwlau polar eraill, gan ganiatáu iddynt hydoddi.

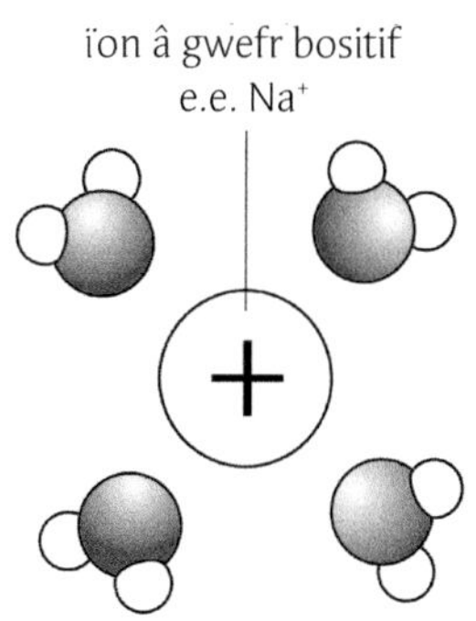

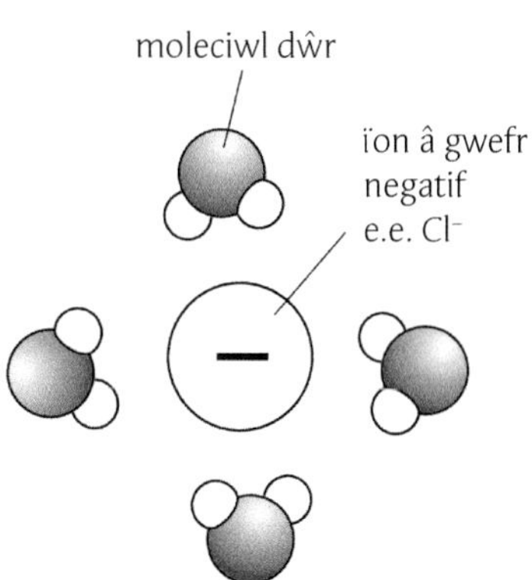

Moleciwlau dŵr yn eu trefnu eu hunain o gwmpas ïonau mewn hydoddiant (lle mae δ yn cyfeirio at wefr rannol)

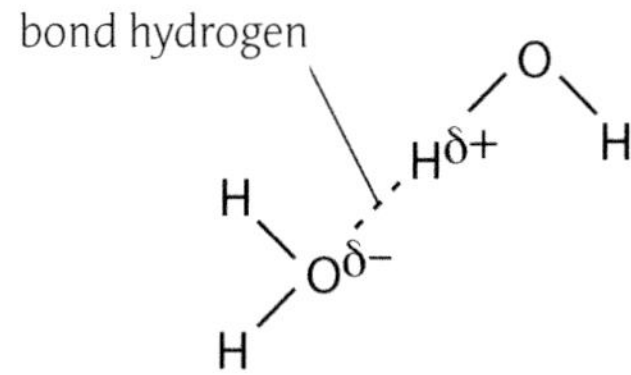

Moleciwlau dŵr yn dangos bondiau hydrogen

Termau Allweddol

Deupol: Moleciwl polar sydd â gwefr bositif a gwefr negatif.

Bond hydrogen: grym atynnol gwan rhwng atom hydrogen â gwefr bositif ac atom ocsigen neu nitrogen â gwefr negatif.

Gwella gradd

Mae'r rhan fwyaf o briodweddau dŵr yn deillio o'i natur fel deupol a bondio hydrogen.

cwestiwn cyflym

① Esboniwch pam mae dŵr yn gallu hydoddi sodiwm clorid.

cwestiwn cyflym

② Pam rydym ni'n dweud bod dŵr yn ddeupol?

Priodwedd	Pwysigrwydd biolegol
Hydoddydd	Mae'n ymwneud â llawer o adweithiau biocemegol, e.e. hydrolysis a chyddwysiad. Mae'n caniatáu i foleciwlau polar, e.e. glwcos, ac ïonau, hydoddi ynddo. Mae'n gweithredu fel cyfrwng cludiant, e.e. gwaed.
Cynhwysedd gwres sbesiffig uchel	Oherwydd bod angen llawer o egni gwres i gynyddu tymheredd corff dŵr (oherwydd bod angen torri niferoedd mawr o fondiau hydrogen), mae'n gallu atal amrywiadau tymheredd mawr. Felly, mae amgylcheddau dyfrol yn gymharol sefydlog o safbwynt thermol.
Gwres cudd anweddu uchel	Mae angen llawer o egni gwres i anweddu dŵr, felly mae'n aml yn cael ei ddefnyddio fel cyfrwng oeri, e.e. chwysu mewn mamolion.
Metabolyn	Mae'n ymwneud â llawer o adweithiau biocemegol, e.e. hydrolysis a chyddwysiad, ac mae'n un o adweithyddion ffotosynthesis.
Cydlyniad	Mae moleciwlau dŵr yn atynnu ei gilydd ac yn ffurfio bondiau hydrogen â'i gilydd. Mae hyn yn golygu bod coed yn gallu tynnu dŵr i fyny eu tiwbiau sylem, ac yn creu tyniant arwyneb sy'n gallu cynnal corff pryfed, e.e. rhiain y dŵr. Mae dŵr hefyd yn cynnal organebau dyfrol eraill, e.e. sglefrod môr.
Dwysedd uchel	Mae dwysedd dŵr ar ei uchaf ar 4 °C: o ganlyniad, mae rhew'n arnofio, ac mae'n gweithredu fel ynysydd i atal y dŵr oddi tano rhag rhewi'n llwyr, gan ddiogelu'r cynefin dyfrol.
Tryloyw	Mae'n gadael i olau fynd drwyddo, sy'n galluogi planhigion dyfrol i gyflawni ffotosynthesis.

cwestiwn cyflym

③ Nodwch pa briodweddau dŵr sy'n caniatáu'r canlynol:

A. mae pryfed yn gallu cerdded ar ddŵr

B. mae chwys yn oeri anifail ac

C. mae dŵr yn gweithredu fel cyfrwng cludiant.

Gwella gradd

Mae angen i chi allu adnabod y gwahanol fathau o garbohydrad a'u huno nhw â'i gilydd neu eu hollti nhw, ond does dim rhaid i chi allu cofio sut i luniadu eu hadeileddau.

Carbohydradau

Moleciwlau bach organig yw'r rhain sy'n cynnwys carbon, ocsigen a hydrogen. Maen nhw'n gweithredu fel:

- Blociau adeiladu i wneud moleciwlau mwy cymhleth, e.e. ribos, sy'n ffurfio rhan o foleciwl RNA
- Ffynonellau egni, e.e. glwcos
- Moleciwlau storio egni, e.e. glycogen a startsh
- Cynhaliad adeileddol, e.e. cellwlos a chitin.

Monosacaridau

Mae pob monosacarid yn blasu'n felys ac yn hydawdd mewn dŵr. Mae'r grŵp hwn yn cynnwys siwgrau sengl sydd i gyd yn cynnwys carbon, hydrogen ac ocsigen yn y cyfrannau canlynol: $(CH_2O)_n$ lle mae n yn rhif rhwng 3 a 6. Mae'r siwgrau trios (n = 3) yn bwysig i lwybrau resbiradaeth. Mae'r siwgrau pentos (n = 5) fel ribos a deocsiribos yn rhannau pwysig o asid riboniwcleig (RNA) ac asid deocsiriboniwcleig (DNA).

Mae glwcos yn siwgr hecsos (n = 6) a hwn yw defnydd cychwynnol resbiradaeth, a bloc adeiladu glycogen a pholysacaridau eraill. Mae siwgrau hecsos eraill yn cynnwys galactos a ffrwctos.

Gelwir sylweddau sy'n rhannu'r un fformiwla, ond sydd ag adeileddau gwahanol yn **isomerau**. Mae glwcos yn bodoli fel dau isomer: α-glwcos a β-glwcos. Yr unig wahaniaeth rhwng y ddau yw safle'r grŵp hydrocsyl ar atom carbon rhif 1. Mewn α-glwcos, mae'r grŵp hydrocsyl (OH) yn mynd tuag i lawr, ac mewn β-glwcos mae'r grŵp hydrocsyl yn mynd tuag i fyny. Mae hyn yn effeithio ar y ffordd maen nhw'n uno â moleciwlau eraill.

Fformiwla adeileddol siwgr trios

Gwella gradd

Cyfrwch nifer yr atomau carbon i ganfod pa fath o fonosacarid ydyw.

Term Allweddol

Isomer: moleciwlau â'r un fformiwla gemegol ond â'r atomau wedi'u trefnu'n wahanol.

glwcos ffurf cadwyn syth â'r atomau C wedi'u rhifo

neu, yn fwy syml

α-**glwcos**

neu, yn fwy syml

β-**glwcos**

Fformiwlâu adeileddol ffurfiau glwcos cadwyn syth a chylch

cwestiwn cyflym

④ Nodwch pa un o A, B ac C sy'n siwgr trios, glwcos, a siwgr pentos.

A

B

C

Deusacaridau

Mae'r rhain yn cael eu ffurfio drwy uno dau fonosacarid â'i gilydd, gan golli moleciwl dŵr a ffurfio bond glycosidig, mewn adwaith cyddwyso.

α-glwcos + α-glwcos → (cyddwysiad) maltos + H_2O

bond glycosidig

Ffurfio bond glycosidig rhwng dau foleciwl glwcos i ffurfio maltos

Mae'r adwaith cemegol sy'n hollti deusacaridau i ffurfio monosacaridau'n cynnwys ychwanegu dŵr, sef hydrolysis.

Hydrolysis y bond glycosidig mewn maltos

Deusacarid	Monosacaridau cydrannol	Swyddogaeth fiolegol
maltos	glwcos + glwcos	mewn hadau sy'n egino
swcros	glwcos + ffrwctos	cludiant yn ffloem planhigion blodeuol
lactos	glwcos + galactos	mewn llaeth mamolion

Tabl yn crynhoi'r wybodaeth am ddeusacaridau

cwestiwn cyflym

⑤ Os mai fformiwla glwcos yw $C_6H_{12}O_6$, beth yw fformiwla maltos (glwcos + glwcos)?

Profi am bresenoldeb siwgrau rhydwythol

Mae siwgr rhydwythol yn rhoi electron i rydwytho ïonau copr (II) glas sy'n bresennol mewn copr sylffad i ffurfio copr (I) ocsid coch.

1. Ychwanegwch yr un cyfaint o adweithydd Benedict (glas) at yr hydoddiant sy'n cael ei brofi a gwresogwch ef yn gryf mewn baddon dŵr berwedig.
2. Os oes siwgr rhydwythol fel glwcos yn bresennol, bydd yr hydoddiant yn newid lliw'n raddol o las drwy wyrdd, melyn ac oren, ac yn y pen draw bydd gwaddod lliw brics coch yn ffurfio.

Mae pob monosacarid a rhai deusacaridau, e.e. maltos a lactos, yn siwgrau rhydwythol.

Mae rhai deusacaridau, fel swcros, yn siwgrau anrydwythol a byddant yn rhoi prawf negatif oherwydd dydyn nhw ddim yn gallu rhydwytho ïonau copr (II) mewn copr sylffad i ffurfio copr (I) ocsid. I brofi am siwgr anrydwythol:

1. Gwresogwch ag asid hydroclorig, yna niwtralwch ef drwy ychwanegu alcali yn araf nes bod unrhyw hisian yn stopio.
2. Ychwanegwch adweithydd Benedict a gwresogwch ef yn gryf fel o'r blaen. Os yw'r hydoddiant nawr yn newid lliw o las i goch, mae siwgr anrydwythol yn bresennol.

Gwella gradd

Cofiwch ddweud bod prawf cadarnhaol yn newid lliw'r dangosydd o *las* i *goch*.

Cofiwch

Prawf ansoddol yw prawf Benedict. Nid yw'n gallu rhoi crynodiad y siwgr rhydwythol sy'n bresennol.

Cofiwch

Gallwn ni ddefnyddio biosynhwyrydd i gael mesuriad meintiol, h.y. y crynodiad sy'n bresennol. Mae'r biosynhwyrydd hefyd yn gallu adnabod siwgr *penodol* sy'n bresennol oherwydd yr ensym penodol y mae'n ei ddefnyddio. Mae hyn yn ddefnyddiol iawn ym maes meddygaeth wrth fonitro cyflyrau fel diabetes, lle mae angen mesur crynodiad y glwcos yn y gwaed yn fanwl gywir.

Polysacaridau

Pan mae nifer mawr o fonosacaridau'n uno â'i gilydd, maen nhw'n ffurfio **polymer** o'r enw polysacarid. Mae polysacaridau'n ffurfio nifer o foleciwlau adeileddol. Maen nhw hefyd yn foleciwlau da am storio egni oherwydd maent:

- yn methu tryledu allan o'r gell
- yn siâp cryno felly mae cell yn gallu storio llawer o glwcos
- yn anhydawdd mewn dŵr, felly dydyn nhw ddim yn newid y potensial dŵr, ac felly ddim yn cael effaith osmotig
- yn hawdd eu hydrolysu i ffurfio'r monosacaridau sydd ynddynt i'w defnyddio mewn resbiradaeth, heblaw cellwlos, sy'n anodd ei dreulio oherwydd ei adeiledd ffibrog.

Mae'r polysacaridau y byddwn ni'n edrych arnynt i gyd wedi'u gwneud o foleciwlau glwcos yn unig, neu yn achos citin, glwcos â grŵp asetylamin wedi'i ychwanegu. Y gwahaniaeth rhwng y rhain yw sut mae'r bondiau glycosidig yn ffurfio.

Gwella gradd

Wrth ysgrifennu am eu swyddogaeth fel moleciwlau storio, rhaid i chi ddweud storio *egni* neu *glwcos*.

Polymer: moleciwl mawr wedi'i wneud o nifer o unedau sy'n ailadrodd (monomerau) wedi'u bondio â'i gilydd.

Startsh

Startsh yw'r brif storfa egni mewn planhigion, ac mae i'w gael mewn gronynnau startsh sydd yn y rhan fwyaf o gelloedd planhigion ac mewn cloroplastau, ond maent yn fwy cyffredin mewn hadau.

Mae siwgrau sy'n cael eu gwneud mewn ffotosynthesis yn cael eu storio fel startsh os nad oes eu hangen nhw ar unwaith ar gyfer resbiradaeth.

Mae startsh wedi'i wneud o lawer o foleciwlau α-glwcos wedi'u bondio â'i gilydd, ac mae'n cynnwys dau bolymer, amylos ac amylopectin. Mae amylos yn llinol (ddim yn ganghennog) ac mae bondiau glycosidig yn ffurfio rhwng yr atom carbon cyntaf (C1) ar foleciwl 1 a'r pedwerydd atom carbon (C4) ar foleciwl 2: rydym ni'n galw'r rhain yn fondiau glycosidig 1-4. Mae hyn yn ailadrodd i ffurfio cadwyn syth, sydd yna'n torchi i ffurfio helics sengl.

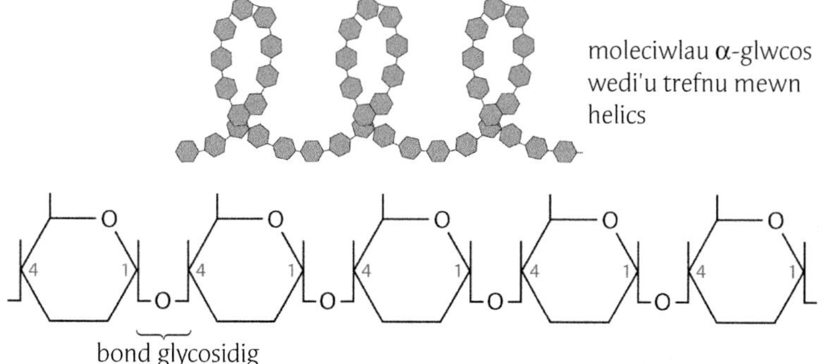

Adeiledd moleciwl amylos

Mae amylopectin yn foleciwl canghennog ac mae'n ffitio y tu mewn i'r amylos. Mae'n cynnwys bondiau glycosidig 1-4 a bondiau glycosidig 1-6. Os yw bond glycosidig yn ffurfio rhwng yr atom carbon cyntaf ar un moleciwl glwcos a'r chweched atom carbon ar un arall, mae hyn yn creu cangen ochr; mae bondiau glycosidig 1-4 yna'n parhau o ddechrau'r gangen. Oherwydd

cwestiwn cyflym

⑥ Gwnewch fraslun i gymharu amylopectin ac amylos.

ei adeiledd canghennog, mae mwy o bennau rhydd nag sy'n gallu cael eu hydrolysu, felly mae'n rhyddhau glwcos yn gyflymach.

Cofiwch

Mae'r ensym amylas yn ymddatod y bondiau glycosidig mewn amylos ac amylopectin ac yn rhyddhau maltos.

Diagram i ddangos bondiau 1-4 ac 1-6 mewn amylopectin a glycogen

Profi am bresenoldeb startsh

Mae hydoddiant ïodin (ïodin wedi'i hydoddi mewn hydoddiant dyfrllyd potasiwm ïodid) yn adweithio ag unrhyw startsh sy'n bresennol mewn sampl, gan achosi newid lliw o oren-frown i ddu-las. Mae dyfnder y lliw du-las hwn yn gallu rhoi syniad o'r crynodiad, ond dydy hyn ddim yn ddibynadwy oherwydd mae arddwysedd y lliw yn lleihau wrth i'r tymheredd godi.

Glycogen

Hwn yw'r prif gynnyrch storio mewn anifeiliaid ac mae'n debyg iawn i amylopectin; yr unig wahaniaeth yw bod moleciwlau glycogen yn fwy canghennog na'r moleciwlau amylopectin.

Cellwlos

Polysacarid adeileddol yw cellwlos a hwn yw'r moleciwl organig mwyaf helaeth ar y Ddaear oherwydd ei bresenoldeb yng nghellfuriau planhigion.

Gwella gradd

Mae startsh a glycogen yn hydrolysu'n rhwydd i roi α-glwcos, sy'n hydawdd ac yna'n gallu cael ei gludo lle bynnag mae angen egni.

Mae cellwlos yn cynnwys nifer o unedau β-glwcos wedi'u bondio â'i gilydd, ac mae'r moleciwlau glwcos cyfagos wedi'u cylchdroi 180° gan ffurfio cadwynau paralel syth hir gyda bondiau hydrogen yn eu trawsgysylltu nhw â'i gilydd. Mae'r rhain yn trawsgysylltu'n dynn i ffurfio sypynnau o'r enw microffibrolion, sydd yn eu tro wedi'u trefnu mewn sypynnau o'r enw ffibrau. Er eu bod nhw'n gryf, mae'r bylchau rhwng ffibrau cellwlos yng nghellfuriau planhigion yn eu gwneud nhw'n athraidd, sy'n golygu bod dŵr a hydoddion yn gallu mynd drwodd at y gellbilen.

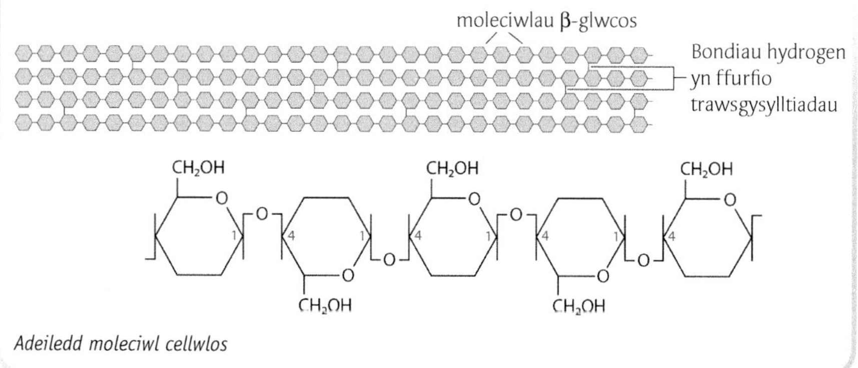

Adeiledd moleciwl cellwlos

Gwella gradd

Gwnewch yn siŵr eich bod chi'n deall bod moleciwlau glwcos cyfagos yn cylchdroi 180°, sy'n caniatáu i fondiau hydrogen ffurfio rhwng grwpiau hydrocsyl cadwynau paralel cyfagos.

Citin

Mae citin yn bolysacarid adeileddol sy'n bodoli yn sgerbwd allanol arthropodau (e.e. pryfed) ac yng nghellfuriau ffyngau oherwydd ei fod yn gryf, yn ysgafn ac yn wrth-ddŵr. Mae ganddo adeiledd tebyg i gellwlos gyda nifer o gadwynau paralel hir o foleciwlau β-glwcos (â grŵp asetylamin wedi'i ychwanegu) wedi'u trawsgysylltu â'i gilydd gan fondiau hydrogen i ffurfio microffibrolion, oherwydd bod moleciwlau glwcos cyfagos wedi'u cylchdroi 180° mewn modd tebyg i'r rheini mewn cellwlos.

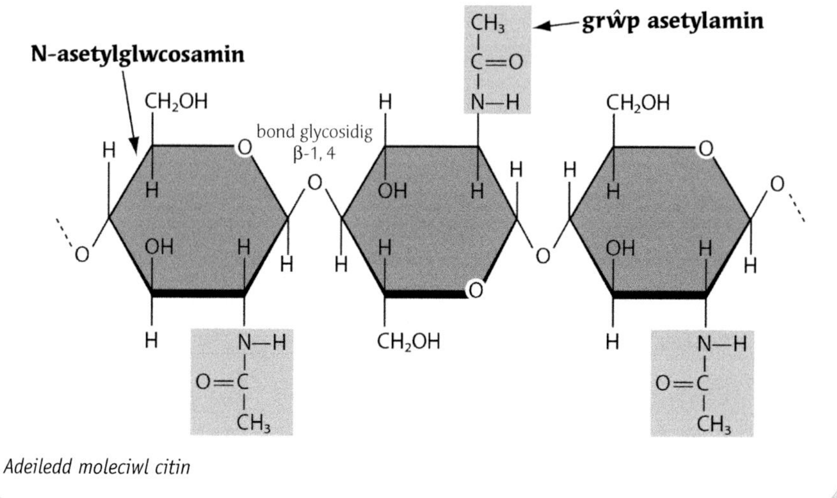

Adeiledd moleciwl citin

Lipidau

Mae lipidau'n gyfansoddion amholar felly maent yn anhydawdd mewn dŵr. Maent yn cynnwys:

- carbon
- hydrogen (llawer mwy na charbohydradau)
- ocsigen (llawer llai na charbohydradau).

Mae triglyseridau'n ffurfio drwy gyfuno un moleciwl glyserol a thri moleciwl asid brasterog mewn adwaith cyddwyso sy'n dileu tri moleciwl dŵr ac yn ffurfio bond ester rhwng y glyserol a'r asid brasterog.

Cofiwch

Un o briodweddau cemegol pwysig lipidau yw eu bod nhw'n anhydawdd mewn dŵr ond yn hydoddi mewn hydoddyddion organig fel aseton (propanon) ac alcoholau. Gallwn ni ddefnyddio'r rhain i hydoddi'r ffosffolipidau sy'n bodoli mewn cellbilenni.

Gwella gradd

Dydy triglyseridau ddim yn bolymerau!

cwestiwn cyflym

⑦ Enwch y bond sy'n cael ei dorri, a'r math o adwaith sy'n digwydd, wrth ymddatod triglyserid.

Adwaith cyddwyso rhwng glyserol a 3 asid brasterog i ffurfio triglyserid

Amrywiadau yn yr asidau brasterog sy'n achosi'r gwahaniaethau rhwng priodweddau gwahanol frasterau ac olewau. Os nad oes gan y gadwyn hydrocarbon fondiau dwbl carbon–carbon, rydym ni'n dweud bod yr asid brasterog yn ddirlawn oherwydd mae'r atomau carbon i gyd wedi'u cysylltu â'r nifer mwyaf posibl o atomau hydrogen. Hynny yw, maent yn ddirlawn ag atomau hydrogen. Mae'r brasterau hyn yn lled-solid ar dymheredd ystafell ac maent yn ddefnyddiol i storio brasterau mewn mamolion. Mae bwyta llawer o fraster, yn enwedig brasterau dirlawn, yn ffactor sy'n cyfrannu at glefyd y galon. Mae lipidau anifeiliaid yn aml yn ddirlawn, ac mae lipidau planhigion yn aml yn annirlawn ac yn bodoli ar ffurf olewau, fel olew olewydd ac olew blodau'r haul. Os mai dim ond un bond dwbl carbon–carbon sy'n bresennol, rydym ni'n eu galw nhw'n frasterau monoannirlawn, ac os oes llawer o fondiau dwbl carbon–carbon yn bresennol, rydym ni'n eu galw nhw'n frasterau polyannirlawn. Mae'r bondiau dwbl carbon–carbon yn gallu achosi cinc yn yr asid brasterog cadwyn syth.

Adeiledd asidau brasterog

Cwyrau

Math o lipidau yw cwyrau sy'n ymdoddi ar dymheredd uwch na 45 °C. Mae ganddyn nhw rôl ddiddosi (*waterproofing*) mewn anifeiliaid a phlanhigion, e.e. yng nghwtigl y ddeilen.

Swyddogaethau lipidau

Mae lipidau'n chwarae rhan bwysig yn adeiledd pilenni plasmaidd, a lipidau yw prif gydran y bilen fyelin o gwmpas niwronau. Mae presenoldeb myelin yn cyflymu lledaeniad ysgogiadau nerfol ar hyd y niwron.

Mae swyddogaethau eraill lipidau'n cynnwys:

Priodwedd	Swyddogaeth
Cronfa egni	Mae lipidau'n gwneud cronfeydd egni rhagorol mewn planhigion ac anifeiliaid. Mae hyn oherwydd eu bod nhw'n cynnwys mwy o fondiau carbon–hydrogen na charbohydradau. Mae un gram o fraster, wedi'i ocsidio, yn cynhyrchu tua *dwywaith* cymaint o egni â'r un màs o garbohydrad.
Ynysu thermol	Pan gaiff ei storio o dan y croen, mae'n gweithredu fel ynysydd rhag colli gwres.
Amddiffyn	Yn aml, caiff braster ei storio o gwmpas organau mewnol bregus fel yr arennau i'w hamddiffyn rhag niwed corfforol.
Dŵr metabolaidd	Mae triglyseridau'n cynhyrchu llawer o ddŵr metabolaidd wrth gael eu hocsidio. Mae hyn yn bwysig i anifeiliaid diffeithdir fel y llygoden fawr godog, sy'n goroesi ar ddŵr metabolaidd o resbiradu'r braster mae hi'n ei fwyta.
Diddosi	Mae brasterau'n anhydawdd mewn dŵr ac yn bwysig mewn organebau tir. Mae sgerbwd allanol cwyraidd pryfed a chwtigl cwyraidd planhigion yn lleihau colli dŵr. Yna, fel arfer, yr unig ffordd bosibl o golli dŵr yw drwy'r stomata yn y broses o'r enw trydarthiad.

cwestiwn cyflym

⑧ Awgrymwch pam mae planhigion yn storio egni ar ffurf lipidau.

cwestiwn cyflym

⑨ Beth yw ystyr dŵr metabolaidd?

Ffosffolipidau

Mae ffosffolipidau yn fath arbennig o lipid lle mae grŵp ffosffad yn cymryd lle un o'r cynffonnau asid brasterog. Mae hyn yn creu moleciwl gydag un pen sy'n hydawdd mewn dŵr, a'r pen arall sy'n anhydawdd mewn dŵr. Mae'r rhan asid brasterog yn amholar ac yn anhydawdd mewn dŵr, felly rydym ni'n dweud ei bod hi'n **hydroffobig**. Mae'r rhan glyserol a'r grŵp ffosffad yn bolar ac yn hydawdd mewn dŵr: rydym ni'n dweud eu bod nhw'n **hydroffilig**.

Mae ffosffolipidau'n bwysig mewn ffurfiad pilenni plasmaidd a'u swyddogaeth mewn celloedd; gweler tudalen 32.

Termau Allweddol

Hydroffobig: casáu dŵr, h.y. ddim yn gallu rhyngweithio â dŵr oherwydd nad oes gwefr ar y moleciwl.

Hydroffilig: caru dŵr, h.y. yn gallu rhyngweithio â dŵr oherwydd bod gwefr ar y moleciwl.

cwestiwn cyflym

⑩ Nodwch ddau wahaniaeth rhwng ffosffolipid a thriglyserid.

cwestiwn cyflym

⑪ Nodwch drwy ba ran o'r bilen y byddai moleciwl hydawdd mewn lipid yn mynd.

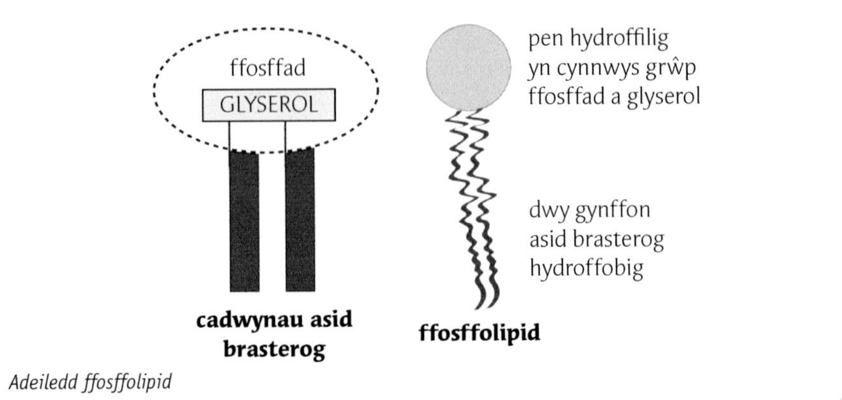

Adeiledd ffosffolipid

Prawf am frasterau ac olewau

Yn y prawf emwlsio lipidau, rydym ni'n cymysgu sampl ag ethanol i hydoddi unrhyw lipidau sy'n bresennol (mae lipidau yn hydawdd mewn hydoddyddion organig fel ethanol). Yna, rydym ni'n ysgwyd y sampl gyda'r un cyfaint o ddŵr. Mae hyn yn achosi i'r lipidau sydd wedi hydoddi adael yr hydoddiant gan eu bod nhw'n anhydawdd mewn dŵr ac yn gwneud i'r sampl edrych fel emwlsiwn gwyn cymylog.

Goblygiadau brasterau dirlawn i iechyd bodau dynol

Atherosglerosis yw pan mae dyddodion brasterog neu blaciau o'r enw atheroma yn cronni yn waliau rhydwelïau, o ganlyniad i lipoproteinau dwysedd isel (*low density lipoproteins* – LDL) o ddeiet sy'n cynnwys llawer o frasterau dirlawn. Mae hyn yn arwain at gulhau'r rhydwelïau. Wrth i'r rhydwelïau gulhau, maent yn colli eu helastigedd ac yn dechrau cyfyngu ar lif y gwaed. Mae hyn yn cyfyngu ar y cyflenwad ocsigen i'r galon, sy'n gallu arwain at angina, ac yn y pen draw at drawiad ar y galon. Mae atheroma'n gallu achosi i leinin yr endotheliwm rwygo, sy'n achosi tolchen (thrombosis), sydd hefyd yn gallu achosi strociau.

Rydym ni wedi profi bod deiet sy'n cynnwys cyfran uwch o frasterau annirlawn, ynghyd ag ymarfer corff, yn gwneud i'r corff gynhyrchu mwy o lipoproteinau dwysedd uchel (*high density proteins* – HDL), sy'n cludo brasterau niweidiol i'r afu/iau i gael gwared arnynt. Yr uchaf yw cymhareb HDL:LDL yng ngwaed claf, yr isaf yw'r risg o glefyd cardiofasgwlar.

Proteinau

Mae proteinau'n gyfansoddion mawr sydd wedi'u gwneud o is-unedau o'r enw asidau amino. Mae tua 20 o wahanol asidau amino'n cael eu defnyddio i wneud proteinau, a threfn yr asidau amino hyn sy'n pennu adeiledd y protein ac felly ei swyddogaeth.

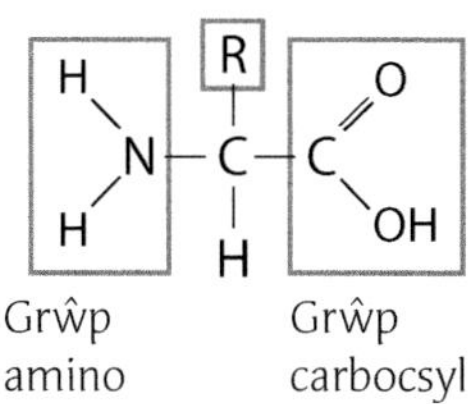

Adeiledd cyffredinol asid amino

Mae proteinau'n cynnwys:

- carbon
- hydrogen
- ocsigen
- nitrogen
- weithiau sylffwr.

Gwella gradd

Efallai y bydd angen i chi adnabod grŵp R/asid carbocsylig/grŵp amino o fformiwla adeileddol lawn asid amino.

cwestiwn cyflym

⑫ Enwch y bond sy'n cael ei gynhyrchu mewn adwaith cyddwyso rhwng dau asid amino.

Ffurfio bond peptid

Mae proteinau'n cael eu hadeiladu o ddilyniant llinol o asidau amino. Mae adwaith cyddwyso'n digwydd rhwng grŵp amino un asid amino a grŵp carbocsyl un arall gan ddileu dŵr. Y bond sy'n cael ei ffurfio yw bond peptid, ac mae'r adwaith yn cynhyrchu cyfansoddyn deupeptid.

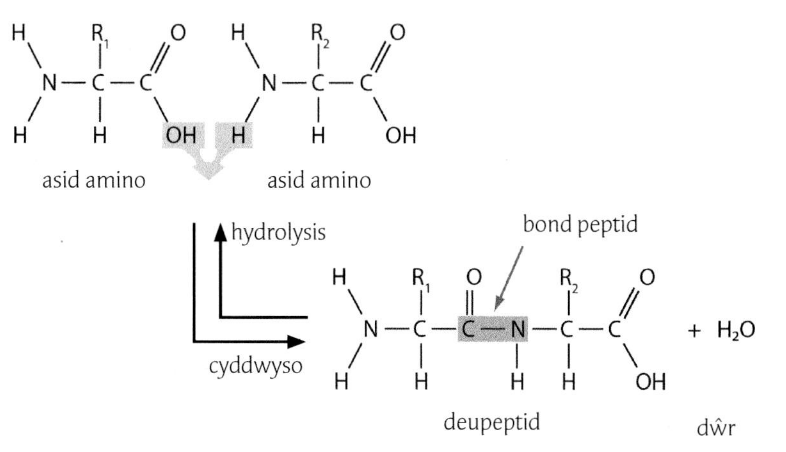

Ffurfio deupeptid

Gwella gradd

Y bond sy'n ffurfio rhwng dau asid amino yw bond peptid, NID bond deupeptid!

Adeiledd proteinau

Mae proteinau'n foleciwlau mawr iawn sy'n cynnwys cadwynau hir o nifer o asidau amino wedi'u huno â'i gilydd. Enw'r cadwynau hyn yw polypeptidau.

Adeiledd protein	Diagram
Trefn yr asidau amino mewn cadwyn polypeptid yw *adeiledd cynradd*. Mae'n cael ei bennu gan ddilyniant DNA ar un edefyn yn y moleciwl DNA.	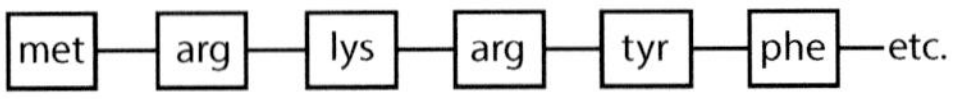 met—arg—lys—arg—tyr—phe—etc.
Mae'r *adeiledd eilaidd* yn golygu plygu'r adeiledd cynradd mewn siâp 3D sy'n cael ei ddal at ei gilydd gan fondiau hydrogen rhwng =O ar y grŵp –COOH a'r H ar y grwpiau NH_2. Mae hyn yn creu dau siâp: yr helics α a'r ddalen bletiog β.	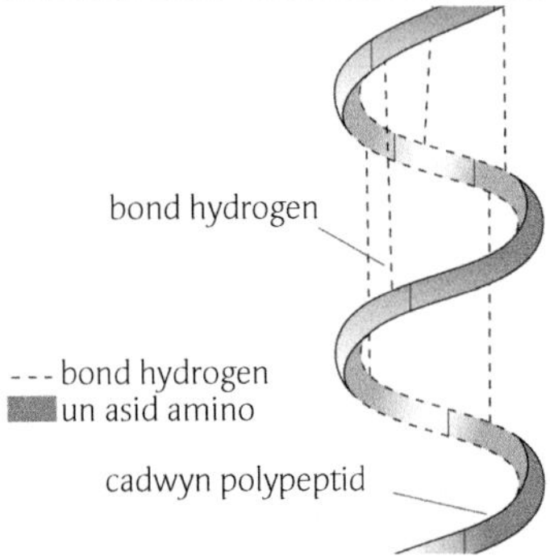 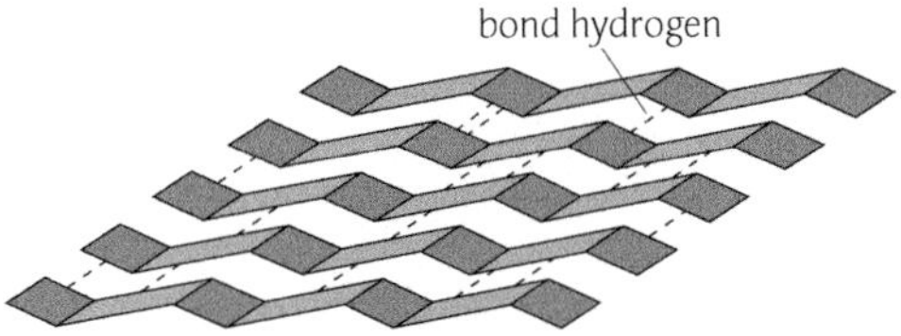 bond hydrogen --- bond hydrogen un asid amino cadwyn polypeptid bond hydrogen
Mae'r *adeiledd trydyddol* yn ffurfio drwy blygu'r helics α yn siâp mwy cryno, sy'n cael ei gynnal gan fondiau deusylffid, ïonig a hydrogen, a rhyngweithiadau hydroffobig. Dyma sy'n gwneud siâp proteinau crwn, e.e. ensymau.	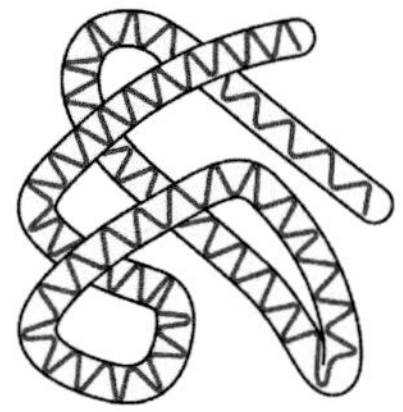
Mae'r *adeiledd cwaternaidd* yn deillio o gyfuniad o ddwy neu fwy o gadwynau polypeptid ar ffurf drydyddol wedi'u cyfuno. Mae'r rhain yn aml yn gysylltiedig â grwpiau sydd ddim yn broteinau ac weithiau'n ffurfio moleciwlau mawr, cymhleth, e.e. haemoglobin.	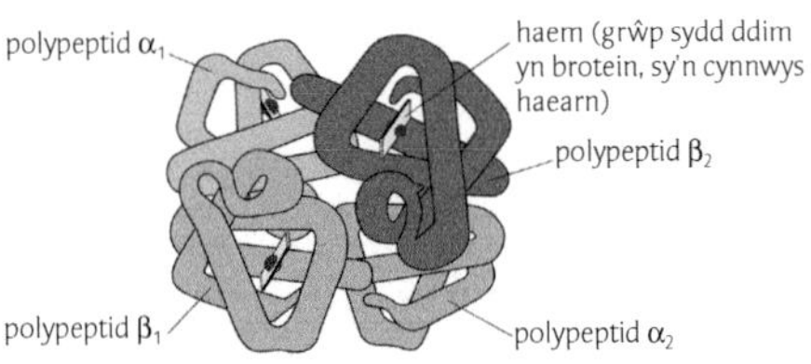 polypeptid α_1 haem (grŵp sydd ddim yn brotein, sy'n cynnwys haearn) polypeptid β_2 polypeptid β_1 polypeptid α_2

» Cofiwch

Mae proteinau'n cyflawni amrywiaeth eang o swyddogaethau. Maen nhw'n gweithredu fel ensymau, gwrthgyrff, proteinau cludo, hormonau a phroteinau adeileddol.

» Cofiwch

Mae colagen yn enghraifft o brotein cwaternaidd heb adeiledd trydyddol. Mae tri helics alffa wedi'u dirwyn o gwmpas ei gilydd i gynhyrchu'r protein adeileddol.

cwestiwn cyflym

⑬ Rhestrwch y pedwar bond sy'n bresennol yn adeiledd trydyddol protein, o'r gwannaf i'r cryfaf.

Mae'r gwaith mae proteinau'n ei wneud yn dibynnu ar siâp y moleciwl. Rydym ni'n eu dosbarthu nhw mewn dau grŵp:

- Mae *proteinau ffibrog* yn cyflawni swyddogaethau adeileddol. Maen nhw'n cynnwys polypeptidau mewn cadwynau paralel neu ddalennau gyda nifer o drawsgysylltiadau i ffurfio ffibrau hir, er enghraifft ceratin (mewn gwallt). Mae proteinau ffibrog yn anhydawdd mewn dŵr, yn gryf ac yn wydn. Mae colagen yn darparu'r priodweddau gwydn sydd eu hangen mewn tendonau. Mae un ffibr wedi'i wneud o dair cadwyn polypeptid wedi'u dirdroi o gwmpas ei gilydd fel rhaff. Mae pontydd ar draws yn cysylltu'r cadwynau hyn, gan wneud moleciwl sefydlog iawn.
- Mae *proteinau crwn* yn cyflawni amrywiaeth o wahanol swyddogaethau – ensymau, gwrthgyrff, proteinau plasma ac mae rhai yn hormonau e.e. inswlin. Mae'r proteinau hyn yn gryno ac wedi'u plygu'n foleciwlau sfferig. Maen nhw'n hydawdd mewn dŵr. Mae haemoglobin yn cynnwys pedair cadwyn polypeptid wedi'u plygu; mae haem, sef grŵp sy'n cynnwys haearn, yng nghanol pob un. Mae gan bob protein siâp unigryw a phenodol.

Gwella gradd

Mae'r prawf biuret yn gweithio drwy ganfod presenoldeb bondiau peptid; prawf ansoddol ydyw. I ganfod crynodiad protein penodol, byddai angen biosynhwyrydd; fodd bynnag, gallwn ni ddefnyddio colorimedr i roi syniad o grynodiad cymharol unrhyw broteinau amhenodol sy'n bresennol mewn sampl.

Gwella gradd

Yn aml, bydd ymgeiswyr yn drysu rhwng prawf biuret a phrawf Benedict ac yn sôn am wresogi. Bydd hyn yn colli'r marc i chi.

Prawf am brotein – y prawf biuret

1. Ychwanegu rhai diferion o adweithydd biuret at eich sampl.
2. Os oes protein yn bresennol, bydd y lliw'n newid o las i borffor.

cwestiwn cyflym

⑭ Dosbarthwch yr enghreifftiau canlynol o broteinau:

A. ensym
B. colagen
C. inswlin.

Crynodeb o brofion am grwpiau bwyd sylfaenol

Bwyd	Prawf	Canlyniad positif
Siwgr rhydwythol	Ychwanegu rhai diferion o adweithydd Benedict a'i wresogi	Newid lliw o las i liw brics coch
Siwgr anrydwythol	Hydrolysu â HCl, niwtralu, yna ychwanegu rhai diferion o adweithydd Benedict a'i wresogi	Newid lliw o las i liw brics coch
Startsh	Ychwanegu rhai diferion o hydoddiant ïodin	Newid lliw o oren-frown i ddu-las
Protein	Ychwanegu rhai diferion o adweithydd biuret	Newid lliw o las i borffor
Lipid	Ychwanegu ethanol a'r un cyfaint o ddŵr a'i ysgwyd	Troi'n gymylog

1.2 Adeiledd a threfniadaeth celloedd

Adeiledd celloedd

Wrth astudio celloedd mae hi'n bwysig bod gennych chi gysyniad o faint, a beth rydym ni'n ei ddefnyddio i fesur ffurfiadau mewn celloedd. Uned safonol mesur hyd yw'r metr, m. Fyddai hon ddim yn briodol i fesur cell oherwydd byddai cell nodweddiadol yn mesur 0.003m. Yn lle hynny, rydym ni'n defnyddio cyfres o fesuriadau llai.

» *Cofiwch*

1m = 1000mm
1mm = 1000µm
1µm = 1000nm

Mesuriad	Symbol	Faint sydd mewn 1 metr	1 o'r rhain mewn metrau yw	Beth mae'n cael ei ddefnyddio i fesur	Enghraifft
metr	m	1	1	organebau mwy	mae taldra bod dynol cyfartalog yn 1.75m
milimetr	mm	1000	10^{-3}	meinweoedd ac organau	mae trwch croen yn amrywio rhwng 0.5 a 4mm
micrometr	µm	1,000,000	10^{-6}	celloedd ac organynnau	mae lled cell anifail nodweddiadol yn 30µm
nanometr	nm	1,000,000,000	10^{-9}	moleciwlau	mae lled helics DNA yn 2.4nm

Termau Allweddol

Organyn: ffurfiad arbenigol sy'n bodoli mewn celloedd ewcaryotig ac sy'n cyflawni swyddogaeth benodol ar gyfer y gell.

Celloedd ewcaryotig (ewcaryotau): mae gan y rhain DNA mewn cromosomau mewn cnewyllyn, ac organynnau pilennog, e.e. celloedd planhigion ac anifeiliaid.

Pŵer cydrannu: y pellter lleiaf sy'n gorfod bod rhwng dau bwynt er mwyn iddynt gael eu gweld fel dau bwynt ar wahân, yn hytrach nag un ddelwedd.

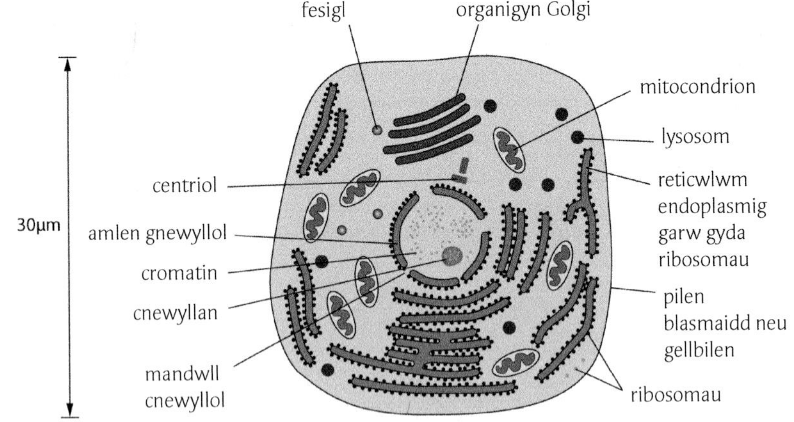

Adeiledd cyffredinol cell anifail

Dan y microsgop golau, dim ond rhai ffurfiadau sy'n hawdd eu gweld yn y cytoplasm. Dan y microsgop electron, mae llawer mwy o ffurfiadau, o'r enw **organynnau**, i'w gweld mewn celloedd **ewcaryotig**. Mae hyn oherwydd bod y microsgop electron yn defnyddio electronau (yn hytrach na golau), sydd â thonfedd lawer byrrach ac felly mae'r microsgop yn rhoi mwy o chwyddhad a mwy o **bŵer cydrannu**. Mae gan organynnau swyddogaethau penodol yn y gell, ac maen nhw wedi'u hamgylchynu â philen. Mae'r pilenni'n darparu arwynebedd arwyneb mawr i gludo moleciwlau ac i ensymau lynu wrthynt.

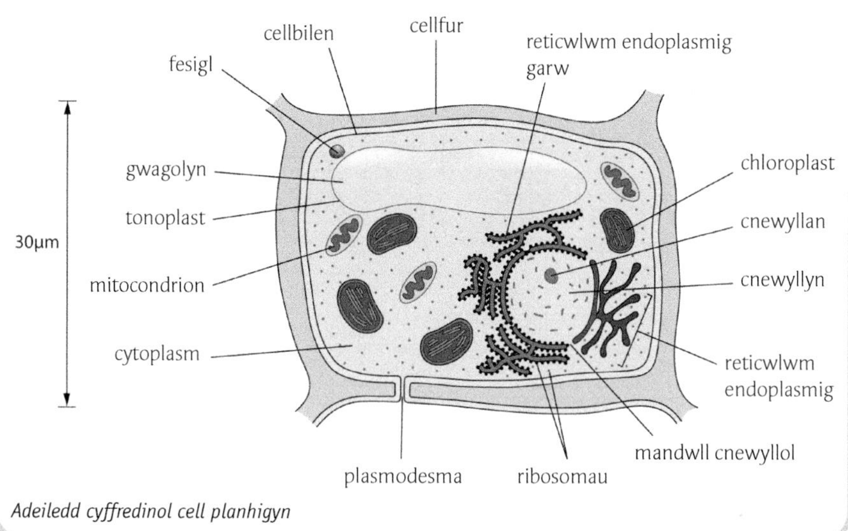

Adeiledd cyffredinol cell planhigyn

Cnewyllyn

Y cnewyllyn yw'r organyn mwyaf sy'n bresennol yng nghytoplasm cell ewcaryotig, ac mae'n cynnwys DNA sy'n codio ar gyfer synthesis proteinau. Mae'r niwclioplasm yn cynnwys cromatin, sy'n cyddwyso i ffurfio cromosomau yn ystod cellraniad. Mae pilen ddwbl yn ei amgylchynu, ac mae'r bilen allanol yn barhaus â'r reticwlwm endoplasmig. Mae gan y bilen fandyllau sy'n gadael i mRNA adael y cnewyllyn. Corff sfferig bach yw'r cnewyllan sy'n bodoli o fewn y cnewyllyn: hwn sy'n gyfrifol am gynhyrchu rRNA a ribosomau.

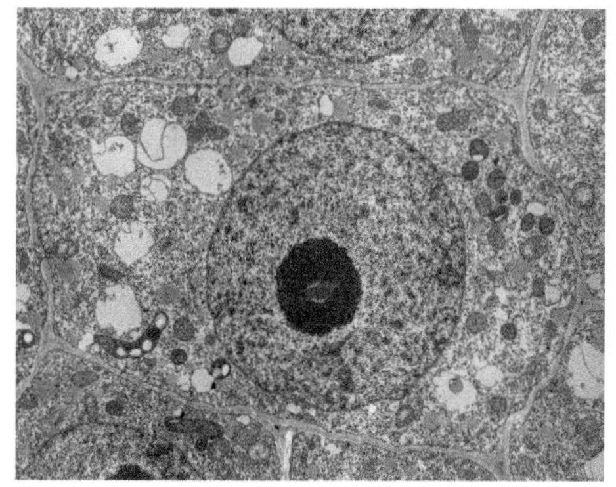

Electron micrograff o'r cnewyllyn

cwestiwn cyflym

① Trawsnewidiwch y canlynol:

A. 2mm yn ficrometrau
B. 7.25 micrometr yn mm
C. 0.13 mm yn ficrometrau.

Mitocondria

Mae gan fitocondria siâp silindrog, mae eu hyd fel rheol yn 1–10µm, a dyma lle mae resbiradaeth aerobig yn digwydd, gan gynhyrchu ATP.

Mae'r bilen fewnol wedi'i phlygu'n ffurfiadau o'r enw cristâu, sy'n darparu arwynebedd arwyneb mawr i ensymau lynu wrtho e.e. ATP synthetas. Mae matrics llawn hylif yn cynnwys lipidau a phroteinau, ribosomau 70S a chylch bach o DNA. Mae'r rhain yn bresennol ym mhob cell, ond mae llawer mwy ohonynt mewn celloedd metabolaidd weithgar, e.e. mewn cyhyrau ac yn yr afu/iau.

» Cofiwch

Mae gan silindr arwynebedd arwyneb mwy na sffêr o'r un cyfaint, ac mae'r pellter o'r ymyl i'r canol yn fyrrach, sy'n lleihau pellter tryledu ac yn cynyddu effeithlonrwydd resbiradaeth.

Term Allweddol

Procaryotau: Organeb ungellog heb organynnau pilennog, fel cnewyllyn. Mae ei DNA yn rhydd yn y cytoplasm.

Gwella gradd

Mae mitocondria a chloroplastau yn cynnwys eu DNA eu hunain a ribosomau 70S, sef y math sydd mewn **procaryotau** gan gynnwys bacteria. Mae gwyddonwyr wedi awgrymu bod yr organynnau hyn wedi deillio o berthynas symbiotig rhwng celloedd cynnar oedd wedi amlyncu bacteria ffotosynthetig a resbiradol dros 1.5 biliwn o flynyddoedd yn ôl. Enw'r syniad hwn yw'r ddamcaniaeth endosymbiotig.

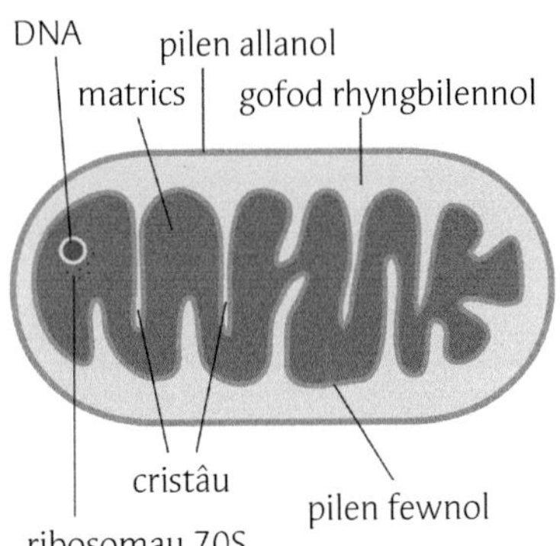

Diagram o doriad drwy fitocondrion

Cloroplastau

Mae cloroplastau yn bodoli mewn planhigion ffotosynthetig, ac yn y rhain mae ffotosynthesis yn digwydd.

Mae'r organyn wedi'i amgylchynu â philen ddwbl ac mae'n cynnwys stroma llawn hylif â gronynnau startsh, ribosomau 70S a chylch o DNA. Pilen fflat yw thylacoid. Mae'r pigmentau ffotosynthetig, sy'n cynnwys cloroffyl, mewn pentyrrau o thylacoidau. Yn wahanol i'r mitocondrion, dydy'r bilen fewnol ddim wedi'i phlygu.

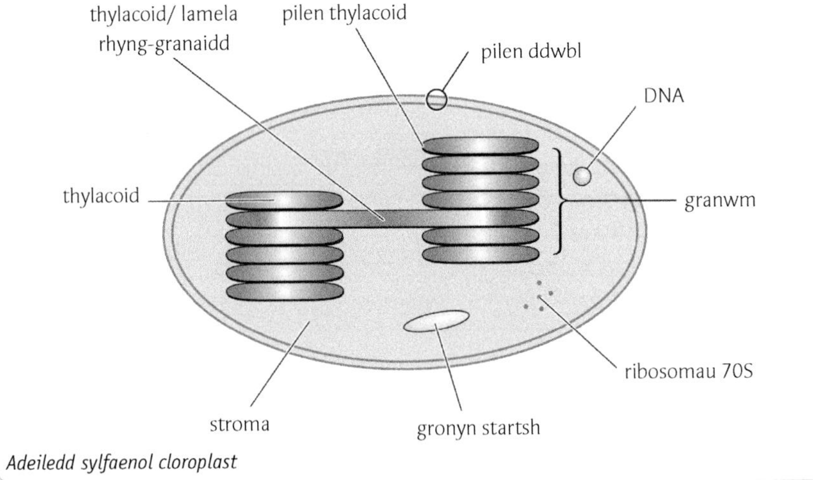

Adeiledd sylfaenol cloroplast

Reticwlwm endoplasmig

System o bilenni dwbl yw hon sydd wedi'i chysylltu â'r amlen gnewyllol. Mae'r pilenni dwbl yn ffurfio codenni fflat llawn hylif sydd wedi'u trawsgysylltu a elwir yn cisternâu.

Mae eu prif swyddogaeth yn ymwneud â chludo defnyddiau drwy'r gell.

Mae gan reticwlwm endoplasmig garw ribosomau ynghlwm wrth ei arwyneb allanol, a chyn gynted ag y mae proteinau wedi eu syntheseiddio yn y ribosomau, maen nhw'n cael eu cludo drwy'r cisternâu.

Does gan reticwlwm endoplasmig llyfn ddim ribosomau, ac mae'n ymwneud â syntheseiddio a chludo lipidau.

Ribosomau

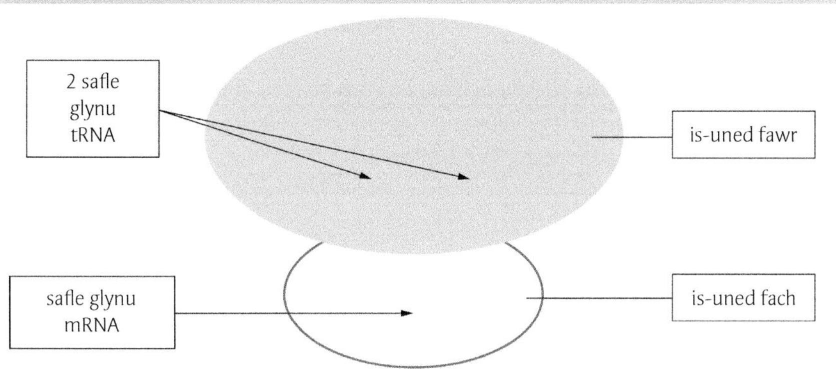

Diagram o ribosom

Mae ribosomau wedi'u gwneud o rRNA a phrotein, ac maen nhw'n bodoli yn y cytoplasm. Dydyn nhw ddim wedi'u hamgylchynu â philen. Eu swyddogaeth yw cydosod proteinau yn ystod trosiad. Maen nhw wedi'u gwneud o ddwy is-uned; mae'r is-uned fach yn cynnwys safle glynu mRNA, ac mae'r is-uned fawr yn cynnwys dau safle glynu tRNA. Mae eu maint yn wahanol rhwng gwahanol gelloedd: mewn celloedd ewcaryotig mae'r ribosomau ychydig bach yn fwy (80S), ac mewn celloedd procaryotig maen nhw'n llai (70S).

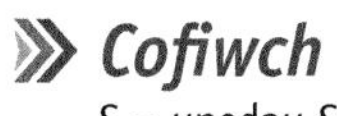

S = unedau Svedburgh.

Organigyn Golgi

Mae organigyn Golgi yn debyg i reticwlwm endoplasmig, ond mae ei siâp yn fwy cryno. Mae'n bentwr o sisternâu crwm. Mae fesiglau sy'n cynnwys polypeptidau yn blaguro oddi ar y reticwlwm endoplasmig garw, ac yn asio â'r organigyn Golgi. Mae organigyn Golgi'n addasu proteinau ac yn eu pecynnu nhw mewn fesiglau i'w hallforio nhw. Mae'r Golgi hefyd yn ymwneud â chludo a storio lipidau, a chynhyrchu glycoproteinau a lysosomau.

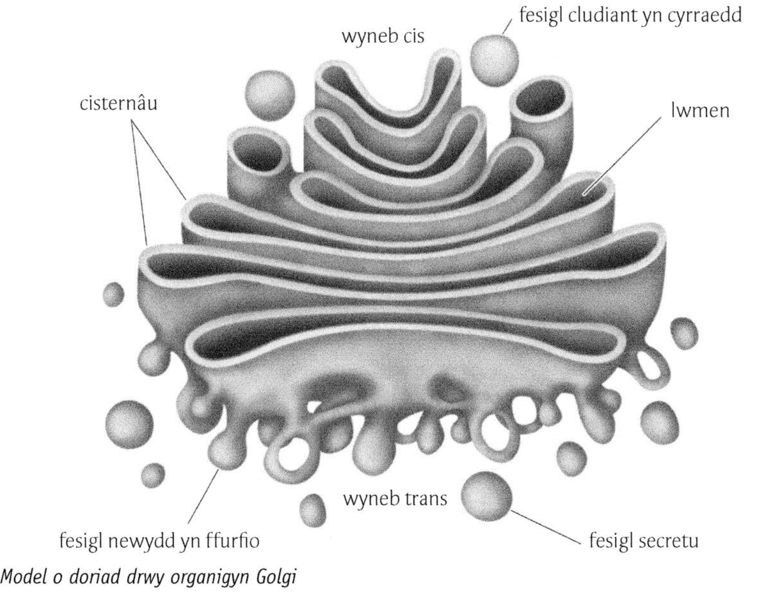

Model o doriad drwy organigyn Golgi

cwestiwn cyflym

② Enwch yr organyn canlynol sydd wedi'i ddangos ar yr electron micrograff isod:

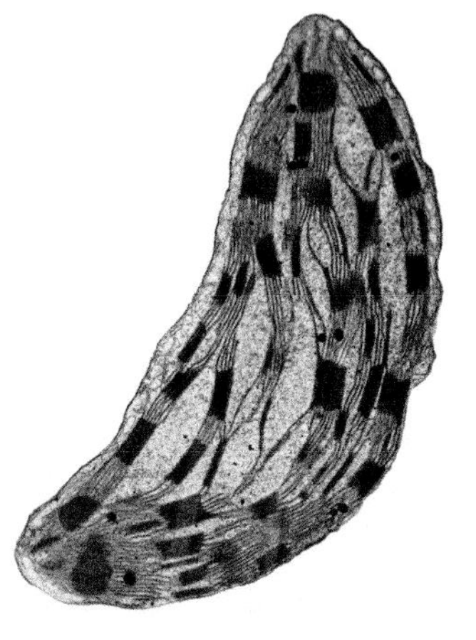

cwestiwn cyflym

③ Parwch yr organynnau 1–6 â'u swyddogaethau A–DD.

1. Cnewyllyn
2. Cloroplast
3. Ribosom
4. Organigyn Golgi
5. Mitocondrion
6. Lysosom

A. Safle ffotosynthesis
B. Safle trosiad
C. Safle trawsgrifiad
CH. Safle resbiradaeth aerobig
D. Dadelfennu organynnau wedi treulio
DD. Lle mae proteinau'n cael eu haddasu a'u pecynnu

Lysosomau

Gwagolynnau bach â philen sengl yw'r rhain, ac maen nhw'n cael eu pinsio oddi ar yr organigyn Golgi ac yn cynnwys yr ensym treulio lysosym. Eu gwaith yw treulio organynnau sydd wedi treulio o fewn y gell, a defnyddiau estron sydd wedi'u hamlyncu drwy gyfrwng ffagosytosis, e.e. bacteria sydd wedi'u hamlyncu gan un o gelloedd gwyn y gwaed.

Centriolau

Mae'r rhain yn bresennol mewn celloedd anifeiliaid a phrotoctistiaid, ond dydyn nhw ddim yn bodoli mewn planhigion uwch. Maen nhw wedi'u gwneud o ddau gylch o ficrodiwbynnau ar ongl sgwâr i'w gilydd, ac yn trefnu'r microdiwbynnau sy'n gwneud y werthyd yn ystod cellraniad.

Gwagolyn

Mae celloedd planhigion yn cynnwys gwagolyn mawr canolog, wedi'i amgylchynu â'r tonoplast. Prif swyddogaeth y gwagolyn yw cynnal meinweoedd planhigol meddal, ond mae hefyd yn storio cemegion fel glwcos ac asidau amino yn y cellnodd.

Cellfur

Mewn planhigion, mae'r cellfur wedi'i wneud yn bennaf o gellwlos (yn wahanol i facteria sy'n defnyddio peptidoglycan, a ffyngau sy'n defnyddio citin). Gweler adeiledd CELLWLOS ar dudalen 15.

Mae'r cellfur yn bwysig i wneud y canlynol:

- Rhoi cryfder i'r gell drwy wrthsefyll chwyddo'r gwagolyn oherwydd osmosis, sy'n creu chwydd-dyndra a chynhaliad i blanhigion sydd ddim yn brennaidd.
- Cludo dŵr a moleciwlau ac ïonau wedi'u hydoddi drwy fylchau yn y ffibrau cellwlos. Y llwybr apoplast yw hwn. Gweler tudalen 97.
- Cyfathrebu rhwng celloedd drwy fandyllau yn y cellfur sy'n caniatáu i edafedd cytoplasm o'r enw plasmodesmata fynd drwodd. Mae hyn yn caniatáu i ddŵr fynd drwodd ar hyd y llwybr symplast. Gweler tudalen 97.

Gwahaniaethau rhwng celloedd planhigion a chelloedd anifeiliaid

Mae'r tabl isod yn dangos y gwahaniaethau rhwng celloedd planhigion ac anifeiliaid:

Cell planhigyn	Cell anifail
Cellfur o gwmpas pilen	Dim cellfur, dim ond pilen
Cloroplastau'n bresennol (mewn celloedd uwchben y ddaear)	Cloroplastau byth yn bresennol
Un gwagolyn canolog parhaol mawr	Gwagolynnau bach dros dro
Dim centriolau	Centriolau
Plasmodesmata	Dim plasmodesmata
Defnyddio gronynnau startsh i storio egni	Defnyddio gronigion glycogen i storio egni

Cofiwch

Mae llawer o organynnau'n cydweithio i wneud gwaith pwysig o fewn y gell, e.e. i gynhyrchu proteinau mae angen y cnewyllyn (cynhyrchu mRNA drwy gyfrwng trawsgrifiad), ribosomau (cynhyrchu polypeptid drwy gyfrwng trosiad), y reticwlwm endoplasmig garw ac organigyn Golgi (i gludo, addasu a phecynnu'r protein yn barod i'w gludo allan).

Celloedd procaryotig, e.e. bacteria

Gwella gradd

Byddwch yn barod i gymharu cell brocaryotig â chell ewcaryotig.

Y rhain yw'r celloedd symlaf a hynaf ar y Ddaear, ac maen nhw'n dyddio'n ôl dros 3.5 biliwn o flynyddoedd. Does gan y rhain ddim gwir gnewyllyn; yn lle hynny, mae DNA yn rhydd yn y cytoplasm, a does dim organynnau pilennog, er bod gan rai ohonynt blygion tuag i mewn yn y bilen, sef mesosomau, lle rydym ni'n meddwl bod resbiradaeth yn digwydd. Mae'r cellfur wedi'i wneud o beptidoglycan, ac mae'r ribosomau 70S ychydig bach yn llai nag mewn ewcaryotau. Mae rhai bacteria'n cynnwys plasmidau (cylchoedd bach o DNA) sy'n cynnwys genynnau sy'n rhoi'r gallu i wrthsefyll gwrthfiotigau.

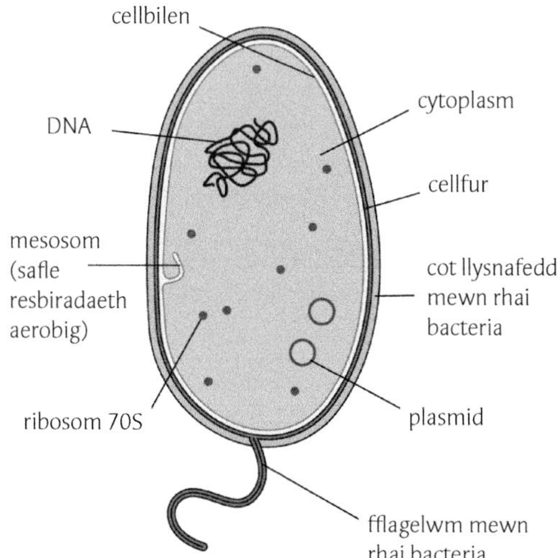

Diagram o gell facteriol gyffredinol

cwestiwn cyflym

④ Cwblhewch y tabl i gymharu procaryotau ac ewcaryotau.

Cell brocaryotig	Cell ewcaryotig
e.e. bacteria ac algâu gwyrddlas	e.e. planhigion, anifeiliaid, ffyngau a phrotoctistiaid
Dim organynnau pilennog	
	Mae'r ribosomau'n fwy (80S), yn rhydd ac ynghlwm wrth bilenni, e.e. ER garw
	DNA wedi'i leoli ar gromosomau yn y cnewyllyn
Dim pilen gnewyllol	
	Cellfur mewn planhigion wedi'i wneud o gellwlos. Mewn ffyngau mae wedi'i wneud o gitin

Firysau

Does gan y rhain ddim cytoplasm, organynnau na chromosomau: dim ond craidd o asid niwclëig (sy'n gallu bod yn DNA neu'n RNA) wedi'i amgylchynu â chot o brotein, sef y capsid. Dydy'r 'firion' anadweithiol hwn ddim yn gallu atgenhedlu na syntheseiddio proteinau heb ddefnyddio cytoplasm organeb letyol. Maen nhw'n gwneud niwed wrth fyrstio allan o gelloedd ac ail-heintio celloedd iach. Mae enghreifftiau'n cynnwys y firws dail brith tybaco sy'n achosi clefyd mosaig tybaco, a HIV sy'n achosi HIV-AIDS.

Gwella gradd

Cofiwch fesur mewn mm bob amser i osgoi gwallau wrth drawsnewid rhwng y gwahanol unedau mesur. Mae angen i chi allu trawsnewid mm yn µm.

Archwilio celloedd

Mesur oddi ar electron micrograffau

I wneud hyn, bydd angen fformiwla:

$$\text{Chwyddhad} = \frac{\text{maint y ddelwedd}}{\text{maint y gwrthrych}}$$

Gallwn ni aildrefnu hyn yn hawdd i gyfrifo maint y gwrthrych ar ôl cael y **chwyddhad** a ffotograff i fesur

$$\text{Maint y gwrthrych} = \frac{\text{maint y ddelwedd}}{\text{maint y chwyddhad}}$$

Term Allweddol

Chwyddhad: sawl gwaith yn fwy na'r gwrthrych yw'r ddelwedd.

Enghraifft wedi'i chyfrifo

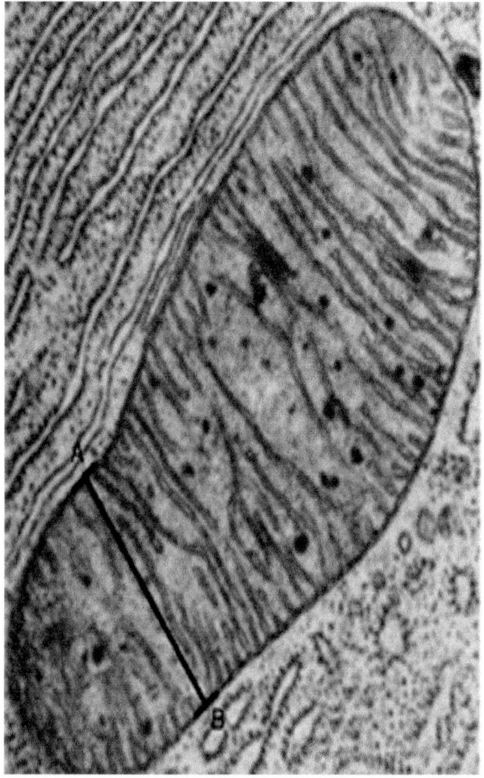

Electron micrograff o fitocondrion i'w fesur

Cafodd lled y mitocondrion uchod ei fesur ar ei bwynt culaf A–B ac roedd yn 1.0μm. Cyfrifwch chwyddhad yr electron micrograff.

$$\text{Chwyddhad} = \frac{\text{maint y ddelwedd}}{\text{maint y gwrthrych}}$$

Ar y ddelwedd, mae A–B yn mesur 35mm

Mae angen lluosi hyn â 1000 i drawsnewid yn μm fel bod y ddau faint rydym ni'n eu cymharu mewn μm

$$= \frac{35 \times 1000}{1.0}$$

$$= \times 35{,}000$$

Gwella gradd

Bydd angen i chi allu adnabod electron micrograffau o wahanol organynnau ac, o'r rhain, cyfrifo naill ai chwyddhad y ddelwedd neu faint go iawn y gwrthrych.

Gwella gradd

Wrth gymharu maint delwedd â maint gwrthrych, dylai'r ddau faint fod yn yr un unedau – felly byddwch yn barod i drawsnewid! Un rheol dda i'w chofio yw mesur mewn mm yna ×1000 i drawsnewid yn μm.

Gwella gradd

Dangoswch eich gwaith cyfrifo bob tro oherwydd weithiau gallwch chi gael marciau am hyn, hyd yn oed os yw eich ateb yn anghywir.

Termau Allweddol

Meinwe: grŵp o gelloedd sy'n cydweithio ac sydd â'r un adeiledd a swyddogaeth.

Organ: grŵp o feinweoedd mewn uned adeileddol sy'n cydweithio i gyflawni swyddogaeth benodol.

Gwella gradd

Fydd dim gofyn i chi ddisgrifio meinwe nerfol yn yr arholiadau.

Lefelau trefniadaeth

Mae organebau ungellog yn cyflawni holl brosesau bywyd o fewn un gell; mewn organebau amlgellog, mae angen celloedd arbenigol sy'n ffurfio **meinweoedd** ac **organau** i wneud hyn. Mae celloedd bonyn yn gelloedd diwahaniaeth (anarbenigol) yn yr embryo sy'n gallu gwahaniaethu i ffurfio unrhyw feinwe. Mae pedwar prif fath o feinwe mewn mamolion: nerfol, cyswllt, cyhyr ac epithelaidd.

Meinweoedd

1. Meinwe gyswllt – cynnal, cysylltu neu wahanu'r gwahanol fathau o feinweoedd ac organau yn y corff. Mae celloedd wedi'u cynnwys mewn hylif allgellog neu fatrics, ac efallai y byddant wedi'u hamgylchynu â ffibrau elastig neu golagenig, e.e. tendonau a gwaed.
2. Meinwe cyhyr – tri math:
   - Mae cyhyr ysgerbydol yn cynnwys bandiau o gelloedd hir neu ffibrau sy'n cyfangu'n bwerus; mae anifeiliaid yn defnyddio'r rhain i symud.
   - Mae cyhyr llyfn yn cynnwys celloedd unigol siâp gwerthyd sy'n cyfangu'n rhythmig, ond dydy'r rhain ddim yn bwerus felly maen nhw'n bodoli ym muriau pibellau gwaed a'r llwybrau treulio a resbiradu.
   - Mae celloedd cyhyr cardiaidd yn rhesog, ond does dim ffibrau hir ynddynt. Maen nhw'n cyfangu'n rhythmig ac yn eithaf pwerus, ond dydyn nhw ddim yn blino'n hawdd.

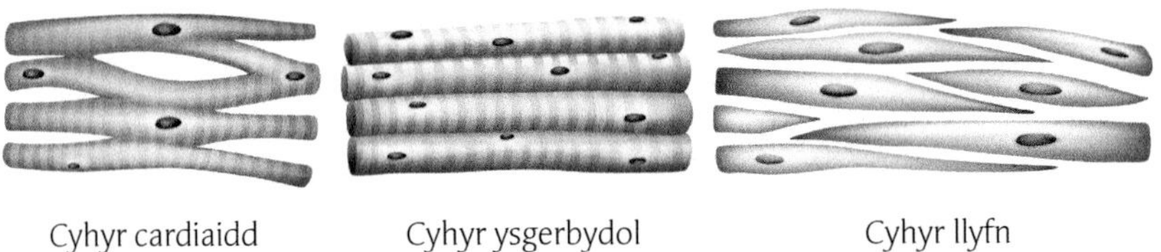

Diagram i ddangos y tri math o ffibr cyhyr

3. Meinwe epithelaidd – gorchuddio a leinio'r corff, e.e. leinio'r coluddion a'r tracea a gorchuddio ein corff fel rhan o'r croen. Mae celloedd epithelaidd i gyd yn eistedd ar bilen waelodol, ond mae siâp a chymhlethdod y celloedd yn amrywio. Enghreifftiau:
   - Y math symlaf yw meinweoedd ciwboid syml lle mae'r celloedd yn siâp ciwb a dim ond un gell yw trwch y feinwe. Mae'r feinwe hon yn gyffredin fel leinin tiwbynnau'r arennau a dwythellau chwarennau.
   - Mewn epitheliwm colofnog, mae'r celloedd yn fwy petryal a gallai fod cilia arnynt, e.e. yn leinio'r tracea.
   - Mae epitheliwm cennog wedi'i wneud o gelloedd fflat. Mae'r rhain yn yr alfeoli ac yn leinio rhydwelïau.

Diagram o epitheliwm ciwboid

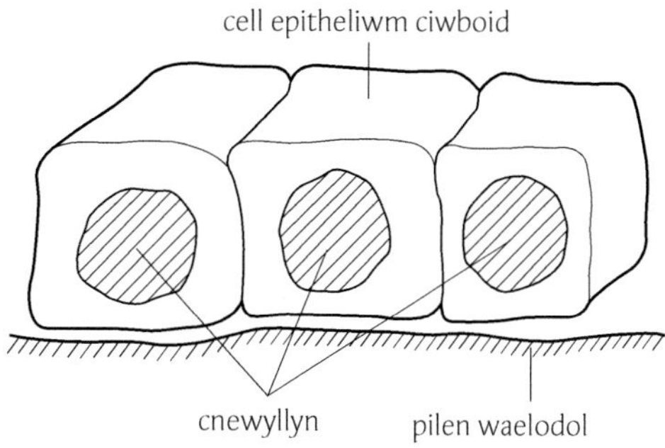

Diagram o epitheliwm colofnog ciliedig

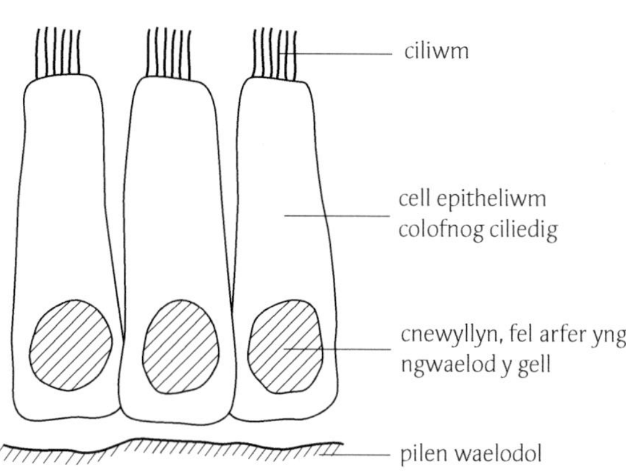

Diagram o epitheliwm cennog

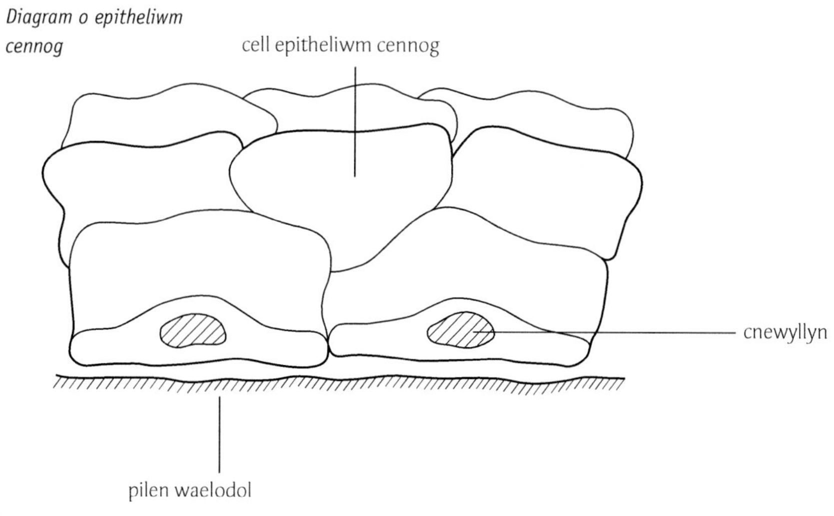

cwestiwn cyflym

⑤ Parwch y meinweoedd 1–6 â lle maen nhw i'w cael yn y corff A–DD.

1. Epitheliwm ciwboid
2. Epitheliwm colofnog
3. Epitheliwm cennog
4. Cyhyr llyfn
5. Cyhyr cardiaidd
6. Meinwe gyswllt

A. Mewn tendonau
B. Cyhyr y galon
C. Ym muriau pibellau gwaed
CH. Tiwbynnau arennau
D. Leinio rhydwelïau
DD. Leinio'r tracea

Organau a systemau organau

Celloedd → Meinweoedd → Organau → Systemau organau

Systemau organau yw grwpiau o organau sy'n cydweithio i wneud gwaith penodol. Mae enghreifftiau'n cynnwys y system dreulio (stumog, ilewm, colon), a'r system gylchrediad (calon, rhydwelïau, capilarïau a gwythiennau).

1.3 Cellbilenni a chludiant

Ffosffolipidau (gweler lipidau ar dudalen 17)

Oherwydd y pen polar hydroffilig a'r cynffonau asid brasterog hydroffobig, mae ffosffolipidau yn ffurfio haen ddwbl mewn dŵr: mae'r pennau polar yn wynebu tuag allan gan ryngweithio â'r dŵr y tu allan i'r gell a thuag i mewn gan ryngweithio â'r dŵr yn y cytoplasm.

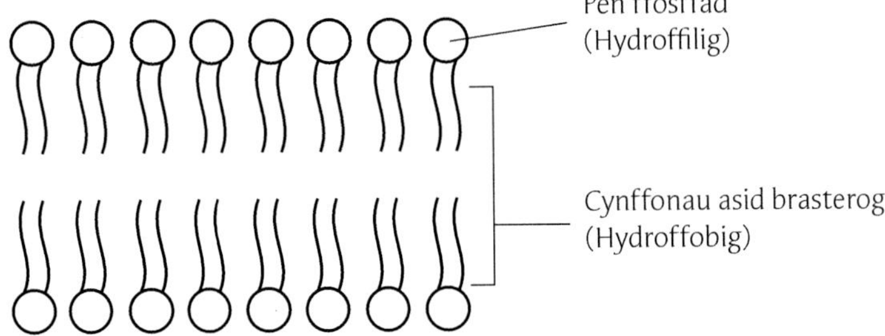

Haen ddwbl ffosffolipid

Yn y gellbilen, mae ffosffolipidau'n eu trefnu eu hunain yn yr haen ddwbl hon, gyda'r proteinau wedi'u gwasgaru drwyddi i gyd. Mae rhai proteinau yn **anghynhenid** ac yn bodoli ar arwyneb yr haen ddwbl, gan weithredu fel derbynyddion hormonau a safleoedd adnabod, ac mae eraill yn rhai **cynhenid** ac yn ymestyn ar draws y ddwy haen, gan weithredu fel sianeli a phroteinau cludo i gludo moleciwlau. Mae rhai proteinau yn ensymau, e.e. ATP synthetas yn y cristâu neu ensymau treulio yn epitheliwm y filysau.

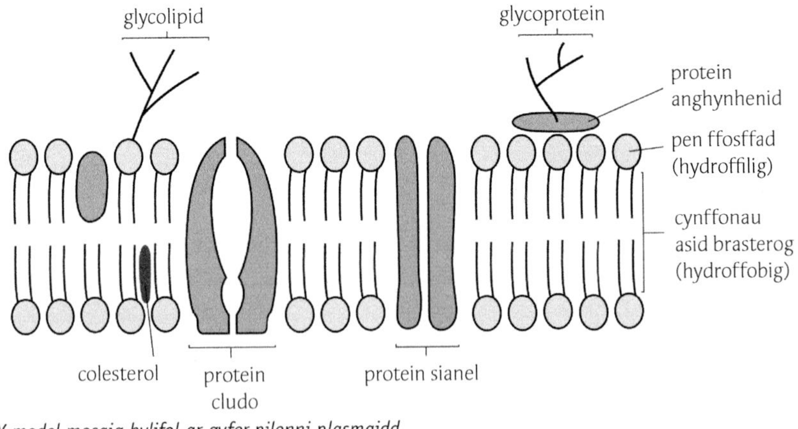

Y model mosaig hylifol ar gyfer pilenni plasmaidd

Cafodd y model mosaig hylifol ar gyfer pilenni plasmaidd ei gynnig gan Singer a Nicolson yn 1972. Mae'r bilen mewn celloedd anifeiliaid hefyd yn cynnwys colesterol, sy'n ei sefydlogi hi. Mae glycoproteinau yn gweithredu fel antigenau, ac mae glycolipidau yn gweithredu fel safleoedd derbyn i foleciwlau fel hormonau.

Termau Allweddol

Proteinau anghynhenid: mae'r rhain i'w cael ar un o arwynebau'r bilen.

Proteinau cynhenid: mae'r rhain i'w cael y tu mewn i'r bilen.

» Cofiwch

Mosaig hylifol: hylifol oherwydd mae ffosffolipidau'n rhydd i symud, a mosaig oherwydd bod y moleciwlau protein wedi'u trefnu ar hap.

Gwella gradd

Gwnewch yn siŵr eich bod chi'n ysgrifennu am adeiledd y bilen wrth geisio esbonio sut mae gwahanol ddefnyddiau'n croesi'r bilen.

Cludiant ar draws pilenni

Bydd priodweddau'r moleciwl sy'n croesi'r bilen yn effeithio'n uniongyrchol ar *sut* maen nhw'n ei chroesi, e.e. mae moleciwlau amholar fel fitamin A a moleciwlau bach fel ocsigen yn gallu hydoddi yn y cynffonau asid brasterog a thryledu ar draws y bilen. Rhaid i foleciwlau polar, e.e. glwcos, groesi mewn protein cludo, oherwydd dydy'r rhain ddim yn gallu hydoddi yn y cynffonau asid brasterog.

» ***Cofiwch***

Does dim angen egni o ATP ar gyfer cludiant goddefol.

Trylediad

Mae trylediad syml yn enghraifft o gludiant goddefol lle mae moleciwlau'n symud o ardal â chrynodiad uchel i ardel â chrynodiad isel nes eu bod nhw wedi eu dosbarthu'n gyfartal. Mae moleciwlau'n symud yn gyson oherwydd eu hegni cinetig: bydd unrhyw ffactor sy'n cynyddu'r egni hwn, neu'n lleihau'r pellter mae'n rhaid iddynt ei dryledu, yn cynyddu cyfradd trylediad. Mae'r ffactorau canlynol yn effeithio ar gyfradd trylediad:

- Y graddiant crynodiad: y mwyaf yw'r gwahaniaeth rhwng crynodiad moleciwlau mewn dau le, y mwyaf o foleciwlau sy'n gallu tryledu mewn cyfnod penodol, felly mae gwrthdrawiadau â'r bilen yn fwy tebygol.
- Pellter tryledu: mae'n cymryd llai o amser i'r moleciwlau dryledu dros bellter byrrach.
- Arwynebedd arwyneb y bilen: y mwyaf yw'r arwynebedd, y mwyaf o foleciwlau sy'n gallu tryledu mewn cyfnod penodol.
- Trwch yr arwyneb cyfnewid: mae'n cymryd llai o amser i'r moleciwlau dryledu dros bellter byrrach.
- Mae cynyddu'r tymheredd yn golygu bod gan foleciwlau fwy o egni cinetig felly maent yn symud yn gyflymach ac yn gwrthdaro â'r bilen yn amlach.

Mae trylediad mewn cyfrannedd ag:

$$\frac{\text{arwynebedd arwyneb} \times \text{gwahaniaeth crynodiad}}{\text{hyd y llwybr tryledu}}$$

cwestiwn cyflym

① Mae'r graff yn dangos sut mae crynodiad ocsigen yn effeithio ar fewnlifiad ocsigen i wreiddiau planhigion.

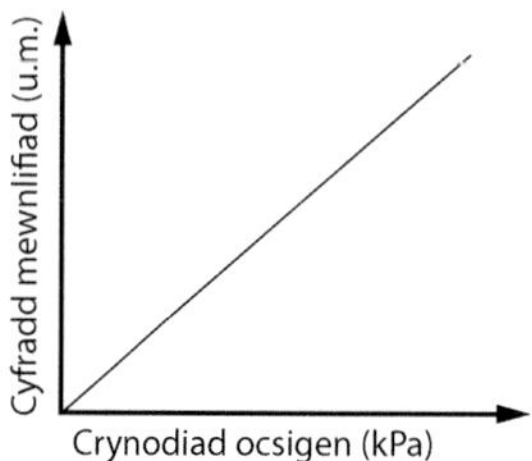

Cyfradd mewnlifiad ocsigen i'r gwreiddiau

Allwch chi esbonio pam mae'r graff hwn yn dangos trylediad?

Trylediad cynorthwyedig

Dydy moleciwlau polar fel glwcos ddim yn gallu mynd drwy'r gellbilen oherwydd maen nhw'n gymharol anhydawdd mewn lipidau. Fel trylediad syml, mae trylediad cynorthwyedig yn broses oddefol felly does dim angen ATP; yn lle hynny, mae hi'n dibynnu ar egni cinetig y moleciwlau. Fodd bynnag, mae hi'n dibynnu ar broteinau cludo yn y bilen sy'n cynorthwyo symudiad moleciwlau polar ar draws y bilen. Felly, mae'r un ffactorau'n effeithio arni â thrylediad, ac un ychwanegol: yn y pen draw, bydd y gyfradd yn dibynnu ar nifer y proteinau cludo sydd ar gael.

Mae dau fath o brotein cludo:

1. Mae *proteinau sianel* yn cynnwys mandyllau â leinin hydroffilig sy'n caniatáu i ïonau â gwefr a moleciwlau polar fynd drwodd. Mae'r rhain yn benodol, ac yn gallu agor neu gau i reoli symudiad moleciwlau penodol.

cwestiwn cyflym

② Mae'r graff yn dangos sut mae crynodiad ïonau nitrad yn effeithio ar fewnlifiad ïonau nitrad i wreiddiau planhigion. Allwch chi esbonio pam mae'r graff hwn yn dangos trylediad cynorthwyedig ac nid trylediad?

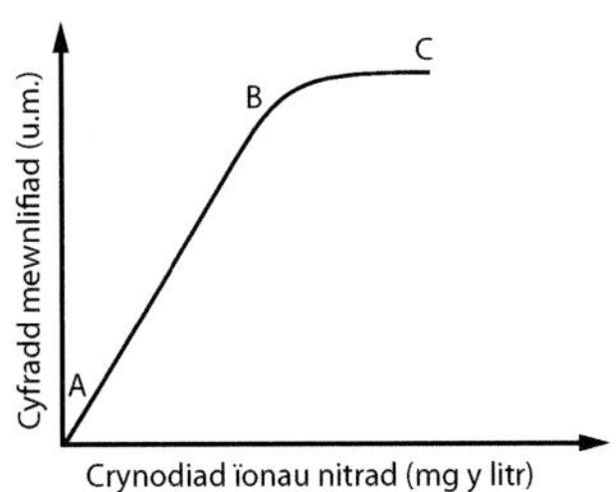

Cyfradd mewnlifiad nitrad i'r gwreiddiau

Cofiwch

Mae'r prosesau canlynol yn dibynnu ar gludiant actif: synthesis proteinau, cyfangiad cyhyrau, trawsyriant ysgogiadau nerfol a mewnlifiad halwynau mwynol i wreiddiau planhigion.

cwestiwn cyflym

③ a) Pam mae ffermwyr yn aredig eu priddoedd i'w hawyru nhw?

b) Esboniwch pam mae planhigion mewn pridd dwrlawn yn tyfu'n arafach.

2. Mae *proteinau cludo* yn caniatáu trylediad moleciwlau polar mwy ar draws y bilen, fel siwgrau ac asidau amino.

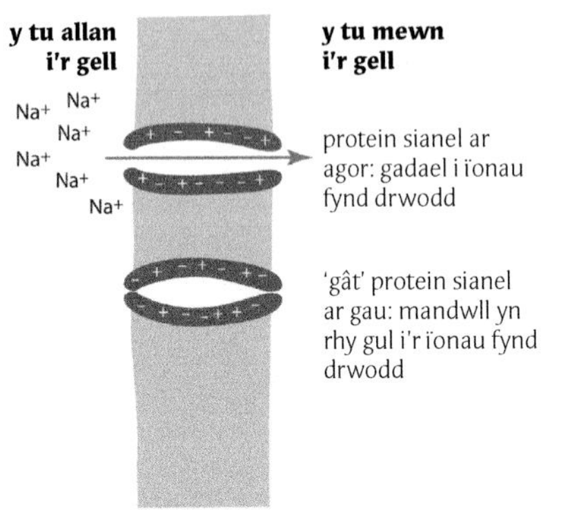

Proteinau cludo a phroteinau sianel

Cludiant actif

Mae angen egni ar ffurf ATP ar gyfer y math hwn o gludiant: y mae felly'n gallu cludo moleciwlau YN ERBYN y graddiant crynodiad. Bydd unrhyw beth sy'n effeithio ar y broses resbiradol yn effeithio ar gludiant actif, e.e. mae cyanid yn atalydd resbiradol a fydd yn atal resbiradaeth aerobig a chynhyrchu ATP. Yn absenoldeb ATP, dydy cludiant actif ddim yn gallu digwydd. Mae cludiant actif hefyd yn defnyddio proteinau cludo sy'n ymestyn ar draws y bilen, ac felly yn y pen draw bydd y gyfradd uchaf bosibl yn dibynnu ar nifer y proteinau cludo hyn sydd ar gael.

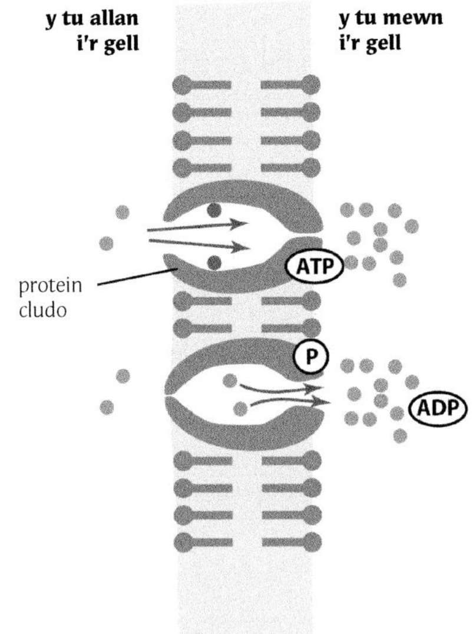

Mae proteinau cludo'n newid siâp wrth gludo moleciwl ar draws pilen

Cludiant actif ac atalyddion resbiradol

Mae'r graff yn dangos ei bod hi'n dal i fod yn bosibl cyrraedd cyfradd uchaf bosibl cludiant pan fydd y proteinau cludo yn ddirlawn. Mae'r gyfradd mewnlifiad yn lleihau drwy ychwanegu atalydd resbiradol: rhaid bod cludiant actif yn digwydd oherwydd mae angen ATP ar y broses.

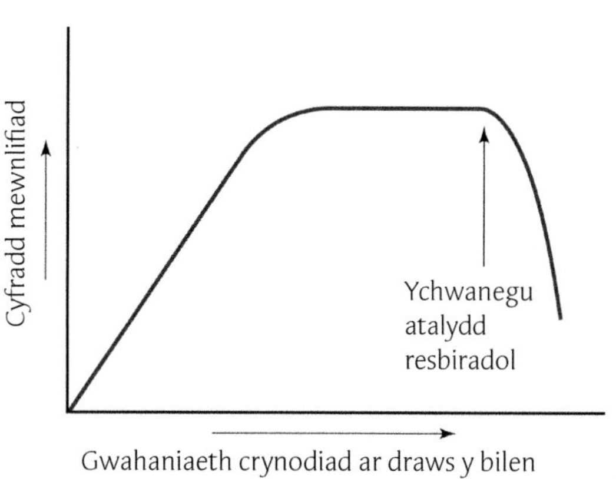

Atal cludiant actif

» *Cofiwch*

Mae ATP yn bwysig i drosglwyddo egni ac mae'n cael ei gynhyrchu yn ystod resbiradaeth. Byddwch chi'n astudio'r moleciwl hwn yn fanylach yn ystod ail flwyddyn y cwrs.

Cydgludiant

Mae cydgludiant yn golygu cludo dau foleciwl gwahanol gyda'i gilydd, e.e. glwcos ac ïonau sodiwm, a dyma'r mecanwaith sy'n cael ei ddefnyddio i amsugno glwcos yn ilewm mamolion.

1. Mae ïonau sodiwm yn cael eu cludo'n actif allan o gelloedd epithelaidd sy'n leinio'r ilewm i mewn i'r gwaed, gan greu crynodiad isel o ïonau sodiwm yn y celloedd.
2. Mae crynodiad uwch yr ïonau sodiwm yn lwmen y coludd, o'i gymharu ag yn y celloedd epithelaidd, yn achosi i ïonau sodiwm dryledu i'r celloedd epithelaidd drwy gyfrwng protein cydgludiant. Wrth iddyn nhw wneud hynny, maen nhw'n cyplu â moleciwlau glwcos ac yn eu cludo nhw gyda nhw.
3. Yn olaf, mae moleciwlau glwcos yn mynd i gapilarïau'r gwaed drwy gyfrwng trylediad cynorthwyedig, ac mae'r ïonau sodiwm yn mynd i mewn iddyn nhw drwy gyfrwng cludiant actif.

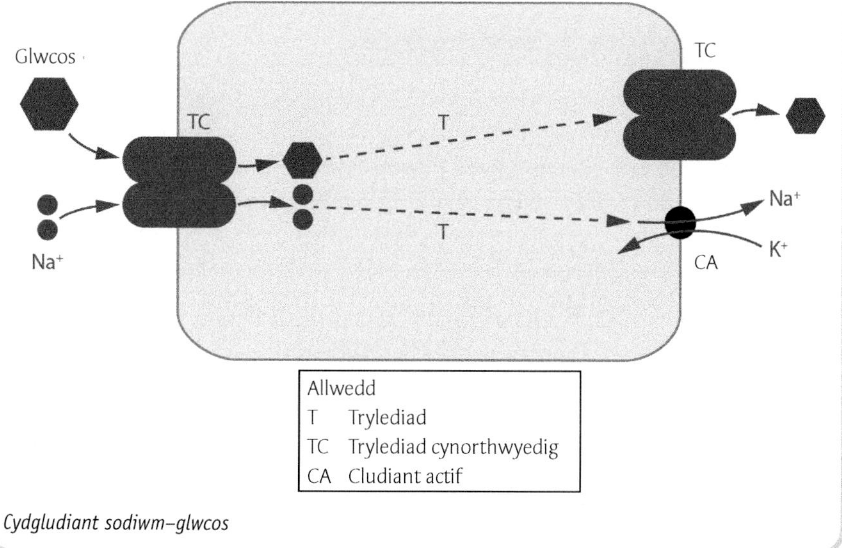

Cydgludiant sodiwm–glwcos

» *Cofiwch*

Graddiant crynodiad yr ïonau sodiwm sy'n pweru symudiad glwcos mewn cydgludiant, nid ATP yn uniongyrchol.

Termau Allweddol

Hydoddyn: unrhyw sylwedd sydd wedi'i hydoddi mewn hydoddydd.

Potensial dŵr (ψ): mae hwn yn cynrychioli tuedd dŵr i symud i mewn neu allan o system, a dyma'r gwasgedd mae moleciwlau dŵr yn ei greu.

Osmosis: trylediad goddefol net moleciwlau dŵr ar draws pilen athraidd ddetholus o ardal â photensial dŵr uchel i ardal â photensial dŵr is.

Potensial gwasgedd (ψ_p): mae hwn yn cynrychioli'r gwasgedd mae cynnwys y gell yn ei roi ar y cellfur. Mae'n gallu bod yn 0kPa neu'n uwch.

Chwydd-dynn: mae hyn yn golygu nad yw cell planhigyn yn gallu dal mwy o ddŵr, oherwydd dydy'r cellfur ddim yn gallu ehangu ymhellach.

Hydoddiant hypertonig: mae'r potensial dŵr (ψ) yn is na'r hydoddiant yn y gell, oherwydd presenoldeb hydoddion.

Hydoddiant hypotonig: mae'r potensial dŵr (ψ) yn uwch na'r hydoddiant yn y gell, oherwydd absenoldeb hydoddion.

Hydoddiant isotonig: mae'r potensial dŵr (ψ) yn HAFAL i'r hydoddiant yn y gell.

cwestiwn cyflym

④ Mae potensial dŵr cell A = –200kPa, cell B= –400kPa, cell C = –300kPa. I ba gyfeiriad bydd dŵr yn symud drwy gyfrwng osmosis? Pa symudiad fydd yn digwydd gyflymaf a pham?

Osmosis

Mae'r rhan fwyaf o gellbilenni'n athraidd i ddŵr a rhai **hydoddion** penodol yn unig.

Os yw crynodiad y moleciwlau dŵr yn uchel, maent yn gallu symud o gwmpas yn rhydd. Os oes hydoddyn fel glwcos wedi'i hydoddi, bydd cyfran y moleciwlau dŵr yn llai, felly mae hi'n anoddach iddynt symud o gwmpas yn rhydd. Mewn geiriau eraill, mae ychwanegu hydoddyn yn gostwng y potensial i foleciwlau dŵr symud o gwmpas: mae'n gostwng y **potensial dŵr** drwy ei wneud yn fwy negatif.

Enghreifftiau o botensialau dŵr:

- mae dŵr pur yn 0kPa
- mae cell nodweddiadol yn –200kPa
- mae hydoddiant glwcos cryf yn –1000kPa.

Osmosis a chelloedd planhigyn

Pan mae dŵr yn mynd i mewn i gell drwy gyfrwng **osmosis** mae'r gwagolyn yn ehangu, gan wthio'r cytoplasm yn erbyn y cellfur cellwlos. Dim ond ychydig bach mae'r cellfur yn gallu ehangu, felly mae hyn yn creu gwrthiant rhag i fwy o ddŵr fynd i gell planhigyn drwy gyfrwng osmosis, sef y **potensial gwasgedd**. Rydym ni'n dweud bod y gell yn **chwydd-dynn**.

Rydym ni'n cynrychioli hyn fel:

$$\psi = \psi_s + \psi_p$$

potensial dŵr = potensial hydoddyn + potensial gwasgedd

Os caiff cell ei rhoi mewn hydoddiant sy'n **hypotonig** i'r gell: mae dŵr yn llifo i mewn i'r gell oherwydd mae potensial dŵr yr hydoddiant yn uwch. Os caiff cell ei rhoi mewn hydoddiant sy'n **hypertonig** i'r gell: mae dŵr yn llifo allan o'r gell, oherwydd mae potensial dŵr yr hydoddiant yn is na'r gell. Os yw potensial dŵr (ψ) y gell yr un fath â'r hydoddiant o'i chwmpas mae'r hydoddiant allanol a'r hydoddiant mewnol yn **isotonig** a does dim symudiad *net* dŵr i mewn nac allan o'r gell.

Chwydd-dyndra a phlasmolysis

Pan mae cell planhigyn yn cael ei rhoi mewn hydoddiant hypertonig, mae hi'n colli dŵr drwy gyfrwng osmosis.

Mae'r gwagolyn yn crebachu a bydd y cytoplasm yn tynnu oddi wrth y cellfur. Enw'r broses hon yw plasmolysis ac ar ôl ei chwblhau, rydym ni'n dweud bod y gell yn llipa.

Yr adeg pan mae'r gellbilen yn dechrau tynnu oddi wrth y cellfur yw adeg plasmolysis cychwynnol.

Dydy'r cellfur ddim yn rhoi gwasgedd ar y cytoplasm ac felly mae'r potensial gwasgedd, $\psi_p = 0$, h.y.

$$\psi = \psi_p + \psi_s$$

$$\text{Os } \psi = 0$$

$$\therefore \psi = \psi_s$$

Mae hyn yn golygu bod potensial dŵr y gell yn hafal i botensial hydoddyn yr hydoddiant allanol.

Pan dydy'r gell ddim yn gallu derbyn dim mwy o ddŵr, mae hi'n chwydd-dynn. Mae chwydd-dyndra'n bwysig i blanhigion, yn enwedig eginblanhigion ifanc, oherwydd mae'n darparu cynhaliad, yn cynnal eu siâp ac yn eu dal nhw'n unionsyth.

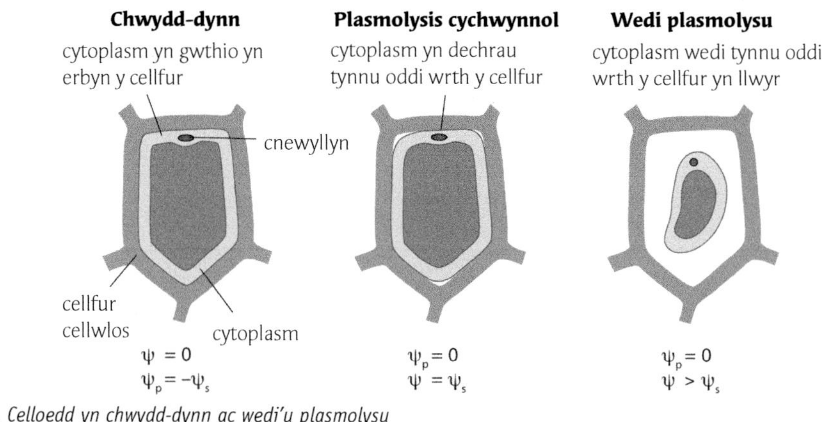

Celloedd yn chwydd-dynn ac wedi'u plasmolysu

Gwella gradd

Wrth ysgrifennu am symudiad dŵr cofiwch ddweud bob amser ei fod yn symud drwy gyfrwng osmosis.

Gwella gradd

Mae pob potensial dŵr yn negatif heblaw'r potensial dŵr uchaf posibl, sef potensial dŵr dŵr pur, 0kPa.

Mesur plasmolysis cychwynnol

Gallwn ni amcangyfrif hyn drwy roi celloedd planhigion mewn hydoddiannau â gwahanol botensialau hydoddyn, ac yna edrych ar y celloedd dan ficrosgop. Rydym ni'n defnyddio'r hafaliad canlynol i gyfrifo canran y celloedd sydd wedi plasmolysu, a gallwn ni luniadu graff.

$$\% \text{ plasmolysis} = \frac{\text{nifer y celloedd wedi'u plasmolysu} \times 100}{\text{cyfanswm nifer y celloedd sydd i'w gweld}}$$

Os yw'r plasmolysis canrannol yn hafal i 50%, mae plasmolysis cychwynnol wedi'i gyrraedd, a rhaid i grynodiad allanol y swcros fod yn hafal i grynodiad hydoddion mewnol meinwe'r winwnsyn/nionyn (oherwydd does dim symudiad net dŵr). Gallwn ni ddefnyddio tabl trawsnewid i gyfrifo'r potensial hydoddyn. Yn yr enghraifft sydd wedi'i dangos isod, mae'n −680 kPa.

Molaredd yr hydoddiant swcros (M)	Potensial hydoddyn kPa
0.05	−130
0.10	−260
0.15	−410
0.20	−540
0.25	−680
0.30	−860
0.35	−970
0.40	−1120
0.45	−1280
0.50	−1450
0.55	−1620
0.60	−1800

Tabl trawsnewid

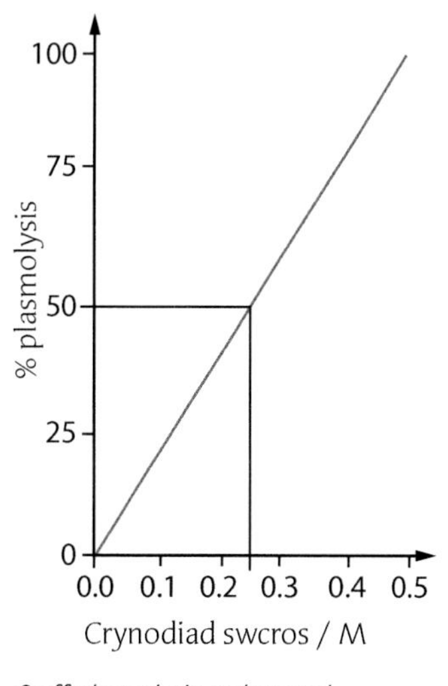

Graff plasmolysis cychwynnol

Term Allweddol

Potensial hydoddyn (ψ_s): mae hwn yn cynrychioli cryfder osmotig hydoddiant. Mae'n mesur faint mae'r potensial dŵr yn lleihau o ganlyniad i bresenoldeb moleciwlau hydoddyn. Mae'n gallu bod yn 0kPa neu'n negatif.

cwestiwn cyflym

⑤ Mae dŵr yn mynd i mewn i gelloedd gwreiddflew drwy gyfrwng osmosis. Cyfrifwch botensial hydoddyn (Ψ_S) y gell wreiddflew, os nad oes dim symudiad dŵr net, os yw potensial dŵr y dŵr yn y pridd yn –100kPa a'r potensial gwasgedd (Ψ_P) y tu mewn i'r gell wreiddflew yn +200kPa. Defnyddiwch y fformiwla $\Psi = \Psi_S + \Psi_P$. Dangoswch eich gwaith cyfrifo a'r unedau.

Gwella gradd

Cofiwch eich unedau a dangoswch eich gwaith bob tro rydych chi'n cyfrifo rhywbeth.

Gwella gradd

Gallwch chi ddisgwyl mai cwestiynau mathemategol fydd 10% o'r cwestiynau mewn papurau arholiad.

Osmosis a chelloedd anifail

Does gan gelloedd anifail ddim cellfur felly dydyn nhw ddim yn gallu cynnal potensial gwasgedd. Oherwydd nad oes potensial gwasgedd yn gallu bodoli (oherwydd bydd celloedd anifail yn byrstio) mae'r potensial dŵr yr un fath â'r potensial hydoddyn, neu $\Psi = \Psi_S$.

Pan mae celloedd coch y gwaed yn cael eu rhoi mewn hydoddiant hypotonig, mae dŵr yn llifo i mewn drwy gyfrwng osmosis ac maen nhw'n byrstio: haemolysis yw hyn. Os yw celloedd coch y gwaed yn cael eu rhoi mewn hydoddiant hypertonig, mae dŵr yn llifo allan o'r celloedd ac rydym ni'n dweud eu bod nhw'n hiciog (*crenated*).

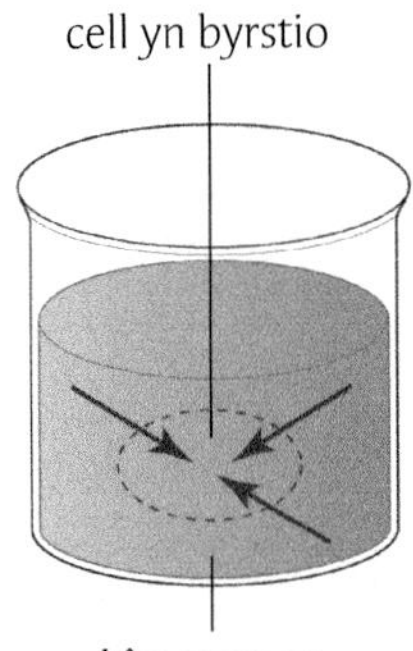

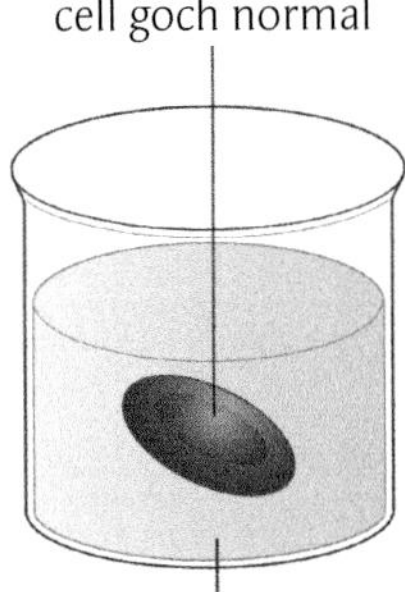

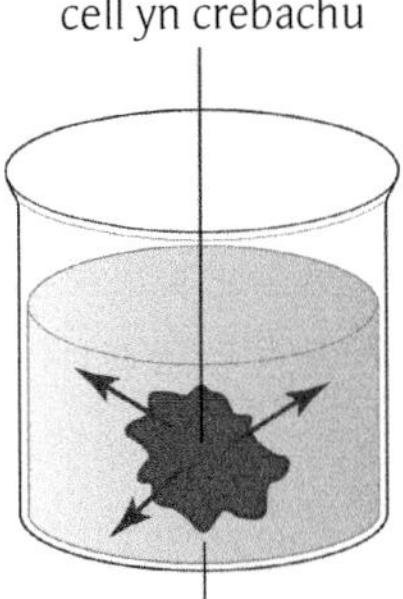

Osmosis mewn celloedd anifail

Athreiddedd pilenni

Gallwn ni ddefnyddio betys i ymchwilio i athreiddedd cellbilenni. Mae gwagolynnau celloedd betys yn cynnwys pigment coch o'r enw betacyanin. Mae cyfradd trylediad betacyanin allan o'r gwagolyn drwy ei bilen yn dibynnu ar nifer o ffactorau, gan gynnwys tymheredd a phresenoldeb hydoddion organig.

Cafodd disgiau betys o'r un maint a'r un cyfaint eu torri gan ddefnyddio tyllwr, yna eu golchi a'u blotio i'w sychu nhw. Yna, cafodd y disgiau eu rhoi mewn dŵr, a chafodd swm y betacyanin oedd yn gollwng drwy'r bilen ei fesur gan ddefnyddio colorimedr. Cafodd yr arbrawf ei ailadrodd ar wahanol dymereddau.

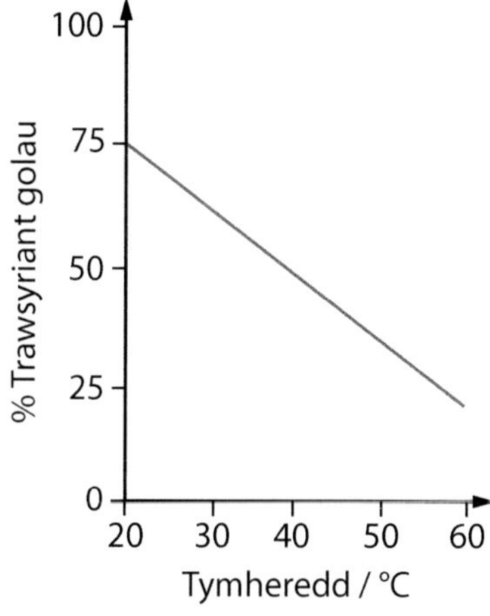

Effaith tymheredd ar athreiddedd pilenni betys

Cofiwch

Mae colorimedrau yn gallu mesur % trawsyriant golau ar donfedd benodol, e.e. 450nm, drwy sampl o hylif. Y tywyllaf yw'r sampl, yr isaf yw % y trawsyriant.

Gwella gradd

Mae angen i chi allu defnyddio eich gwybodaeth fiolegol i luniadu ac esbonio casgliadau dilys o ddata arbrofol.

cwestiwn cyflym

⑥ Pa gasgliad allwch chi ei ffurfio o'r canlyniadau?

ychwanegol

Mae gwagolynnau betys yn cynnwys pigment coch o'r enw betacyanin. Pan gaiff disgiau betys eu torri â thyllwr a'u trochi mewn hydoddiant 70% ethanol (hydoddydd organig) ar 15 °C, mae'r pigment coch yn dechrau gollwng allan o'r celloedd i mewn i'r ethanol gan ei droi'n goch.

(i) Defnyddiwch eich gwybodaeth am adeiledd cellbilenni i esbonio pam mae'r pigment yn gollwng fel hyn.

(ii) Pan gafodd yr arbrawf ei ailadrodd ar 30 °C, roedd yr ethanol yn cymryd llai o amser i droi'n goch. Esboniwch pam.

cwestiwn cyflym

⑦ Cysylltwch y gosodiadau 1–4 â'r prosesau canlynol A–CH.

(Gallai rhai gosodiadau fod yn berthnasol i fwy nag un broses.)

1. Ddim yn digwydd ym mhresenoldeb cyanid.
2. Mae tymheredd yn effeithio arno.
3. Mae'n cynnwys symudiad dŵr.
4. Wedi'i chyfyngu gan nifer y proteinau pilen sydd ar gael.

A. Tryslediad
B. Tryslediad cynorthwyedig
C. Osmosis
CH. Cludiant actif

Swmpgludo

Dyma lle mae'r gell yn cludo swmp o ddefnyddiau i mewn i'r gell (endocytosis) neu allan o'r gell (ecsocytosis). Endocytosis yw pan mae'r defnydd yn cael ei amlyncu wrth i'r bilen blasmaidd blygu tuag i mewn a dod ag ef i mewn i'r gell mewn fesigl. Mae dau fath o endocytosis:

i) *Ffagocytosis* yw'r broses lle mae'r gell yn cael defnyddiau solid sy'n rhy fawr i fynd i mewn drwy ddulliau eraill e.e. mae ffagocytau (celloedd gwyn y gwaed) yn dinistrio bacteria ac yn cael gwared ar weddillion celloedd drwy gyfrwng ffagocytosis, a dyma sut mae amoeba yn bwyta.

ii) *Pinocytosis* yw'r broses lle mae'r gell yn cael defnyddiau hylifol. Mae'n debyg i ffagosytosis, ond mae'n cynhyrchu fesiglau llai.

Mae ecsocytosis yn cyfeirio at sylweddau'n gadael y gell ar ôl cael eu cludo drwy'r cytoplasm mewn fesigl. Mae ensymau treulio'n aml yn cael eu secretu fel hyn.

ffagocytosis

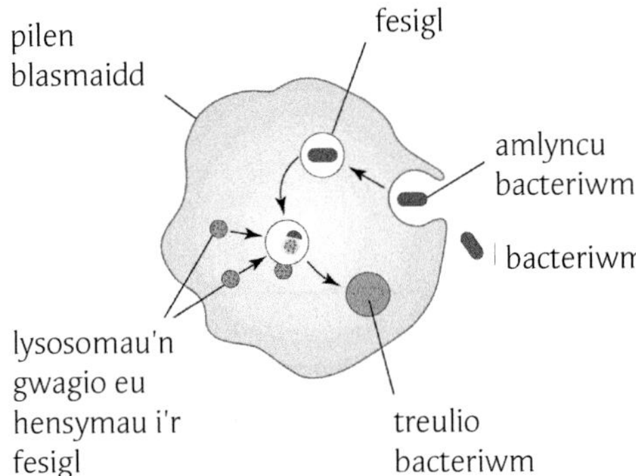

ecsocytosis

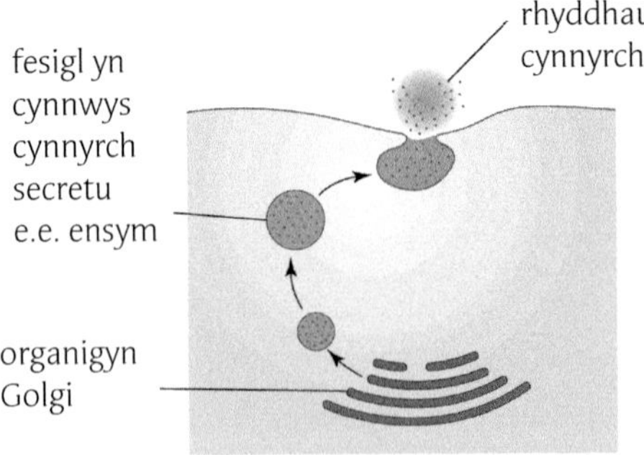

Swmpgludo

1.4 Ensymau ac adweithiau biolegol

Metabolaeth

Cyfres o adweithiau wedi'u rheoli gan ensymau yn y corff yw metabolaeth. Mae DAU brif fath o adwaith: adweithiau adeiladu, sef adweithiau anabolig neu anabolaeth, ac adweithiau ymddatod, sef adweithiau catabolig neu gatabolaeth.

Adwaith anabolig = synthesis protein sy'n defnyddio asidau amino i adeiladu polypeptidau mwy cymhleth.

Adwaith catabolig = treulio proteinau, gan ymddatod polypeptidau cymhleth i ffurfio asidau amino syml.

Pwyntiau allweddol am ensymau:

- Proteinau yw ensymau sy'n cyflymu adweithiau cemegol.
- Maen nhw'n gostwng yr egni actifadu sydd ei angen er mwyn i'r adwaith ddigwydd.
- Dydyn nhw ddim yn cymryd rhan yn yr adwaith eu hunain.
- Dim ond symiau bach ohonynt sydd eu hangen.
- Gallwn ni eu defnyddio nhw drosodd a throsodd.
- Maen nhw'n trawsnewid *swbstradau*'n *gynhyrchion*.
- Felly, gallwn ni eu disgrifio nhw fel catalyddion biolegol.

cwestiwn cyflym

① Ysgrifennwch hafaliad i gynrychioli metabolaeth gan ddefnyddio'r geiriau anabolaeth a chatabolaeth.

Adeiledd ensym

Mae ensymau yn gadwynau polypeptid cymhleth sydd wedi'u plygu a'u dal at ei gilydd mewn siâp 3D cymhleth. Mae eu hadeiledd mwyaf sylfaenol, sef yr **adeiledd cynradd**, yn cael ei ffurfio o drefn y gwahanol asidau amino sydd wedi'u gosod mewn cadwynau o'r enw polypeptidau. Mae adwaith **cyddwyso** yn uno pob asid amino â'r nesaf, gan ffurfio bond peptid (gweler tudalen 19). Yna, caiff yr adeiledd hwn ei blygu naill ai mewn helics alffa neu mewn dalen bletiog beta, a'i ddal at ei gilydd â bondiau hydrogen, sef yr **adeiledd eilaidd**. Mae gan ensymau **adeiledd trydyddol** lle mae'r adeiledd eilaidd yn cael ei blygu eto i ffurfio siâp 3D sy'n cael ei ddal at ei gilydd gan fondiau hydrogen, ïonig a deusylffid.

Mae hyn yn bwysig mewn ensymau oherwydd mae'n creu 'safle actif' lle mae swbstradau'n gallu rhwymo. Mae newidiadau tymheredd, newidiadau pH a rhydwythyddion yn gallu effeithio ar y bondiau sy'n dal yr adeiledd trydyddol yn ei le. Mae ensymau'n gweithio mewn amgylchedd dyfrllyd oherwydd maen nhw'n hydawdd ac yn catalyddu nifer o adweithiau gan gynnwys **hydrolysis**; rydym ni wedi edrych ar hwn eisoes ar dudalen 12.

Termau Allweddol

Adeiledd cynradd: trefn yr asidau amino sy'n ffurfio protein.

Cyddwyso: adwaith sy'n uno dau foleciwl i ffurfio moleciwl mwy gan ddileu dŵr.

Adeiledd eilaidd: mae'n cael ei ffurfio drwy blygu'r adeiledd cynradd yn un o ddau brif ffurf: yr helics alffa neu'r ddalen bletiog beta.

Adeiledd trydyddol: mae'n cael ei ffurfio drwy blygu'r adeiledd eilaidd yn siâp 3D.

Hydrolysis: y broses o dorri moleciwlau mawr yn rhai llai drwy ychwanegu moleciwl dŵr.

Gwella gradd

Mae hi'n bwysig cofio pa fondiau yw'r gwannaf, oherwydd y rhain fydd yn torri gyntaf pan fydd ensym mewn tymheredd uchel. Y rhain yw: bondiau hydrogen, yna bondiau ïonig ac yn olaf pontydd deusylffid.

Cofiwch

Os oes llawer o fondiau deusylffid yn bresennol yn adeiledd trydyddol ensym, mae'n debygol o allu gwrthsefyll tymheredd eithaf uchel. Mae hyn i'w weld mewn ensymau mewn bacteria sy'n byw mewn tarddellau folcanig poeth.

Cymhlygyn ensym–swbstrad: ffurfiad rhyngol sy'n ffurfio yn ystod adwaith wedi'i gatalyddu gan ensym lle mae'r swbstrad a'r ensym yn rhwymo dros dro, fel bod y swbstradau'n ddigon agos i adweithio.

Egni actifadu: isafswm yr egni mae'n rhaid ei roi mewn system gemegol er mwyn i adwaith ddigwydd.

cwestiwn cyflym

② Lluniadwch graff ar y diagram gyferbyn i ddangos effaith ensym ar egni actifadu.

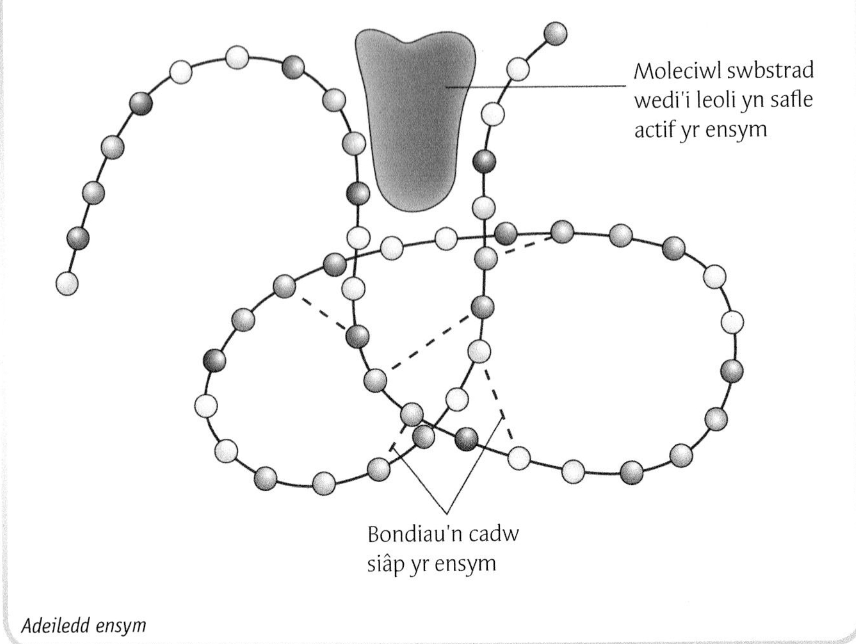

Adeiledd ensym

Sut mae ensymau'n gweithio

Mewn adwaith catabolig, mae'r swbstrad yn rhwymo wrth y safle actif, gan ffurfio'r **cymhlygyn ensym–swbstrad**. Mae'r adwaith yn digwydd a'r cynhyrchion yn cael eu rhyddhau. Mae'r safle actif nawr yn rhydd i gatalyddu adwaith arall.

Mewn adweithiau anabolig, mae mwy nag un swbstrad yn rhwymo ac mae un neu fwy o gynhyrchion yn cael eu rhyddhau.

Fel catalyddion biolegol, mae ensymau'n gostwng yr **egni actifadu** (E_A) sydd ei angen i ddechrau adwaith, drwy ddarparu egni i dorri bondiau yn y moleciwlau sy'n bodoli er mwyn ffurfio rhai newydd mewn moleciwlau newydd. Mae'r broses hon yn cyflymu adweithiau cemegol.

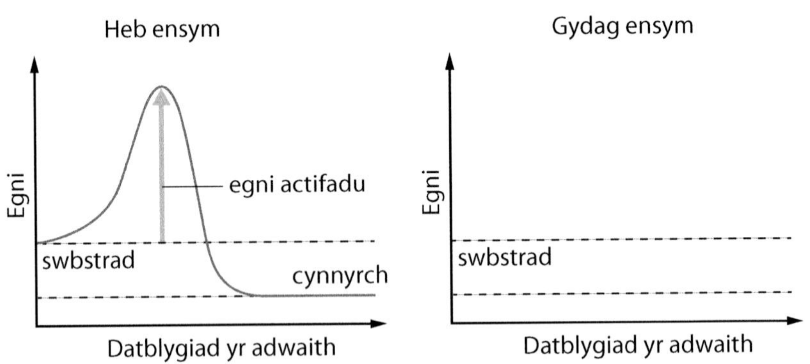

Effaith ensymau ar egni actifadu adwaith

Mae ensymau'n gallu gweithredu'n fewngellol (y tu mewn i gell), e.e. yn ystod synthesis protein drwy gatalyddu'r broses o ffurfio bond peptid rhwng dau asid amino. Mae ensymau hefyd yn gallu gweithredu'n allgellog (y tu allan i gell), e.e. rhyddhau amylas pancreatig o gelloedd y pancreas i deithio i'r coluddyn bach drwy'r ddwythell bancreatig i gatalyddu'r broses o ymddatod startsh i ffurfio maltos.

Modelau actifedd ensymau

Mae dau fodel wedi'u cynnig i esbonio sut mae ensymau'n gweithio ar lefel foleciwlaidd. Mae'r ddau'n esbonio gwahanol briodwedd mewn ensymau.

1. *Model clo ac allwedd* – mae gan y swbstrad siâp cyflenwol i safle actif yr ensym, fel allwedd yn ffitio mewn clo. Mae hyn yn esbonio'r ffaith bod llawer o ensymau'n benodol, h.y. mai dim ond *un* swbstrad maen nhw'n ei

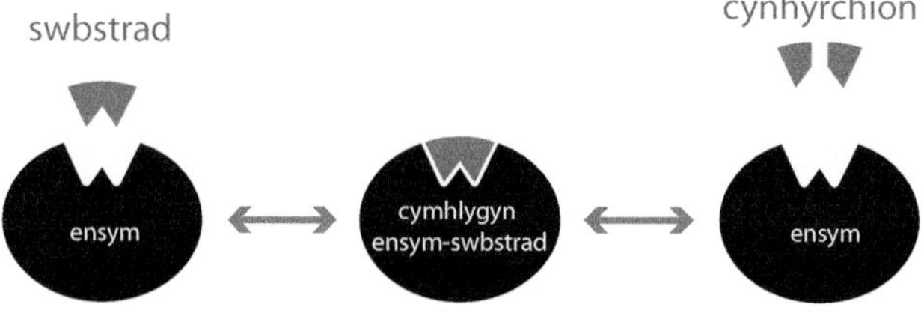

gatalyddu.

Model clo ac allwedd

2. *Model ffit anwythol* – mae nifer o arsylwadau'n dangos mai'r gwir yw bod safle actif yr ensym yn cael ei newid gan y moleciwl swbstrad sy'n rhwymo ag ef. Mae'r ddamcaniaeth ffit anwythol yn awgrymu bod y safle actif yn gallu newid ychydig bach i wneud lle i'r swbstrad, yn debyg i sut mae maneg latecs yn ymestyn i wneud lle i law. Mae'r newid hwn yn rhoi straen ar y moleciwl swbstrad, sy'n helpu i dorri bondiau ac felly'n gostwng yr egni actifadu. Mae hyn yn esbonio pam mae llawer o foleciwlau â siâp tebyg, mewn rhai achosion, yn gallu rhwymo wrth y safle actif. Mae hyn i'w weld yn yr ensym lysosym, sef ensym gwrthfacteria sy'n bodoli mewn dagrau a phoer dynol. Mae'r safle actif yn cynnwys rhigol (*groove*), sy'n cau dros y polysacaridau sydd yn y cellfuriau bacteriol, ac mae'r moleciwl ensym yn newid siâp, sy'n caniatáu i hydrolysis ddigwydd.

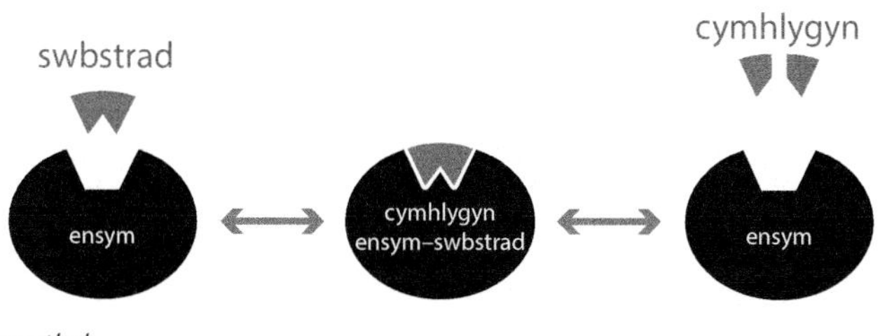

Model ffit anwythol

Gwella gradd

Mae gan y swbstrad siâp cyflenwol i'r safle actif; *nid* yr un siâp.

Ffactorau sy'n effeithio ar gyfradd actifedd ensymau

Gwella gradd

Dylech chi allu disgrifio graff cyfradd adwaith ac esbonio pam mae'r gyfradd yn newid.

Gallwn ni ystyried cyfradd adwaith fel nifer yr adweithiau sy'n digwydd bob eiliad neu bob uned amser.

Mae *pum* peth yn effeithio ar actifedd ensymau:

1. Crynodiad swbstrad
2. Tymheredd
3. pH
4. Crynodiad yr ensym
5. Presenoldeb atalyddion.

Crynodiad swbstrad

Os yw crynodiad swbstrad yn cynyddu mewn adwaith wedi'i reoli gan ensym, mae mwy o siawns o wrthdrawiad llwyddiannus rhwng y swbstrad a'r ensym. Mae hyn yn golygu y bydd mwy o gymhlygion ensym–swbstrad yn ffurfio, gan gynyddu cyfradd yr adwaith. Pan mae'r safleoedd actif i gyd yn llawn, mae'r gyfradd yn gwastadu a dyma uchafswm cyfradd yr adwaith dan yr amodau hynny.

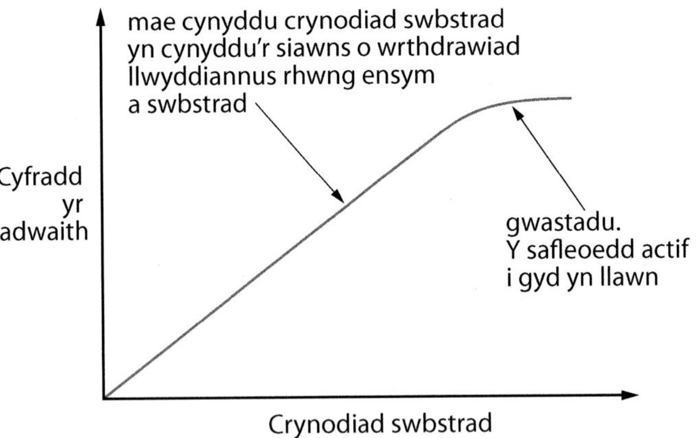

Effaith crynodiad swbstrad ar gyfradd yr adwaith

Termau Allweddol

Egni cinetig (gwrthrych): yr egni sydd ganddo oherwydd ei fudiant.

Dadnatureiddio: mae hyn yn achosi newidiadau parhaol i siâp y safle actif ac yn atal y swbstrad rhag rhwymo.

Tymheredd

Os yw tymheredd ensym a swbstrad yn cynyddu mewn adwaith dan reolaeth ensym, mae'r moleciwlau ensym a'r moleciwlau swbstrad yn ennill mwy o **egni cinetig** ac felly'n symud yn gyflymach, gan gynyddu'r siawns o wrthdrawiad llwyddiannus rhyngddynt. Wrth i fwy o gymhlygion ensym–swbstrad ffurfio, mae cyfradd yr adwaith yn cynyddu hyd at optimwm. Dros yr optimwm hwn, mae cyfradd yr adwaith yn gostwng yn gyflym wrth i'r bondiau hydrogen yn yr adeiledd trydyddol dorri oherwydd dirgryniadau mwy. Mae hyn yn newid siâp y safle actif – **dadnatureiddio** yw hyn.

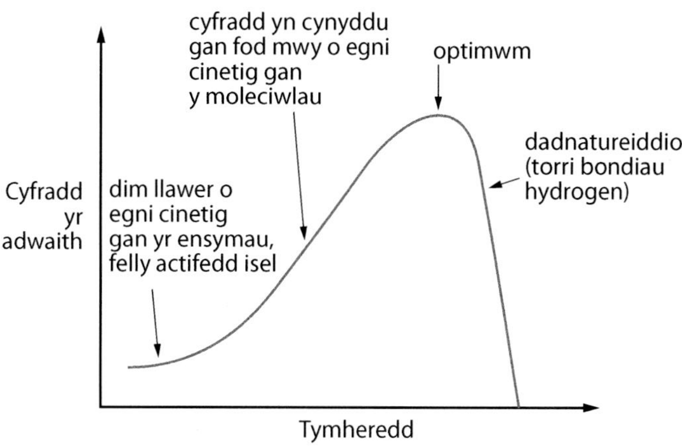

Effaith tymheredd ar gyfradd yr adwaith

Fel rheol gyffredinol, mae cyfradd unrhyw adwaith dan reolaeth ensym yn dyblu â phob cynnydd tymheredd o 10 °C, nes cyrraedd yr optimwm. Felly, bydd y gyfradd wedi dyblu ar 32 °C o gymharu â 22 °C. Rydym ni'n dangos hyn fel $Q_{10} = 2$, h.y. ×2 am bob cynnydd 10 °C.

Gwella gradd

Dim ond os yw cyfradd yr adwaith yn sero y dylech chi ddweud bod yr ensym wedi'i ddadnatureiddio. Mae'r ensym wrthi'n dadnatureiddio hyd at y pwynt hwn.

Gwella gradd

Mae tymheredd uchel yn dadnatureiddio ensymau, NID yn eu lladd nhw!

pH

Wrth i pH ensym gynyddu neu leihau ar y ddwy ochr i'r optimwm, mae cyfradd yr adwaith yn lleihau. Mae'r gwefrau ar y cadwynau ochr asid amino (grwpiau R) sy'n gwneud safle actif yr ensym, yn dibynnu ar ïonau hydrogen (H^+) a hydrocsyl (OH^-) rhydd. Os oes gormod o ïonau H^+ neu OH^- yn bresennol, gallai hyn wrthyrru'r swbstrad oddi wrth y safle actif, a'i atal rhag rhwymo. Os yw'r newidiadau hyn yn gymharol fach, mae hyn yn gildroadwy. Bydd newidiadau pH mwy eithafol yn torri'r bondiau ïonig yn yr adeiledd trydyddol sy'n achosi dadnatureiddio drwy greu newid parhaol i siâp y safle actif.

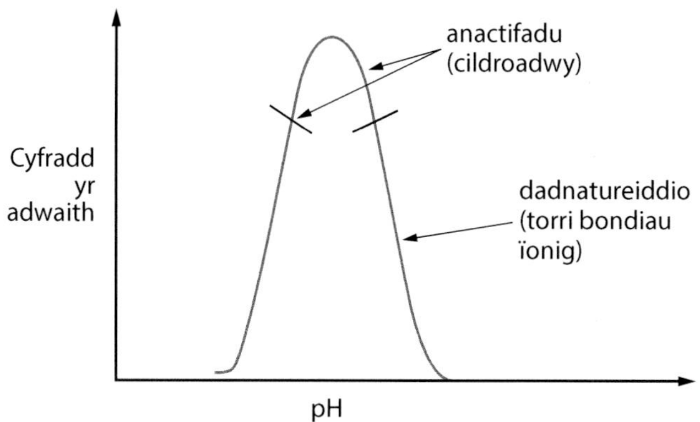

Effaith pH ar gyfradd yr adwaith

pH optimwm

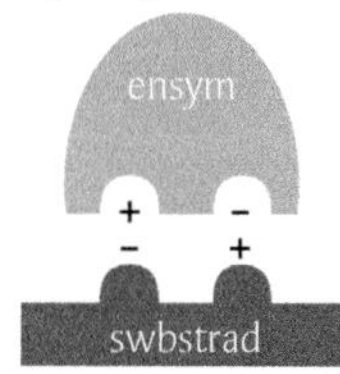

mae'r gwefrau ar y safle actif yn cyd-fynd â gwefrau'r swbstrad felly mae cymhlygyn ensym–swbstrad yn ffurfio

pH isel

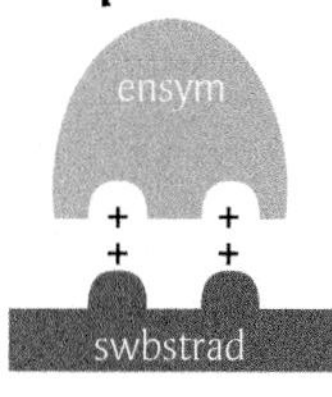

mae'r gwefrau ar y safle actif yn gwrthyrru'r swbstrad

pH uchel

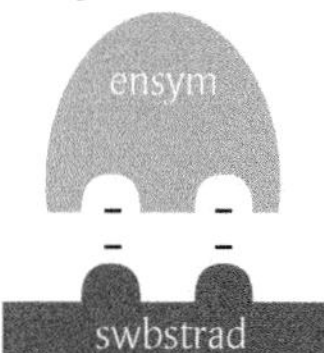

mae'r gwefrau ar y safle actif yn gwrthyrru'r swbstrad

Effeithiau pH

Defnyddio byfferau mewn arbrofion ensym

» *Cofiwch*

Byffer:

- Cemegyn yw hwn sy'n gwrthsefyll newidiadau pH.
- Mae'n niwtralu gormodedd o asidau neu alcaliau.
- Gallwn ni ei ddefnyddio i gynnal pH optimwm adwaith penodol.

Mae'r graff pH ar dudalen 45 yn dangos i ni fod newidiadau bach i pH yn cael dylanwad mawr ar gyfradd adwaith wedi'i reoli gan ensymau. Felly, mae'n hanfodol, wrth gynnal unrhyw arbrawf gydag ensymau (os nad pH yw'r newidyn annibynnol), ein bod ni'n rheoli'r pH, yn ddelfrydol ar ei werth optimwm, fel nad yw'n cyfyngu ar gyfradd yr adwaith. Gallwn ni gyflawni hyn drwy ddefnyddio byffer pH. Byffer yw hydoddiant sy'n gallu gwrthsefyll newidiadau i pH drwy niwtralu asid/alcali sy'n cael ei ychwanegu at yr hydoddiant. Yn y corff, rydym ni'n byffro pH y gwaed o gwmpas 7.4 drwy ddefnyddio dau gemegyn - asid carbonig a deucarbonad. Rydym ni'n edrych ar hyn yn fanylach ar dudalen 93.

Crynodiad yr ensym

Os yw crynodiad yr ensym yn cynyddu mewn adwaith wedi'i reoli gan ensym, mae mwy o siawns o wrthdrawiad llwyddiannus rhwng y swbstrad a'r ensym. Felly mae mwy o gymhlygion ensym–swbstrad yn ffurfio, gan gynyddu cyfradd yr adwaith. Cyn belled â bod gormodedd o swbstrad yn bresennol, bydd y gyfradd yn parhau i gynyddu cyn belled ac nad oes ffactorau cyfyngol.

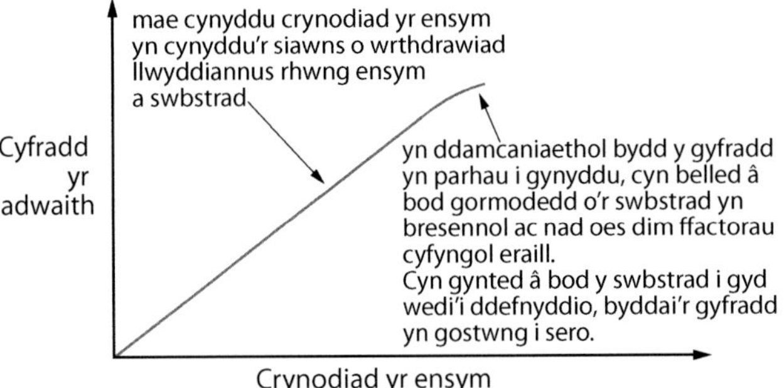

Effaith crynodiad ensymau ar gyfradd yr adwaith

Ffurfiant cynnyrch

Mae ffurfiant cynnyrch yn wahanol i gyfradd yr adwaith oherwydd mae'n dangos *cyfanswm* y cynnyrch sydd wedi'i wneud. Cyn gynted ag mae'r graff yn gwastadu, does dim mwy o gynnyrch yn ffurfio ac mae'r adwaith wedi stopio. Ar graff cyfradd adwaith, byddai'r gyfradd yn gostwng i sero ar y pwynt hwn.

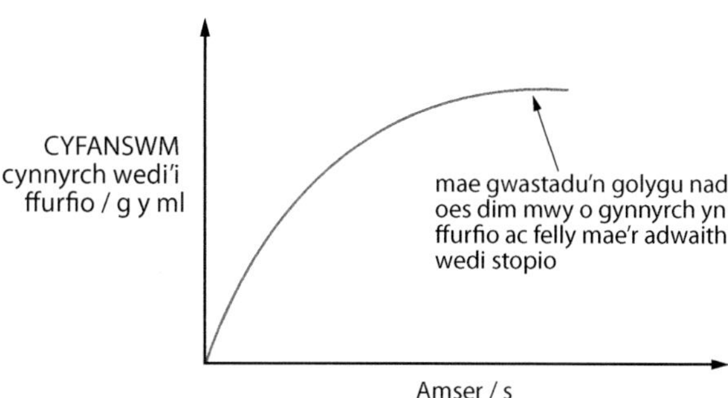

Ffurfiant cynnyrch dros amser

Gwella gradd

Efallai y bydd gofyn i chi ddefnyddio'r berthynas linol $y = mx + c$ ar graff

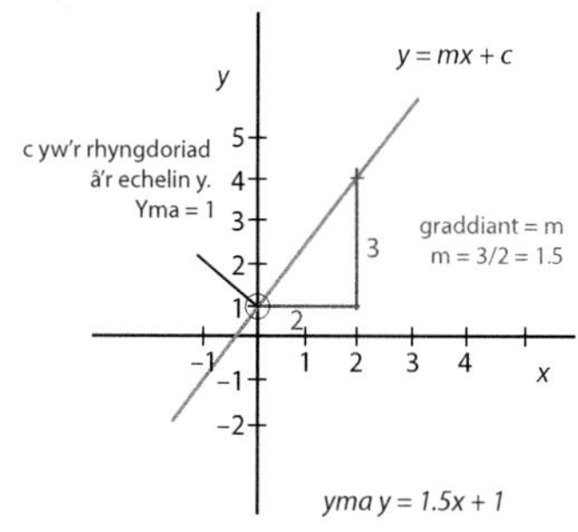

Atalyddion

Mae sylweddau eraill yn gallu atal ensymau, naill ai drwy gyfuno'n uniongyrchol â'r safle actif neu drwy rwymo wrth ran arall o'r ensym i atal cymhlygyn ensym–swbstrad rhag ffurfio. Mae dau fath o ataliad yn bodoli, sef ataliad cystadleuol ac ataliad anghystadleuol; mae'r rhain yn gallu bod yn gildroadwy (atalydd yn rhwymo dros dro) neu'n anghildroadwy (atalydd yn rhwymo'n barhaol).

Cwestiwn cyflym

③ Plotiwch y llinell ar graff lle mae $y = -x + 2$ (awgrym $m = -1$, $c = 2$).

Ataliad cystadleuol

Yn yr achos hwn, mae siâp moleciwl yn debyg i siâp y swbstrad ac felly mae ganddo hefyd siâp cyflenwol i'r safle actif. Bydd y moleciwl cyntaf i wrthdaro'n llwyddiannus â'r safle actif yn ffurfio cymhlygyn. Bydd cynyddu crynodiad y swbstrad yn goresgyn yr ataliad, cyn belled â bod yr ataliad yn gildroadwy, oherwydd bydd hi'n fwy tebygol mai moleciwl swbstrad sy'n ffurfio cymhlygyn ensym–swbstrad.

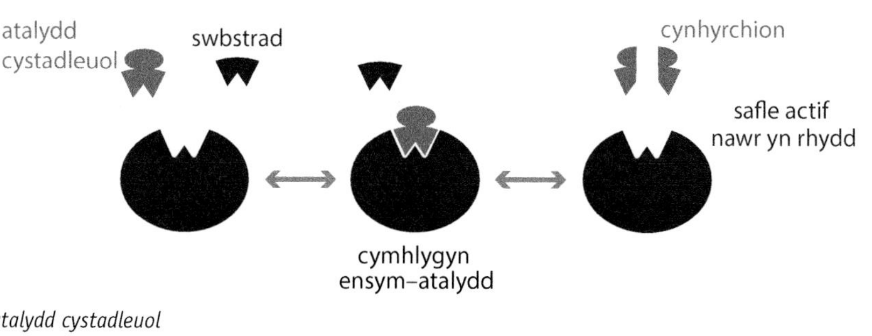

atalydd cystadleuol

Cofiwch

Gallwch chi gyfrifo'r gyfradd ar bwynt penodol ar graff drwy dynnu llinell ar dangiad i'r gromlin, ac yna gyfrifo graddiant y llinell honno.

Gwella gradd

Mewn ataliad cystadleuol cildroadwy mae'r swbstrad a'r atalydd cystadleuol yn 'cystadlu' am y safle actif. Gallwn ni oresgyn hyn drwy gynyddu crynodiad y swbstrad.

Un enghraifft yw'r ensym sycsinig dadhydrogenas, sy'n ymwneud â resbiradaeth celloedd. Mae'n catalyddu'r broses o ymddatod sycsinad i ffurfio ffwmarad. Mae malonad yn atalydd cystadleuol i'r ensym hwn oherwydd mae ei siâp yn debyg i'r swbstrad.

sycsinad (swbstrad)

malonad (atalydd cystadleuol)

Sycsinad a malonad

cwestiwn cyflym

④ Disgrifiwch y gwahaniaeth rhwng y ffordd mae atalyddion anghystadleuol a chystadleuol yn rhwymo wrth yr ensym.

Ataliad anghystadleuol

Yma, mae atalydd yn rhwymo wrth safle arall ar yr ensym (y safle alosterig). Mae'r rhwymo hwn yn newid siâp y safle actif, gan atal moleciwlau swbstrad rhag ffurfio cymhlygyn ensym–swbstrad. Un enghraifft yw cyanid, sy'n rhwymo wrth gytocrom ocsidas i atal resbiradaeth.

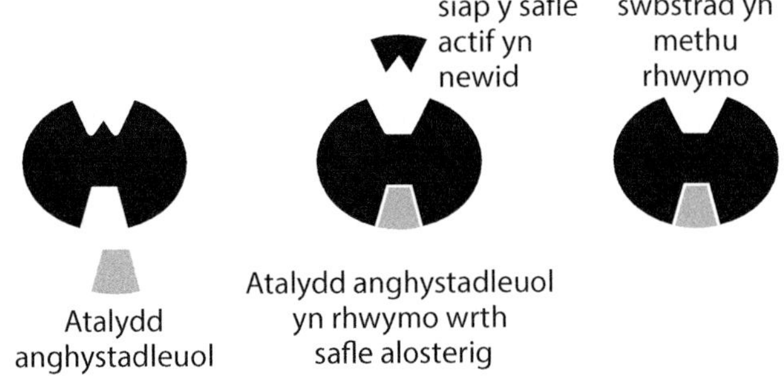

Ataliad anghystadleuol

Gwella gradd

Mewn ataliad anghystadleuol mae'r atalydd yn rhwymo wrth safle alosterig sy'n newid siâp safle actif yr ensym. Felly, allwn ni ddim ei oresgyn drwy gynyddu crynodiad y swbstrad.

Ataliad cynnyrch terfynol

Mae hyn yn digwydd yn aml ar lwybrau metabolaidd cymhleth sy'n cynnwys llawer o ensymau. Mae'n enghraifft o ataliad cystadleuol ar waith mewn celloedd, ac mae'n atal cynnyrch terfynol y llwybr rhag cronni, a allai achosi niwed. Yn y bôn, mae cynnyrch un adwaith yn gweithredu fel swbstrad i'r nesaf, ac mae'r cynnyrch terfynol yn gweithredu fel atalydd cystadleuol i ensym yn gynharach ar y llwybr. Yn yr enghraifft sydd wedi'i dangos, mae'r cynnyrch terfynol yn atal ensym 1: wrth i'r cynnyrch terfynol gael ei ddefnyddio yn y gell, mae crynodiad y cynnyrch terfynol yn gostwng ac mae crynodiad y swbstrad cychwynnol yn cynyddu, ac felly mae'n goresgyn effaith yr atalydd.

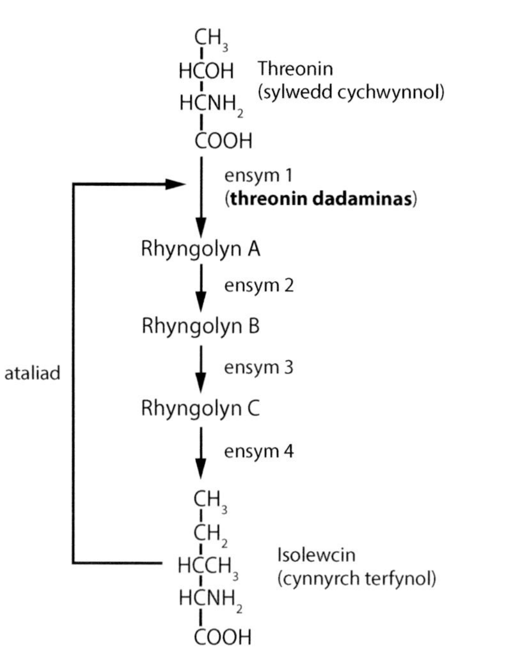

Ataliad cynnyrch terfynol

Gwella gradd

Dylech chi allu rhestru manteision ensymau ansymudol.

Pwysigrwydd ensymau ansymudol

Ensymau wedi'u dal mewn matrics anadweithiol yw ensymau ansymudol. Gallwn ni gyflawni hyn mewn DWY brif ffordd:

1. Caethiwo – eu dal nhw mewn gel, e.e. gel silica.
2. Micro-fewngapsiwleiddio – eu dal nhw mewn micro-gapsiwl, e.e. gleiniau alginad.

Gallwn ni roi gleiniau sy'n cynnwys yr ensym mewn colofn wydr, ac ychwanegu swbstrad yn un pen. Gallwn ni reoli cyfradd llif y swbstrad dros y gleiniau: bydd cyfradd llif arafach yn rhoi mwy o amser i gymhlygion ensym–swbstrad ffurfio, ac felly'n rhoi mwy o gynnyrch. Gan fod yr ensymau wedi'u dal yn eu 'micro-amgylchedd' eu hunain, mae newidiadau pH, newidiadau tymheredd a chemegion fel hydoddyddion organig yn cael llai o effaith ar yr ensymau.

Mae nifer o fanteision i wneud ensymau'n ansymudol fel hyn:

1. Mae hi'n hawdd adennill ac ailddefnyddio'r ensymau.
2. Dydy'r ensym ddim yn halogi'r cynnyrch.
3. Mwy sefydlog ar dymheredd uwch.
4. Catalyddu adweithiau dros amrediad pH ehangach.

Y canlyniad yw ein bod ni'n gallu defnyddio llawer o ensymau â gwahanol optima tymheredd a pH ar yr un pryd. Hefyd, mae hi'n hawdd ychwanegu neu dynnu ensymau, sy'n rhoi mwy o reolaeth dros yr adwaith.

Gwella gradd

Wrth ddisgrifio manteision ensymau ansymudol o ran actifedd dros amrediad pH, mae hi'n bwysig dweud amrediad ehangach, nid dim ond amrediad eang.

Term Allweddol

Biosynhwyrydd: dyfais sy'n cyfuno biofoleciwl, fel ensym, â thrawsddygiadur, i gynhyrchu signal trydanol sy'n mesur crynodiad cemegyn.

cwestiwn cyflym

⑤ Disgrifiwch dair o fanteision defnyddio biosynhwyrydd i brofi glwcos yn y gwaed, yn hytrach na phrawf Benedict.

» *Cofiwch*

Mae hi hefyd yn gyffredin defnyddio gwrthgyrff ac ensymau ansymudol i ganfod symiau bach iawn o'r hormon beichiogrwydd HCG mewn troeth er mwyn cadarnhau a yw claf yn feichiog ai peidio.

Biosynwyryddion

Mae biosynwyryddion yn cynnwys ensymau ansymudol a gallwn ni eu defnyddio nhw i ganfod crynodiadau bach o foleciwlau penodol mewn cymysgedd, e.e. glwcos mewn sampl gwaed. Mae biosynhwyrydd yn cynnwys ensym ansymudol penodol, pilen athraidd ddetholus, a thrawsddygiadur wedi'i gysylltu ag arddangosydd. Mae'r bilen athraidd ddetholus yn gadael i'r metabolyn dryledu drwodd at yr ensym ansymudol, gan atal moleciwlau eraill rhag mynd drwodd.

Mae'r metabolyn yn rhwymo wrth safle actif yr ensym ac yn cael ei drawsnewid yn gynnyrch, sydd yn ei dro'n cyfuno â'r trawsddygiadur i droi'r egni cemegol yn signal trydanol. Yr uchaf yw crynodiad y metabolyn sy'n bresennol, y mwyaf yw'r signal trydanol. Rydym ni'n defnyddio'r dechneg hon i fesur yn fanwl gywir faint o glwcos sydd yng ngwaed cleifion â diabetes; fel rheol, dylid cadw lefel y glwcos yn eu gwaed rhwng 3.89 a 5.83mmol dm^{-3}.

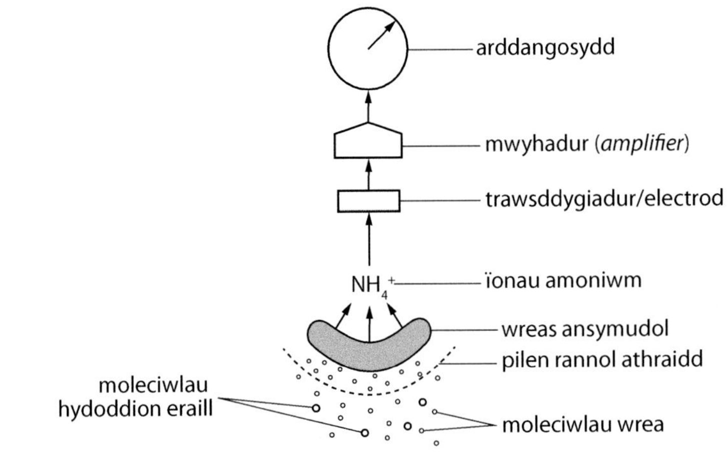

Biosynhwyrydd

1.5 Asidau niwclëig a'u swyddogaethau

Niwcleotidau

Mae DNA ac RNA wedi'u gwneud o fonomerau o'r enw niwcleotidau: mae pob niwcleotid yn cynnwys grŵp ffosffad, bas organig sy'n cynnwys nitrogen, a siwgr pentos (5 carbon): naill ai ribos (RNA) neu ddeocsiribos (DNA).

Mae dau grŵp o fasau organig: pyrimidinau (un cylch), pwrinau (dau gylch).

Mae pedwar bas nitrogenaidd mewn DNA:

- gwanin (pwrin)
- cytosin (pyrimidin)
- adenin (pwrin)
- thymin (pyrimidin).

Mewn RNA, mae'r pyrimidin wracil yn cymryd lle thymin.

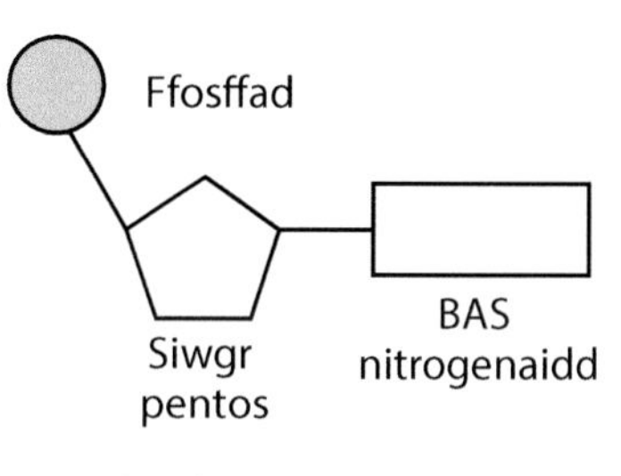

Niwcleotid

Gwella gradd

Byddwch yn ofalus wrth sillafu yma. Mae ymgeiswyr yn aml yn ysgrifennu thiamin yn lle thymin a cystein yn lle cytosin. Fitamin yw thiamin, ac asid amino yw cystein felly chewch chi ddim y marc.

Adenosin triffosffad (ATP)

Mae adenosin triffosffad hefyd yn niwcleotid: mae ganddo siwgr ribos wedi'i uno â'r bas adenin, a thri grŵp ffosffad wedi rhwymo wrtho.

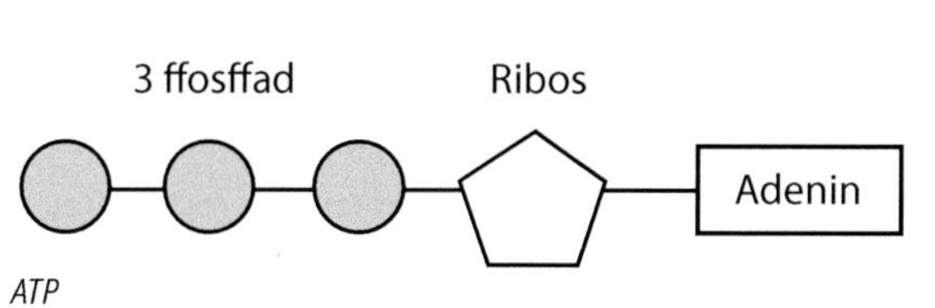

ATP

Pan mae'r bond egni uchel rhwng yr ail a'r trydydd grŵp ffosffad yn cael ei dorri gan yr ensym ATPas drwy gyfrwng hydrolysis, mae'n rhyddhau 30.6kJ o egni i'w ddefnyddio yn y gell, ac yn ffurfio adenosin deuffosffad. Mae'r adwaith hwn yn gildroadwy; mae angen egni o resbiradaeth glwcos i ailffurfio'r bond.

ATP → ADP + Pi + 30.6kJ egni

(Pi = ffosffad anorganig)

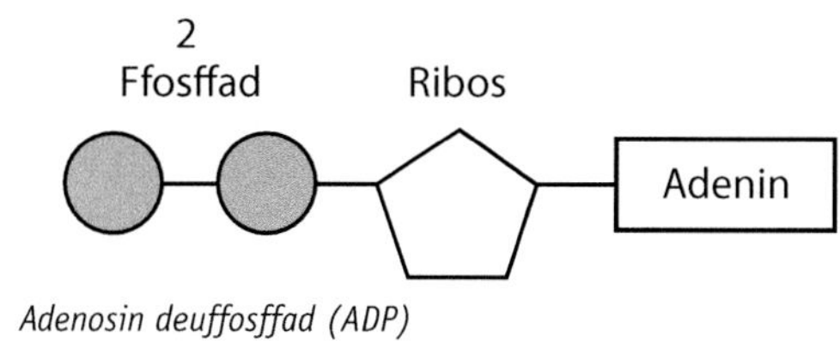

Adenosin deuffosffad (ADP)

Gwella gradd

Sillafwch yn ofalus – NID adenin triffosffad yw ei enw.

Cofiwch

Mae gennym ni gyfanswm o 5g o ATP yn ein celloedd, ond rydym ni'n defnyddio 50kg bob dydd. Mae hyn yn golygu bod rhaid i'r adwaith cildroadwy hwn ddigwydd dros 10,000 gwaith y dydd, oherwydd dydyn ni ddim yn gallu ei storio.

Gwella gradd

Byddwch yn ofalus gyda swyddogaethau a manteision ATP. Dydy'r ddau beth hyn ddim yr un fath!

Manteision ATP:

- Rhyddhau egni'n gyflym o adwaith un cam gan ddefnyddio un ensym yn unig (mae hydrolysis glwcos yn cymryd llawer o gamau).
- Rhyddhau symiau bach o egni, 30.6kJ lle mae ei angen. Ar y llaw arall, mae un moleciwl glwcos yn cynnwys 1880kJ, a fyddai hi ddim yn ddiogel rhyddhau hwn i gyd ar unwaith.
- ATP yw'r 'cyfnewidiwr egni cyffredinol', h.y. mae'n ffynhonnell egni gyffredin i bob adwaith ym mhob peth byw.

Swyddogaethau ATP mewn celloedd:

- mae'n cael ei ddefnyddio mewn llawer o adweithiau anabolig, e.e. synthesis DNA a phrotein
- cludiant actif
- cyfangiad cyhyrau
- trosglwyddo ysgogiadau nerfol.

Adeiledd DNA

Cofiwch

Cofiwch y rheol G = C, A = T.

Cafodd adeiledd moleciwlaidd DNA ei gynnig gan ddau wyddonydd, Watson a Crick, yn 1953, gan ddefnyddio gwybodaeth gan wyddonwyr eraill gan gynnwys Franklin a Wilkins.

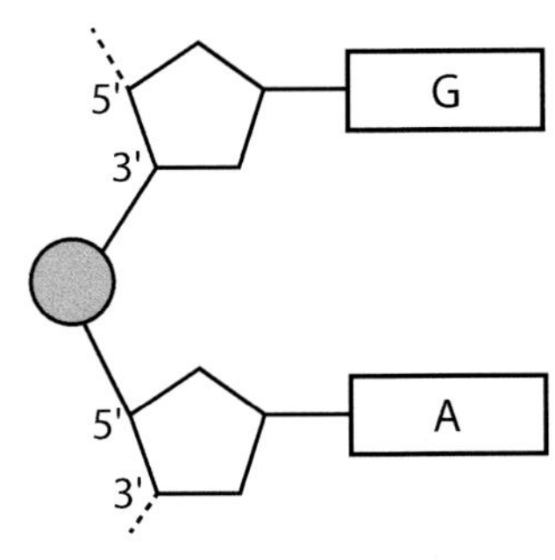

Deuniwcleotid DNA

Mae DNA yn cynnwys dau edefyn polyniwcleotid wedi'u trefnu mewn helics dwbl. Yn gyntaf, mae deuniwcleotid yn ffurfio wrth i adwaith cyddwyso ddigwydd rhwng dau niwcleotid: Mae 5ed atom carbon siwgr deocsiribos yn uno â 3ydd atom carbon siwgr deocsiribos y niwcleotid uwch ei ben, drwy'r moleciwl ffosffad. Mae hyn yn parhau, gan adeiladu un edefyn DNA i'r cyfeiriad 5'–3'.

Cofiwch

Cyfrifo cyfran y basau sy'n bresennol mewn DNA: Os ydych chi'n gwybod bod 22% o'r moleciwl DNA yn adenin, gallwch chi gyfrifo cyfrannau'r basau eraill. Sut? Gan ddilyn y rheol paru basau, A = T felly rhaid bod 22% yn thymin hefyd. Rhaid bod y 56% sy'n weddill yn G + C. Felly gwanin = 28%, cytosin = 28%. D.S. dim ond ar gyfer moleciwlau edefyn dwbl mae hyn yn gweithio.

Yna, mae DNA yn ffurfio moleciwl edefyn dwbl o ddau edefyn: mae un edefyn yn mynd i'r cyfeiriad dirgroes i'r llall (gwrthbaralel). Mae bondiau hydrogen yn ffurfio rhwng basau nitrogenaidd cyflenwol i ddal y ddau edefyn at ei gilydd. Yna, mae'r edefyn dwbl yn dirdroi i ffurfio helics dwbl.

Mae basau rhwng y ddau edefyn yn paru mewn ffordd benodol, gan ddilyn y rheol paru basau cyflenwol: mae gwanin yn ffurfio bondiau hydrogen â moleciwl cytosin cyfagos ac mae adenin yn ffurfio bondiau hydrogen â moleciwl thymin cyfagos.

Mae bondiau hydrogen yn wan, ond mae'r nifer enfawr ohonynt sy'n bresennol mewn moleciwl DNA dros filiwn o niwcleotidau o hyd yn golygu eu bod nhw'n gryf iawn gyda'i gilydd. Yn wir, byddai angen i chi wresogi DNA at dros 95 °C i'w torri nhw i gyd!

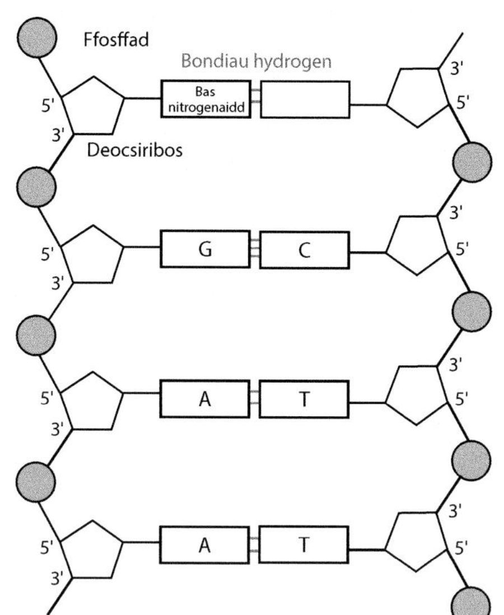

Moleciwl DNA edefyn dwbl

Echdynnu DNA

Mae'n hawdd echdynnu DNA o gelloedd drwy falu sampl mewn hydoddiant o halen a hylif golchi llestri mewn dŵr rhewllyd. Mae'r glanedydd yn hydoddi'r lipidau yn y pilenni ffosffolipid, sy'n rhyddhau'r DNA, ac mae'r tymheredd oer yn amddiffyn y DNA rhag ensymau DNAas y celloedd. Bydd ychwanegu proteas yn treulio unrhyw ensymau celloedd sydd ar ôl, a'r histonau mae'r DNA wedi'i ddirwyn o'u cwmpas. Yn olaf, bydd ychwanegu ethanol at yr halen sydd eisoes yn bresennol yn achosi i'r DNA waddodi allan o'r hydoddiant.

Adeiledd RNA

Mae RNA yn wahanol i DNA, oherwydd mae fel arfer yn foleciwl byrrach, un edefyn. Mae niwcleotidau hefyd yn wahanol gan mai ribos yw'r siwgr, a bod wracil yn cymryd lle un bas thymin. Mae tri gwahanol fath o RNA yn ymwneud â synthesis protein.

Moleciwl	Manylion
mRNA	Mae RNA negeseuol yn foleciwl un edefyn sydd fel arfer tua 300–2000 o niwcleotidau o hyd. Mae'n cael ei gynhyrchu yn y cnewyllyn gan ddefnyddio un o'r edafedd DNA fel templed yn ystod y broses drawsgrifio.
rRNA	Mae RNA ribosomol yn ffurfio ribosomau wrth ychwanegu protein.
tRNA	Mae RNA trosglwyddol yn foleciwl bach sy'n ei ddirwyn ei hun mewn siâp deilen meillionen. Mae ganddo wrthgodon ar un pen, ac asid amino ar y pen arall. Fel mae'r enw'n ei awgrymu, mae'n 'trosglwyddo' yr asid amino cywir i'r polypeptid sy'n tyfu yn ystod proses trosiad.

Tabl yn dangos y tri gwahanol foleciwl RNA sy'n bresennol

Cofiwch

Mae dau fond hydrogen rhwng A a T, ond mae tri rhwng G ac C.

Cofiwch

Mae'r moleciwl DNA edefyn dwbl yn dirdroi i ffurfio helics dwbl.

Gwella gradd

Wrth gymharu DNA ac mRNA, cofiwch fod DNA yn helics dwbl ac mRNA yn edefyn sengl.

Cwestiwn cyflym

① Os yw 22% o asid niwclëig yn adenin, a 30% yn thymin, beth allwch chi ei ddiddwytho am adeiledd yr asid niwclëig?

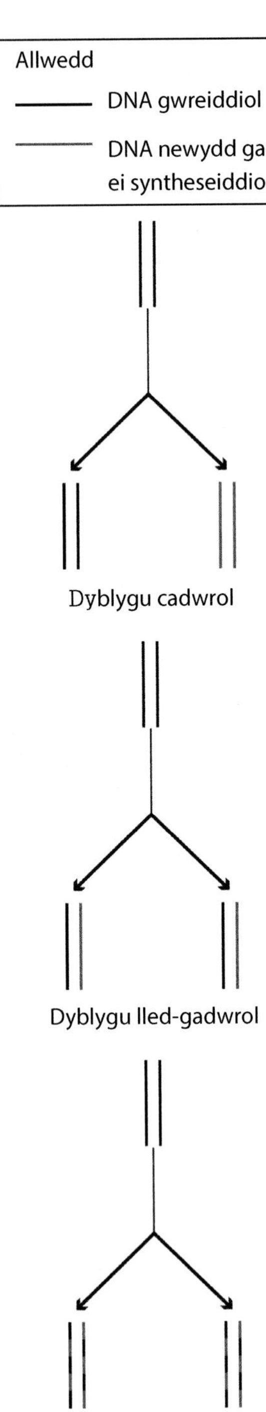

Damcaniaethau dyblygu DNA

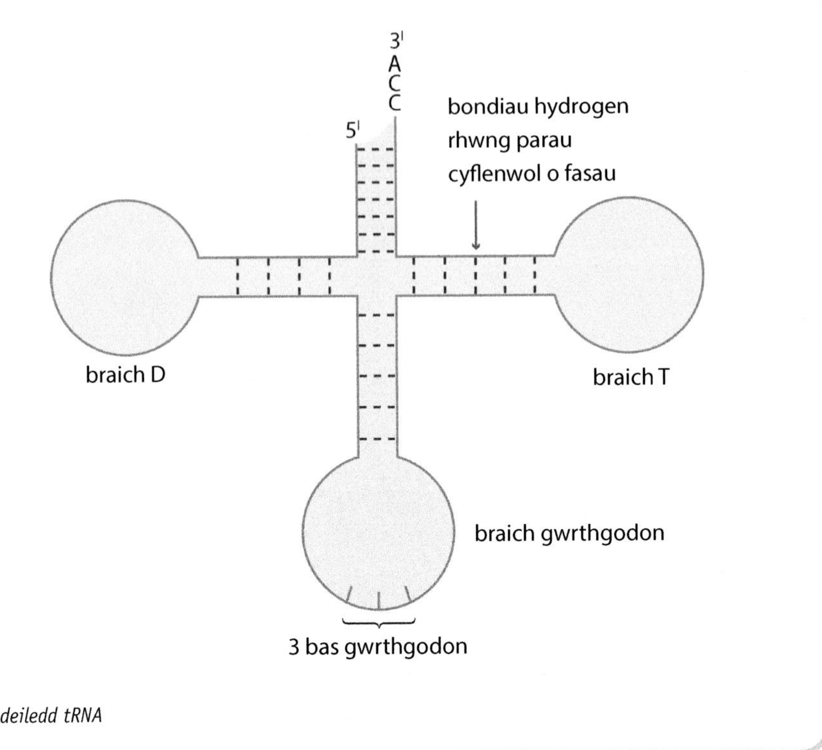

Adeiledd tRNA

Swyddogaethau DNA

Mae gan DNA ddwy brif swyddogaeth mewn organebau:

1. Synthesis proteinau – dilyniant y basau mewn un edefyn, sef yr edefyn templed, sy'n pennu trefn yr asidau amino yn y polypeptid (adeiledd cynradd).
2. Dyblygu – pan mae celloedd yn rhannu, mae angen gwneud copi cyflawn o'r DNA yn y gell. Mae'r ddau edefyn DNA yn gwahanu, ac mae'r naill a'r llall yn gweithredu fel templed i syntheseiddio edefyn cyflenwol.

Mae tair damcaniaeth wedi'u cynnig ar gyfer sut mae DNA yn dyblygu:

1. Dyblygu cadwrol: cadw'r moleciwl dau edefyn gwreiddiol, a syntheseiddio moleciwl DNA dau edefyn newydd ohono.
2. Dyblygu lled-gadwrol: mae'r edafedd gwreiddiol yn gwahanu, ac mae'r naill a'r llall yn gweithredu fel templed i syntheseiddio edefyn newydd. Mae'r moleciwl newydd yn cynnwys un edefyn gwreiddiol ac un edefyn sydd newydd gael ei syntheseiddio.
3. Gwasgarol: mae'r moleciwlau newydd yn cynnwys darnau o'r edefyn gwreiddiol a DNA sydd newydd gael ei syntheseiddio.

Proses dyblygu DNA lled-gadwrol

Ar gyfer y broses hon, mae angen ATP, niwcleotidau rhydd, ac ensymau.

- Mae DNA helicas yn torri'r bondiau hydrogen rhwng y basau gan achosi i'r helics dwbl ddad-ddirwyn a gwahanu'n ddau edefyn.
- Mae'r basau sydd wedi'u gwahanu'n rhwymo wrth niwcleotidau sy'n rhydd yn y niwcleoplasm.
- Mae DNA polymeras yn rhwymo'r niwcleotidau cyflenwol (gan ffurfio'r bond ffosffodeuester).
- Mae un moleciwl yn gweithredu fel templed i'r moleciwl newydd, felly mae DNA sydd newydd gael ei syntheseiddio'n cynnwys un edefyn gwreiddiol ac edefyn cyflenwol sydd newydd gael ei syntheseiddio.

Gwella gradd

Dydy DNA polymeras DDIM yn ffurfio bondiau hydrogen. Mae'n rhwymo'r niwcleotidau cyflenwol (gan ffurfio'r bond ffosffodeuester).

Arbrawf Meselson a Stahl

Roedd hwn yn arbrawf pwysig gafodd ei gynnal i ganfod union fecanwaith dyblygu DNA.

Roedd yr arbrawf yn cynnwys y canlynol:

1. Tyfu bacteria ar gyfrwng ^{15}N. Isotop nitrogen trwm yw ^{15}N, felly byddai'r holl DNA gafodd ei gynhyrchu'n pwyso mwy na DNA normal. Pan gafodd y DNA ei echdynnu drwy ei allgyrchu mewn cesiwm clorid, roedd y band DNA yn ymddangos yn isel yn y tiwb.
2. Yna, cafodd bacteria eu tyfu ar gyfrwng ^{14}N (nitrogen pwysau normal), ac wrth echdynnu DNA ar ôl un genhedlaeth roedd yn ffurfio band rhyngol hanner ffordd i fyny'r tiwb. Mae hyn oherwydd bod y moleciwl DNA yn cynnwys un edefyn o'r DNA gwreiddiol trwm ac un edefyn DNA ysgafn sydd newydd gael ei syntheseiddio. (Gan mai dim ond un band gafodd ei gynhyrchu, dydy dyblygu cadwrol ddim yn bosibl.)
3. Yna, cafodd y bacteria eu tyfu am genhedlaeth arall gan ddefnyddio cyfrwng ^{14}N. Roedd y DNA wedi'i echdynnu yn ffurfio band rhyngol hanner ffordd i fyny'r tiwb, a band ysgafnach yn nes at dop y tiwb. Oherwydd bod hanner y DNA yn bwysau rhyngol a'i hanner yn ysgafn, dydy dyblygu gwasgarol ddim yn bosibl.
4. Felly, mae DNA yn dyblygu mewn modd lled-gadwrol.
5. Pe bai'n cael ei dyfu am fwy o genedlaethau gan ddefnyddio cyfrwng ^{14}N, byddai'r DNA pwysau rhyngol yn dal i ymddangos, ond byddai cyfran y DNA ysgafn yn cynyddu.

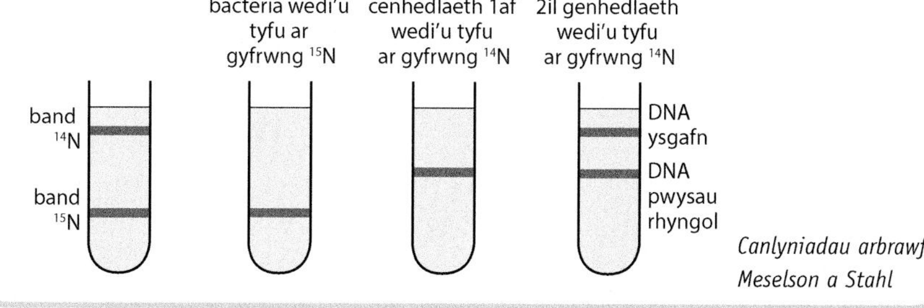

Canlyniadau arbrawf Meselson a Stahl

Cofiwch

Gallwn ni wahanu DNA yn ôl ei faint drwy allgyrchu samplau ar fuaneddau uchel iawn (dros 100,000 rpm) mewn hydoddiant dwys cesiwm clorid. Bydd DNA yn setlo lle bynnag mae dwysedd y DNA yn hafal i ddwysedd y cesiwm clorid, a bydd band gweladwy yn ffurfio.

Y cod genetig

Mae dilyniant y basau niwcleotid yn ffurfio cod. Mae gan bob 'gair cod' dair llythyren, sef **codon** (cod tripled), sy'n codio ar gyfer asid amino penodol. Mae'r tabl yn dangos rhai enghreifftiau:

Codon DNA	Codon mRNA	Asid amino mae'n codio ar ei gyfer	Byrfodd yr asid amino
GGG	CCC	prolin	pro
CGG	GCC	glycin	gly
ATG	UAC	tyrosin	tyr
TAC	AUG	methionin	met
ACT	UGA	stop (dim asid amino)	

Mae 4^3 o fasau, h.y. 64 o wahanol gyfuniadau o A, G, C, T(U), yn codio ar gyfer 20 o asidau amino. Felly, mae codau basau 'sbâr'. Rydym ni'n galw hyn yn ddirywiad neu'r 'cod dirywiedig'.

Mae'r cod hwn yn gyffredinol, h.y. mae yr un fath ym mhob peth byw. Mae un codon yn gweithredu fel codon DECHRAU, gan farcio'r pwynt ar y DNA lle mae trawsgrifiad yn dechrau – AUG yw hwn ar yr mRNA ac mae'n codio ar gyfer methionin. Bydd pob genyn sydd ar y DNA yn codio ar gyfer polypeptid gwahanol: dyma'r rhagdybiaeth un genyn, un polypeptid.

Cofiwch

Gwyddonwyr oedd y cyntaf i sylwi bod tair gwaith cymaint o fasau yn y DNA nag o asidau amino yn y polypeptid yr oedd yn codio ar ei gyfer.

Gwella gradd

Does dim angen i chi ddysgu pa godonau sy'n codio ar gyfer pob asid amino, dim ond gallu defnyddio unrhyw dabl codonau sy'n cael ei ddarparu.

cwestiwn cyflym

② Trawsnewidiwch y dilyniant DNA canlynol yn mRNA: GATTTCCGAATTGGCC

Term Allweddol

Codon: y tripled o fasau mewn mRNA sy'n codio ar gyfer asid amino penodol, neu signal atalnodi.

Synthesis proteinau

- Mae trawsgrifiad yn digwydd yn y cnewyllyn.
- Mae trosiad yn digwydd yn y ribosomau.
- Mae addasu ar ôl trosi'n digwydd yn yr organigyn Golgi cyn pecynnu'r protein mewn fesiglau.

Gwella gradd

Gwnewch yn siŵr eich bod chi'n gallu defnyddio codon mRNA i ddatrys y dilyniant o asidau amino ar gyfer dilyniant DNA.

Trawsgrifiad

- Mae DNA yn gweithredu fel templed i gynhyrchu mRNA.
- Mae DNA helicas yn gweithredu ar ran benodol o'r moleciwl DNA, y cistron, i dorri'r bondiau hydrogen rhwng y ddau edefyn DNA, gan achosi i'r ddau edefyn wahanu a dad-ddirwyn, a rhyddhau basau niwcleotid.
- Mae niwcleotidau RNA rhydd yn paru â'r basau hyn ar yr edefyn templed DNA ac mae RNA polymeras yn uno â nhw drwy ffurfio'r bondiau ffosffodeuester rhwng y grŵp ffosffad ar un niwcleotid a'r siwgr ribos ar y nesaf.
- Mae hyn yn parhau nes bod yr RNA polymeras yn cyrraedd codon STOP, pan mae'r RNA polymeras yn dod yn rhydd ac mae'r broses o gynhyrchu mRNA wedi'i chwblhau.
- Mae'r edefyn mRNA yn gadael y cnewyllyn drwy'r mandyllau cnewyllol ac yn symud i'r ribosomau.

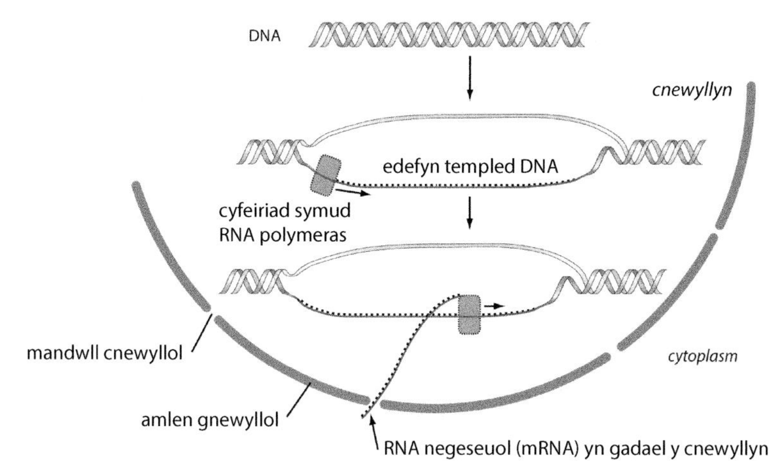

Trawsgrifiad

Mewn ewcaryotau, mae **intronau** yn bresennol mewn llawer o enynnau felly mae'r rhain hefyd yn cael eu trawsgrifio gan gynhyrchu cyn-mRNA. Rydym ni'n galw'r rhannau sy'n codio yn **ecsonau**. Mae'r cyn-mRNA yn cael ei sbleisio i dynnu'r rhannau sydd ddim yn codio *cyn* eu pasio nhw i'r ribosomau. Mewn procaryotau, dydy'r DNA ddim yn cynnwys intronau, felly mae'r mRNA yn cael ei gynhyrchu'n uniongyrchol o dempled y DNA.

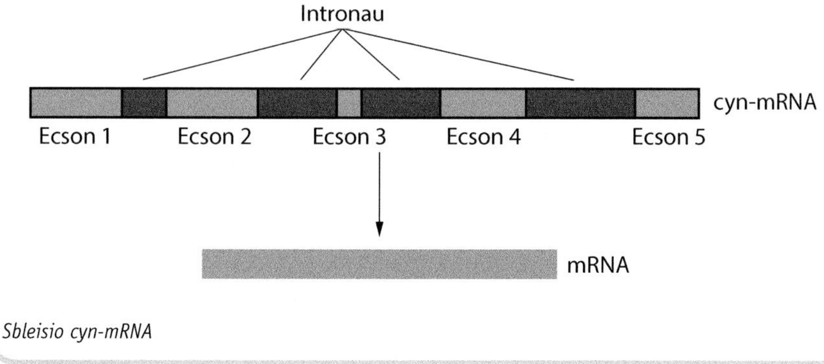

Sbleisio cyn-mRNA

Trosiad

Mae trosiad yn cynnwys moleciwl RNA penodol arall, sef RNA trosglwyddol (tRNA). Ar un pen i'r moleciwl tRNA mae tri bas, sef y gwrthgodon; mae'r rhain yn gyflenwol i'r codon mRNA. Ar ben arall y moleciwl tRNA mae safle glynu asidau amino lle mae'r asid amino perthnasol i'w gael. Actifadu asid amino yw'r broses lle mae'r asid amino perthnasol yn glynu wrth y safle cydio, ac mae angen ATP er mwyn i hyn ddigwydd.

Mae trosiad yn golygu trawsnewid y codonau ar yr mRNA i greu dilyniant o asidau amino o'r enw polypeptid. Mae pob ribosom (sydd yn rhydd yn y cytoplasm, neu ynghlwm wrth y reticwlwm endoplasmig garw – gweler tudalen 24) wedi'i wneud o ddwy is-uned o RNA ribosomol a phrotein. Mae'r mRNA yn rhwymo wrth yr is-uned leiaf, ac mae tRNA yn rhwymo wrth un o ddau safle cydio ar yr is-uned fwyaf.

Gwella gradd

Peidiwch â drysu rhwng DNA polymeras ac RNA polymeras!

Termau Allweddol

Intronau: dilyniant niwcleotidau sydd ddim yn codio mewn DNA a chyn-mRNA, sy'n cael ei dynnu o gyn-mRNA, i gynhyrchu mRNA aeddfed.

Ecsonau: dilyniant niwcleotidau ar un edefyn yn y moleciwl DNA a'r mRNA cyfatebol sy'n codio ar gyfer cynhyrchu polypeptid penodol.

cwestiwn cyflym

③ Enwch yr ensym sy'n ymwneud â chynhyrchu mRNA.

cwestiwn cyflym

④ Esboniwch pam mae cyn-mRNA yn cael ei sbleisio mewn ewcaryotau.

Mae'r broses yn cynnwys nifer o gamau:

- Dechreuad: ribosom yn cydio yn y codon DECHRAU.
- Mae moleciwl tRNA â gwrthgodon cyflenwol i'r codon cyntaf yn rhwymo wrth y safle cydio cyntaf ar y ribosom.
- Mae ail foleciwl tRNA yn uno â'r ail safle cydio, ac mae ensym ribosomol yn catalyddu adwaith sy'n ffurfio bond peptid rhwng y ddau asid amino. Ymestyniad yw hyn.
- Mae'r moleciwl tRNA cyntaf yn cael ei ryddhau ac mae'r ribosom nawr yn symud un codon ar hyd yr mRNA, sy'n datgelu safle cydio rhydd ac mae moleciwl tRNA arall yn uno ac mae'r broses yn ailadrodd.
- Mae hyn yn parhau nes eu bod nhw'n cyrraedd codon STOP, ac yna mae'r polypeptid yn cael ei ryddhau. Terfyniad yw hyn.
- Fel rheol, mae llawer o ribosomau yn rhwymo wrth un edefyn mRNA ar yr un pryd. Polysom yw hyn.

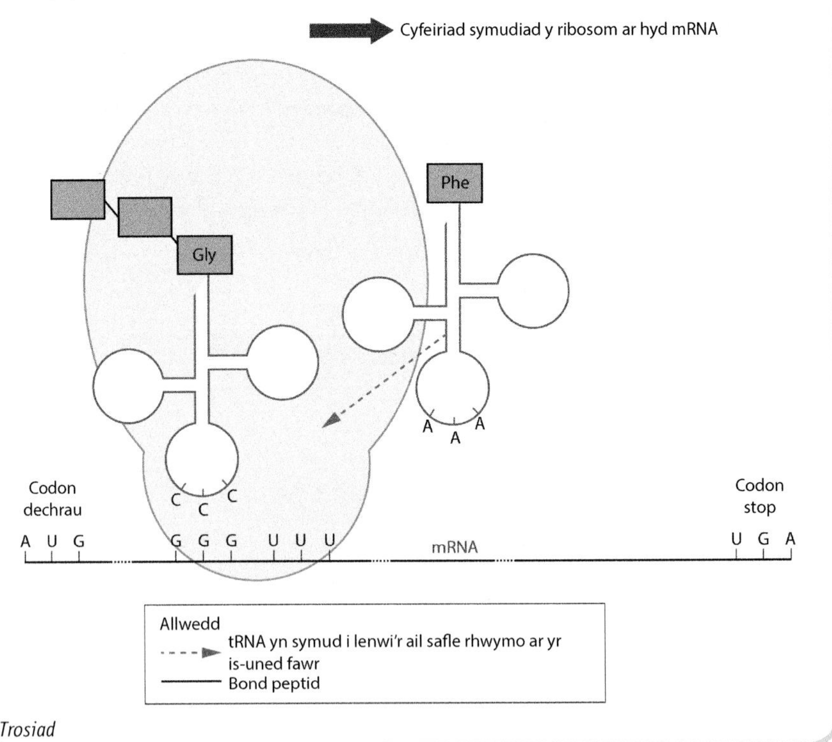

Trosiad

Addasu ar ôl trosi

Mae trosiad yn cynhyrchu polypeptid, ond mae angen ei addasu eto er mwyn cynhyrchu protein ag adeiledd eilaidd, trydyddol neu gwaternaidd. Mae'r addasiad hwn yn digwydd yn yr organigyn Golgi. Mae addasiad hefyd yn digwydd i gynhyrchu moleciwlau fel glycoproteinau, lipoproteinau ac adeileddau cwaternaidd cymhleth fel haemoglobin. I ffurfio haemoglobin, mae angen cydosod dwy gadwyn alffa a dwy gadwyn beta (wedi'u codio gan ddau enyn gwahanol) gyda'i gilydd, gan ddefnyddio haearn fel grŵp prosthetig.

cwestiwn cyflym

⑤ Beth yw ystyr actifadu asidau amino?

cwestiwn cyflym

⑥ Parwch y prosesau canlynol 1–4 â'r lleoliadau yn y gell A–C.

1 Trawsgrifiad
2 Trosiad
3 Rhag-sbleisio mRNA
4 Addasu ar ôl trosi

A Ribosom
B Cnewyllyn
C Golgi

1.6 Cylchred y gell a chellraniad

Cromosomau

Mae cromosomau yn cynnwys DNA a phrotein o'r enw histon, a dydyn nhw ddim yn weladwy nes eu bod nhw'n cyddwyso ar ddechrau proses cellraniad. Ar ôl dyblygu DNA, mae cromosom yn bodoli ar ffurf dwy 'chwaer-gromatid' unfath wedi'u cysylltu gan y centromer. Mae chwaer-gromatidau yn enetig *unfath*. Mae'r ddau gromosom yn cynnwys **genynnau** sy'n codio ar gyfer polypeptidau penodol.

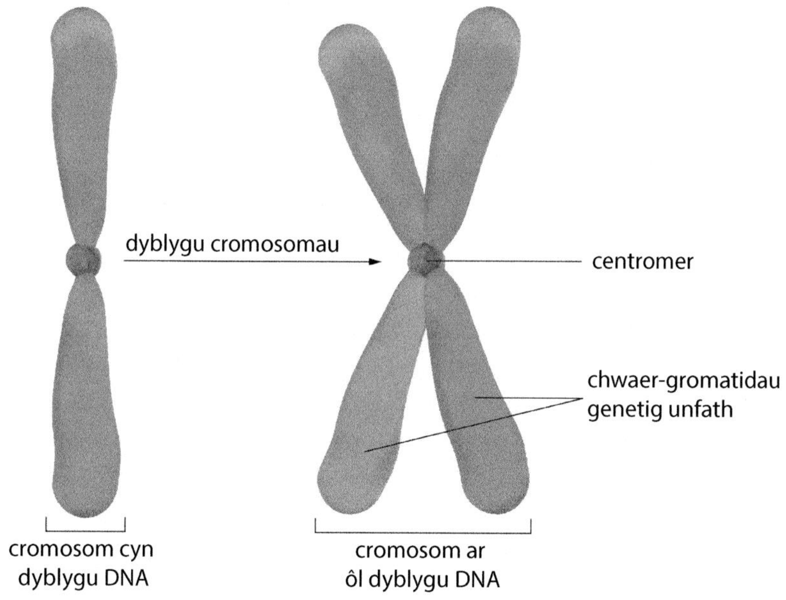

Adeiledd cromosom

Mae gan wahanol rywogaethau wahanol niferoedd o gromosomau, e.e. mae gan fodau dynol 46, ac mae gan daten 48. Mewn bodau dynol, mae'r cromosomau yn dod mewn 23 pâr: un gan bob rhiant. Rydym ni'n dweud bod y parau hyn yn **homologaidd**, h.y. maen nhw'n cynnwys yr un genynnau, ond maen nhw'n gallu bod yn fersiynau gwahanol neu **alelau**. Os oes gan organeb ddwy set gyflawn o gromosomau, rydym ni'n galw hyn yn ddiploid, felly mewn bodau dynol y rhif diploid (2n) yw 46. Mae gan y daten bedair cyfres o gromosomau – tetraploid (4n) yw'r math hwn o **bolyploidedd**. Mae rhifau haploid (n) i'w cael mewn gametau dynol a hefyd mewn rhai organebau, e.e. mwsoglau, gwenyn gweithgar gwrywaidd.

Termau Allweddol

Genyn: dilyniant basau DNA sy'n codio ar gyfer dilyniant yr asidau amino mewn polypeptid. Mae pob genyn yn cymryd safle penodol ar y cromosom, sef y locws.

Cromosomau homologaidd: mae cromosomau homologaidd yr un siâp a maint â'i gilydd ac yn cludo'r un genynnau, ond maen nhw'n gallu bod yn fersiynau gwahanol, sef alelau. Mae'r ddau riant yn cyfrannu un cromosom yr un at bob pâr.

Alel: ffurf wahanol ar yr un genyn.

Polyploidedd: cyflwr lle mae gan organeb fwy na dwy set gyflawn o gromosomau.

Termau Allweddol

Rhyngffas: cyfnod o synthesis a thwf yn ystod cylchred y gell.

Mitosis: mae'n cynnwys pedwar cam lle mae'r cromosomau yn cael eu trefnu a'u gwahanu cyn cellraniad. Mae'n ffurfio dwy gell enetig unfath sy'n cynnwys yr un nifer o gromosomau â'r rhiant-gell.

Cytocinesis: rhannu'r cytoplasm i ffurfio dwy epilgell ar ôl mitosis.

Cylchred y gell

Rhyngffas yw'r rhan fwyaf o gylchred y gell mewn ewcaryotau, ac yn y cyfnod hwn mae DNA, protein ac organynnau yn cael eu syntheseiddio. Ar ôl hyn, mae pedwar cam **mitosis** lle mae'r cromosomau yn cael eu trefnu a'u gwahanu, cyn ffurfio dwy gell enetig unfath drwy gyfrwng **cytocinesis**.

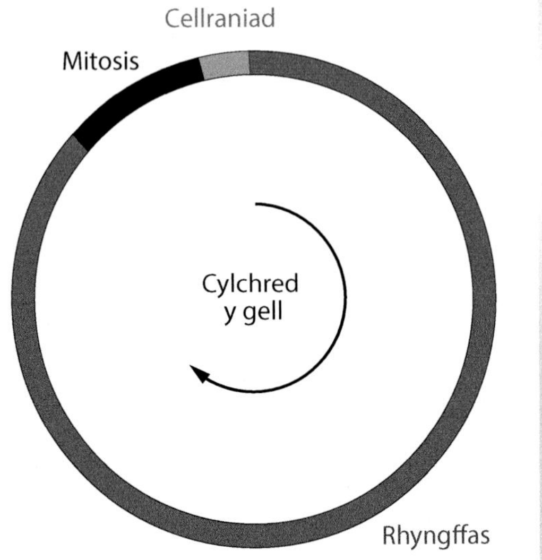

Cylchred y gell

Rhyngffas

Hwn yw'r cyfnod hiraf yng nghylchred y gell, ac mae'n cynnwys llawer o weithgarwch metabolaidd. Mae swm y DNA yn dyblu (er bod y rhif cromosom yn aros yr un fath, gan fod y cromosomau yn bodoli fel dwy chwaer-gromatid wedi'u huno gan y centromer – gweler y diagram ar y dudalen flaenorol), ac mae synthesis proteinau a dyblygu organynnau yn digwydd, sy'n golygu bod angen llawer o ATP. Mae'r gell yn weithgar iawn yn fetabolaidd.

Mitosis

Mae mitosis yn arwain at gynhyrchu dwy gell sy'n enetig unfath. Mae'n bwysig i dwf ac atgyweirio wrth i gelloedd gwahaniaethol ddyblygu. Mae pedwar cam iddo:

Cam	Beth sy'n digwydd	Diagram
Proffas	▪ Cromosomau'n cyddwyso i fynd yn fyrrach ac yn fwy trwchus ▪ Cromosomau'n ymddangos fel dwy chwaer-gromatid wedi'u cysylltu â chentromer ▪ Mae'r centriolau'n symud at begynau cyferbyn (ddim mewn planhigion datblygedig) ▪ Mae'r amlen gnewyllol yn ymddatod ▪ Mae'r cnewyllan yn diflannu	**Proffas cynnar** amlen gnewyllol cytoplasm centriolau cnewyllan cellbilen cromosomau'n cyddwyso **Proffas hwyr** amlen gnewyllol yn ymddatod cnewyllan yn diflannu centromer centriolau'n symud at ddau ben cyferbyn (pegynau) y gell pâr o gromatidau
Metaffas	▪ Gwerthyd yn ffurfio ▪ Cromosomau'n eu trefnu eu hunain ar gyhydedd y gell gan lynu at ficrodiwbynnau'r werthyd gerfydd y centromer	**Metaffas** y ddau gentriol yn cyrraedd pegwn; maen nhw'n trefnu cynhyrchu microdiwbynnau'r werthyd gwerthyd cromosomau'n eu trefnu eu hunain ar draws cyhydedd y werthyd gan lynu at y werthyd gerfydd eu centromerau
Anaffas	▪ Ffibrau'r werthyd yn mynd yn fyrrach ▪ Centromerau'n rhannu a'r cromatidau'n cael eu tynnu at y pegynnau cyferbyn	**Anaffas** centriolau cromatidau'n symud at y ddau begwn; y centromerau'n gyntaf, wedi'u tynnu gan y microdiwbynnau
Teloffas	▪ Cromatidau'n cyrraedd y pegynnau ac yn mynd yn aneglur drwy ddad-dorchi ▪ Amlen gnewyllol yn ailffurfio ▪ Cnewyllan yn ailffurfio ▪ Gwerthyd yn ymddatod	**Teloffas** hollt yr ymraniad amlen gnewyllol yn ailffurfio cellbilen centriolau cnewyllan yn ailffurfio gweddillion y werthyd sy'n ymddatod cromatidau wedi cyrraedd pegynnau'r werthyd

Gwella gradd

Ceisiwch gofio PMAT = proffas, metaffas, anaffas a teloffas.

Gwella gradd

Byddwch yn barod i luniadu neu adnabod cromosomau yn ystod unrhyw un o bedwar cam mitosis.

cwestiwn cyflym

① Parwch y digwyddiadau canlynol â'r cam mitosis cywir. Cewch chi ddefnyddio llythyren unwaith, fwy nag unwaith neu ddim o gwbl.

1 Cromosomau yn eu trefnu eu hunain ar y cyhydedd
2 Amlen gnewyllol yn diflannu
3 Gweld hollt yr ymraniad
4 Cromatidau yn symud at y pegynnau cyferbyn
5 Ffibrau'r werthyd yn fyrrach

A Proffas
B Metaffas
C Anaffas
CH Teloffas

Cytocinesis

Mae'r ffordd mae'r cytoplasm yn rhannu i ffurfio dwy gell ar wahân yn wahanol mewn celloedd planhigyn ac anifail. Mewn celloedd anifail, mae'r bilen yn plygu i mewn drwy ffurfio hollt ymraniad, nes bod y ddwy gell yn gwahanu. Mewn celloedd planhigyn, mae presenoldeb y cellfur cellwlos yn atal hyn rhag digwydd, felly yn lle hynny, mae cellblat yn ffurfio o'r canol tuag allan, nes bod y gell wedi'i rhannu'n ddwy.

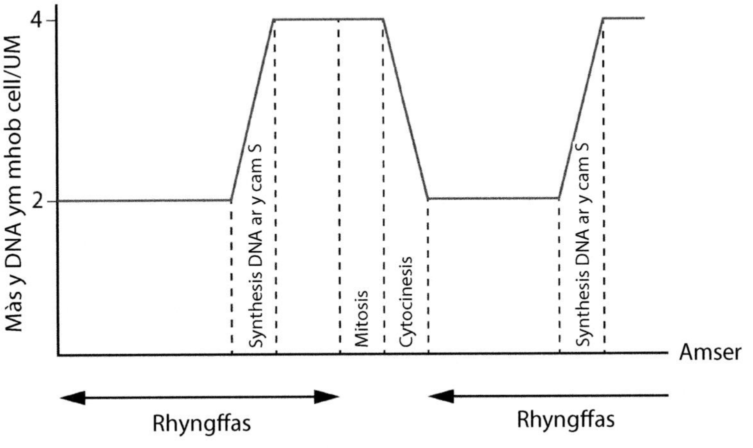

Graff yn dangos y newidiadau i fàs DNA mewn cell yn ystod cylchred y gell

» Cofiwch

Cyfrifo canran y celloedd sy'n cyflawni mitosis = (nifer y celloedd mewn proffas + metaffas + anaffas + teloffas / cyfanswm nifer y celloedd) x 100.

cwestiwn cyflym

② Rhowch y lluniadau isod o gelloedd ar wahanol gamau mitosis yn y drefn gywir.

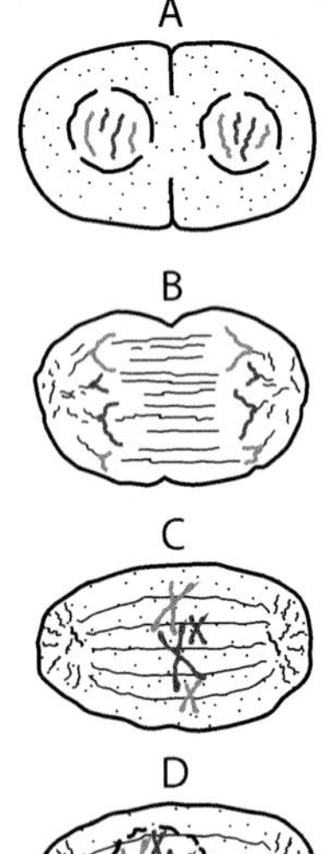

Arwyddocâd mitosis

Drwy gynhyrchu celloedd newydd, mae organeb yn gallu tyfu, trwsio meinweoedd a ffurfio celloedd newydd i gymryd lle rhai marw. Mewn anifeiliaid, mae celloedd newydd yn cymryd lle celloedd croen a chelloedd gwaed yn gyson wrth iddynt dreulio. Mewn planhigion, mae celloedd meristem ar flaenau gwreiddiau a chyffion yn cyflawni mitosis yn gyson.

Rydym ni'n diffinio'r indecs mitotig fel cymhareb nifer y celloedd mewn poblogaeth sy'n cyflawni mitosis i nifer y celloedd sydd ddim yn cyflawni mitosis, ac mae'n ffordd o fesur twf.

Mae mitosis yn bwysig i atgynhyrchu anrhywiol, sy'n gallu cynhyrchu epil genetig unfath a chynyddu niferoedd yn gyflym os yw'r amodau yn ffafriol, e.e. celloedd burum a bacteria. Mae rhai planhigion, e.e. mefus, yn defnyddio hyn hefyd, drwy gynhyrchu ymledyddion.

Mae nifer o enynnau yn rheoli mitosis, gan gynnwys proto-oncogenynnau. Bydd mwtaniad yn un o'r genynnau hyn oherwydd cemegion, e.e. bensen, neu belydriad, e.e. golau UV, yn eu troi nhw'n oncogenynnau: mae hyn yn achosi cellraniad afreolus, sy'n arwain at ffurfio tiwmorau a chanserau. Mae'r cyffur fincristin wedi bod yn llwyddiannus wrth drin canserau gan ei fod yn atal ffurfio'r werthyd ac felly'n atal mitosis yn ystod y metaffas, gan arafu cyfradd cellraniad.

Cyfrifo hyd cyfnod yng nghylchred y gell

1. Yn gyntaf, cyfrifwch gyfran y celloedd sydd ar y cam hwnnw drwy gyfrif dan ficrosgop, e.e. 20 cell yn y golwg, ac 16 ohonynt mewn rhyngffas (16/20 = 80%).
2. Defnyddiwch y gyfran gyda hyd cylchred y gell, e.e. cylchred 24 awr × 80% = 19.2 awr (19 awr a 12 munud) yw hyd rhyngffas.

Meiosis

Mae meiosis yn cynnwys dau gellraniad olynol, ac yn wahanol i fitosis, mae'n cynhyrchu pedair cell haploid genetig wahanol. Mae'n digwydd yn organau atgenhedlu anifeiliaid, planhigion a rhai protoctistiaid cyn atgenhedlu rhywiol. Dim ond cyn proffas 1 mae rhyngffas yn digwydd, a dyma beth sy'n gyfrifol am ddyblygu DNA a synthesis proteinau.

Cofiwch

Mae mitosis a meiosis yn brosesau parhaus. Dan y microsgop, dim ond ciplun o'r hyn sy'n digwydd sydd i'w weld.

cwestiwn cyflym

③ Mae rhyngffas yn digwydd yn ystod mitosis a meiosis, ac mae'n gyfnod gweithgar iawn. Nodwch dri pheth sy'n digwydd.

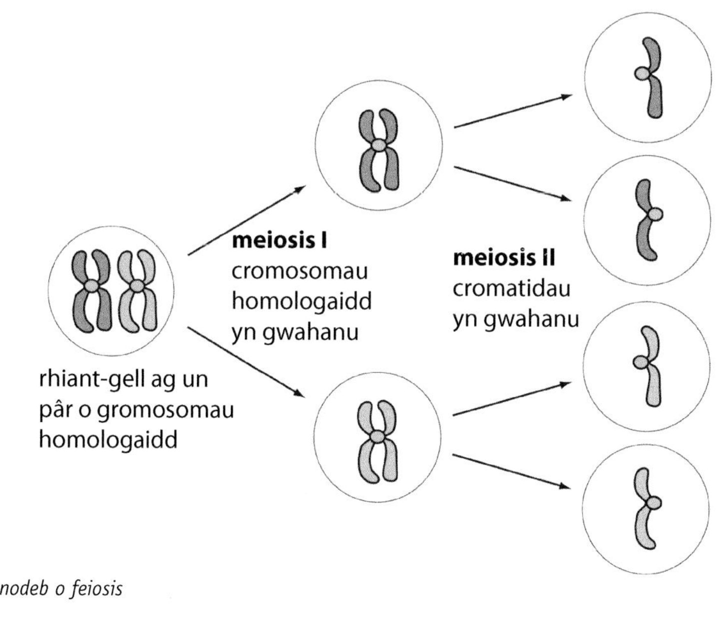

Crynodeb o feiosis

Meiosis I: parau homologaidd yn gwahanu. Mae gan bob epilgell hanner nifer gwreiddiol y cromosomau, ond mae pob cromosom yn cynnwys dau gromatid

Meiosis II: cromatidau yn gwahanu. Mae gan bob epilgell hanner nifer gwreiddiol y cromosomau, a dim ond un cromatid ym mhob un.

Cam S

Màs y DNA ym mhob cell / UM

4
3
2
1

Amser

Graff yn dangos y newidiadau i fàs DNA mewn cell yn ystod meiosis

Gwella gradd

Byddwch yn ofalus wrth sillafu yma, oherwydd mae'n hawdd drysu rhwng mitosis a meiosis. Er enghraifft, meitosis = 0 marc!

Meiosis 1

Ar ôl rhyngffas, mae meiosis 1 yn dilyn cyfres o gamau tebyg i fitosis, heblaw bod proffas 1 wedi'i addasu wrth i barau homologaidd ddod at ei gilydd i ffurfio deufalentau ac mae trawsgroesiad yn gallu digwydd. Mae hyn yn cynyddu amrywiad genetig. Mae'r gwahaniaeth mawr arall yn digwydd yn ystod metaffas 1, pan mae'r deufalentau yn eu trefnu eu hunain ar hap ar y cyhydedd. Rydym ni'n galw hyn yn rhydd-ddosraniad ac mae'n rhoi 8388608 o amrywiolion eraill o 23 o ddeufalentau, h.y. 2^{23}.

Cam	Beth sy'n digwydd	Cynnwys DNA (u.m.)	Nifer y cromosomau ym mhob cell
Rhyngffas	Digwydd cyn meiosis Dyblygu DNA	2	2n
Proffas 1 *Gwahaniaeth allweddol = mae trawsgroesiad yn gallu digwydd*	Mae'r cromosomau'n cyddwyso i fynd yn fyrrach ac yn fwy trwchus Mae'r centriolau'n symud at begynau cyferbyn (ddim mewn planhigion datblygedig) Mae'r cromosomau'n dod at ei gilydd mewn parau homologaidd (deufalent) Mae trawsgroesi'n digwydd – cyfnewid rhan o un cromatid ag un arall Mae'r cnewyllan a'r bilen gnewyllol yn diflannu	4	2n
Metaffas 1 *Gwahaniaeth allweddol = deufalentau yn eu trefnu eu hunain ar gyhydedd y werthyd*	Mae'r werthyd yn ffurfio Mae parau o gromosomau homologaidd (deufalentau) yn eu trefnu eu hunain ar gyhydedd y gell gan lynu wrth ficrodiwbynnau'r werthyd wrth y centromer. Mae hyn yn digwydd ar hap ac rydym ni'n ei alw'n rhydd-ddosraniad	4	2n
Anaffas 1 *Gwahaniaeth allweddol = mae'r cromosomau'n cael eu tynnu at y pegynau cyferbyn*	Mae ffibrau'r werthyd yn mynd yn fyrrach Mae'r deufalentau'n gwahanu ac mae'r cromosomau'n cael eu tynnu at y pegynau cyferbyn	4	2n
Teloffas 1	Mae'r cromosomau'n cyrraedd y ddau begwn Mewn rhai achosion: Mae'r bilen gnewyllol yn ailffurfio Mae'r cnewyllan yn ailffurfio Mae'r werthyd yn ymddatod	4	2n
Cytocinesis	Mae'r cytoplasm yn rhannu, gan greu dwy gell haploid	2	n

Meiosis 2

Mae hwn yn debyg i fitosis oherwydd does dim paru cromosomau homologaidd.

Proffas 2	Mae'r centriolau'n gwahanu, ac yn eu trefnu eu hunain ar 90° i'r werthyd flaenorol	2	n
Metaffas 2	Mae'r cromosomau'n eu gosod eu hunain ar gyhydedd y gell gan lynu at ficrodiwbynnau'r werthyd gan y centromer	2	n
Anaffas 2	Mae ffibrau'r werthyd yn cyfangu Mae'r centromerau'n rhannu ac mae'r cromatidau'n cael eu tynnu at y polau cyferbyn	2	n
Teloffas 2	Mae'r cromatidau'n cyrraedd y polau ac yn mynd yn aneglur Mae'r bilen gnewyllol yn ailffurfio Mae'r cnewyllan yn ailffurfio Mae'r werthyd yn ymddatod	2	n
Cytocinesis	Cynhyrchu pedair epilgell haploid	1	n

Arwyddocâd meiosis

Cynhyrchu amrywiad genetig drwy drawsgroesi (proffas 1) a rhydd-ddosraniad (metaffas 1 a 2).

Cadw nifer y cromosomau'n gyson: drwy gynhyrchu gametau haploid sy'n ailgyfuno yn ystod ffrwythloniad, gan adfer y rhif diploid yn y sygot.

Cymharu mitosis a meiosis

Mitosis	Meiosis
Un cellraniad	Dau gellraniad
Cynhyrchu celloedd genetig unfath	Cynhyrchu celloedd genetig wahanol
Celloedd diploid	Celloedd haploid
Dim trawsgroesiad	Trawsgroesiad yn digwydd yn ystod proffas 1
Dim rhydd-ddosraniad	Rhydd-ddosraniad yn digwydd yn ystod metaffas 1 a 2

Gwella gradd

Wrth geisio adnabod celloedd yn ystod meiosis 1 neu 2, canllaw da yw cyfrif nifer y celloedd – mae dwy gell fel arfer yn dynodi meiosis 2.

Cwestiwn cyflym

④ Parwch y digwyddiadau canlynol â'r cam meiosis cywir. Cewch chi ddefnyddio llythyren unwaith, fwy nag unwaith neu ddim o gwbl.

1 Ffurfio deufalentau.
2 Amlen gnewyllol yn diflannu.
3 Rhydd-ddosraniad yn digwydd.
4 Cromatidau'n symud at y polau cyferbyn.
5 Ffibrau'r werthyd yn mynd yn fyrrach.

A Proffas 1
B Metaffas 1
C Anaffas 2
CH Teloffas
D Anaffas 1

Cwestiwn cyflym

⑤ Enwch y camau meiosis canlynol.

A

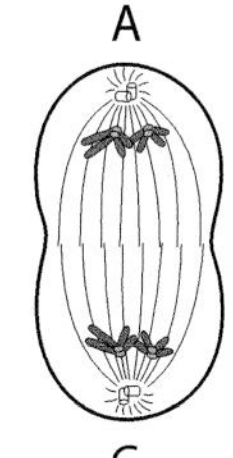

B

C

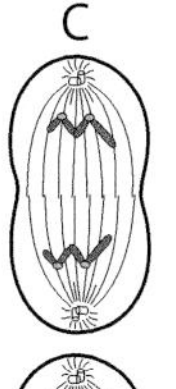

CH

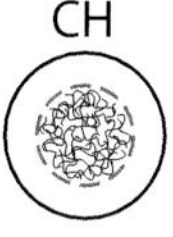

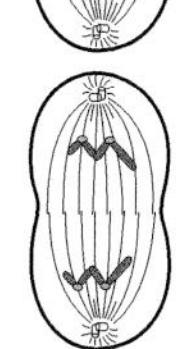

Crynodeb Uned 1

Elfennau cemegol a chyfansoddion biolegol

Priodweddau sy'n gysylltiedig ag adeiledd cemegol:

- Ïonau anorganig – magnesiwm (cloroffyl), haearn (haemoglobin), ffosffad (ATP, DNA, RNA)
- Dŵr – hydoddydd pwysig sy'n rhan o lawer o adweithiau biocemegol
- Adweithiau cyddwyso i adeiladu polymerau a hydrolysis i ymddatod polymerau
- Carbohydradau – ffynhonnell egni, mae rhai polymerau yn gweithredu fel moleciwlau storio egni, e.e. startsh a glycogen, ac mae polymerau eraill yn ychwanegu cryfder a chynhaliad, e.e. citin a chellwlos
- Lipidau – dwywaith cymaint o egni â charbohydradau, ynysu thermol a thrydanol, ffurfio rhan o'r gellbilen ac amddiffyn rhag niwed corfforol o gwmpas organau, e.e. arennau
- Proteinau – gweithredu fel ensymau, hormonau, gwrthgyrff, cludiant a chydran adeileddol mewn cellbilenni

Adeiledd a threfniadaeth celloedd

- Adeiledd celloedd – ewcaryotau: adeiledd a swyddogaeth organynnau. Gallu adnabod gwahanol organynnau ar electron micrograffau. Bacteria syml heb organynnau yw procaryotau. Mae firysau yn achosi amrywiaeth o glefydau heintus mewn planhigion ac anifeiliaid
- Y prif organynnau yw 1) y cnewyllyn, safle trawsgrifiad, 2) mitocondria, safle resbiradaeth aerobig, 3) cloroplastau, safle ffotosynthesis, 4) ribosomau, safle trosiad a 5) organigyn Golgi, lle mae proteinau yn cael eu haddasu a'u pecynnu i'w cludo o'r gell
- Lefelau trefniadaeth – meinweoedd ac organau
- Mathau o feinwe gan gynnwys meinwe gyswllt, meinwe cyhyr a meinwe epithelaidd

Cellbilenni a chludiant

- Cellbilen – yr haen ddwbl ffosffolipid a'r model mosaig hylifol
- Cludiant ar draws pilen drwy gyfrwng: trylediad, trylediad cynorthwyedig, cludiant actif, cydgludiant, osmosis a swmpgludo.
- Effaith tymheredd a hydoddyddion organig ar athreiddedd pilen

Ensymau ac adweithiau biolegol

- Adeiledd ensymau – adeiledd cynradd (trefn yr asidau amino), eilaidd (helics alffa a dalen bletiog beta), trydyddol (plygu'r adeiledd eilaidd i roi siâp 3D wedi'i ddal at ei gilydd â bondiau hydrogen, ïonig a deusylffid), a chwaternaidd (dau neu fwy o bolypeptidau wedi'u cyfuno)
- Sut mae ensymau yn gweithio, yn unol â'r rhagdybiaeth clo ac allwedd a'r rhagdybiaeth ffit anwythol
- Ffactorau sy'n effeithio ar actifedd ensymau – tymheredd, pH, crynodiad y swbstrad a'r ensym
- Ataliad ensymau – ataliad cystadleuol, ataliad anghystadleuol ac ataliad cynnyrch terfynol
- Ensymau ansymudol – eu manteision a ffyrdd o'u defnyddio nhw mewn diwydiant

Cylchred y gell a chellraniad

- Mitosis a chylchred y gell – rhyngffas, proffas, metaffas, anaffas a theloffas, cynhyrchu epilgelloedd genetig unfath wrth dyfu ac atgyweirio
- Meiosis i gynhyrchu gametau haploid genetig wahanol yn ystod atgenhedlu rhywiol

Asidau niwclëig a'u swyddogaethau

- Y gwahaniaethau rhwng adeileddau ATP, DNA ac RNA
- Dyblygu DNA – swyddogaeth DNA polymeras yn ystod cellraniad a sut mae arbrawf Meselson a Stahl yn darparu tystiolaeth o blaid dyblygu DNA lled-gadwrol
- Synthesis proteinau – swyddogaeth RNA polymeras ym mhroses trawsgrifiad a ribosomau ym mhroses trosiad, ac organigyn Golgi ym mhrosesau addasu a phecynnu proteinau

Uned 2 Gwybodaeth a Dealltwriaeth

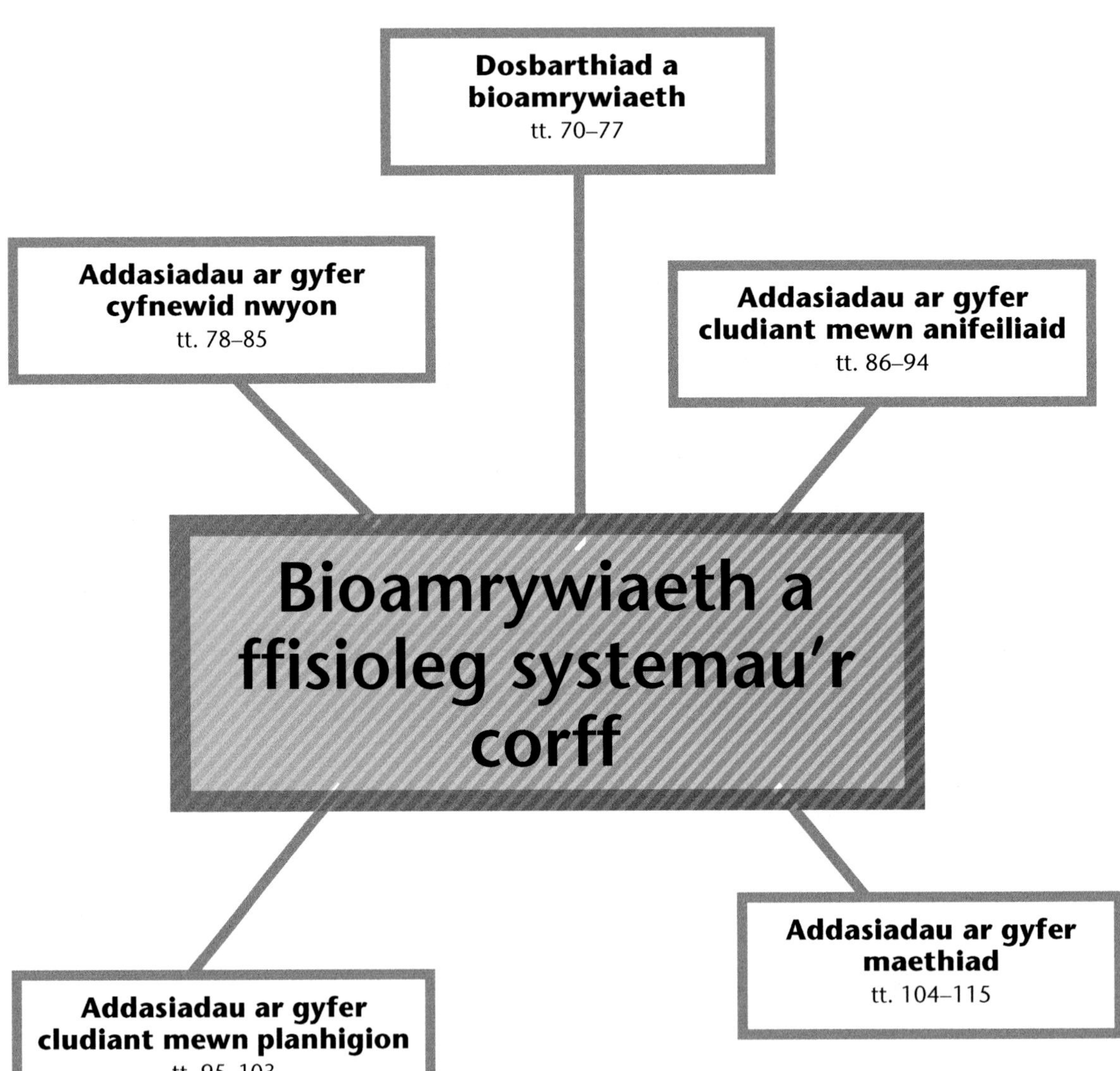

Wedi ei adolygu!

Nodiadau bras | *Gafael dda* | *Adolygu'n llawn*

Dosbarthiad a bioamrywiaeth

Rydym ni'n dosbarthu organebau byw mewn hierarchaeth dacsonomaidd yn seiliedig ar eu nodweddion corfforol. Mae'r pwnc hwn yn edrych ar y gwahanol ddulliau rydym ni'n eu defnyddio i asesu'r berthynas rhwng organebau. Mae bioamrywiaeth yn deillio o addasu nodweddion anatomegol, ffisiolegol ac ymddygiadol organebau drwy gyfrwng detholiad naturiol.

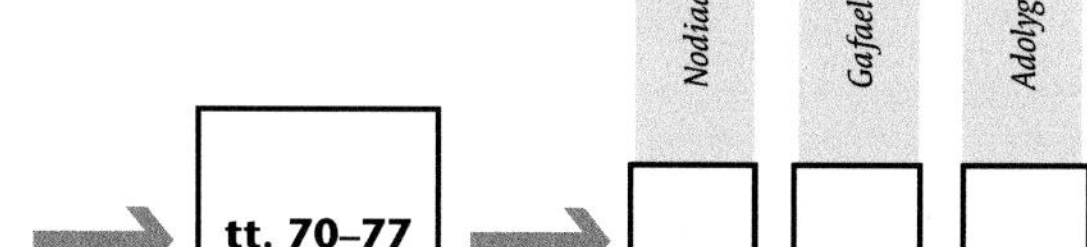

Addasiadau ar gyfer cyfnewid nwyon

Mae gwahanol organebau yn defnyddio amrywiaeth o ddulliau i gyfnewid nwyon â'u hamgylchedd. Mae'r pwnc hwn yn edrych ar adeiledd arwynebau cyfnewid nwyon a sut maen nhw'n gweithio mewn planhigion ac anifeiliaid ungellog ac amlgellog, a sut maen nhw wedi addasu i'w hamgylcheddau penodol.

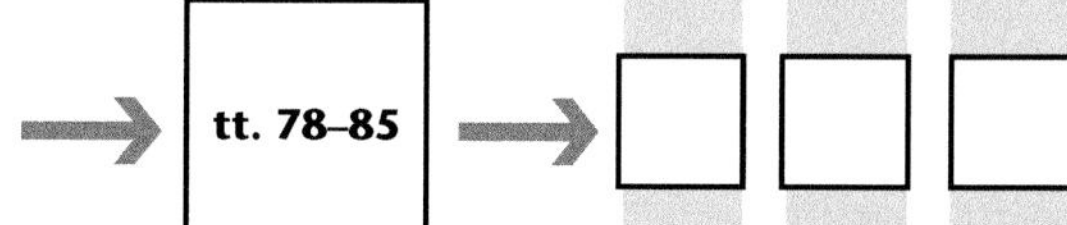

Addasiadau ar gyfer cludiant mewn anifeiliaid

Mae angen system cludiant ar organebau amlgellog i gludo defnyddiau o'r man lle maen nhw'n dod i mewn o'r amgylchedd i holl gelloedd y corff, ac i gael gwared ar gynhyrchion gwastraff. Mae'r pwnc hwn yn edrych ar y gwahanol systemau cludiant mewn organebau, ac ar swyddogaeth gwaed a'r system gardiofasgwlar mewn mamolion.

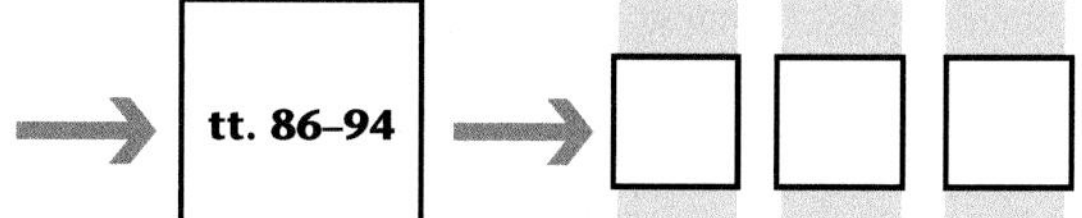

Addasiadau ar gyfer cludiant mewn planhigion

Rhaid i blanhigion amsugno dŵr a mwynau o'r pridd a'u cludo nhw i'r dail i'w defnyddio nhw ar gyfer ffotosynthesis, ac yna gludo cynhyrchion ffotosynthesis i'r rhannau o'r planhigyn sy'n ymwneud â thyfu a storio. Mae'r pwnc hwn yn sôn am y system fasgwlar mewn planhigion a'r mecanweithiau maen nhw'n eu defnyddio i gludo dŵr a hydoddion.

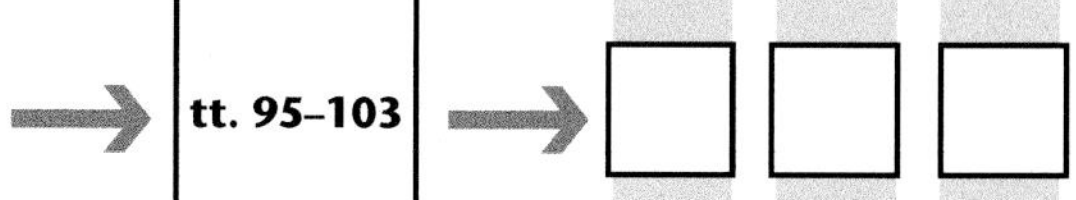

Addasiadau ar gyfer maethiad

Mae angen maetholion ar organebau byw i ddarparu egni i dyfu ac ar gyfer prosesau mewnol. Mae'r pwnc hwn yn sôn am y gwahanol fathau o faethiad, sut mae bodau dynol yn treulio bwyd a sut mae organebau eraill wedi addasu i'w gwahanol ddeietau.

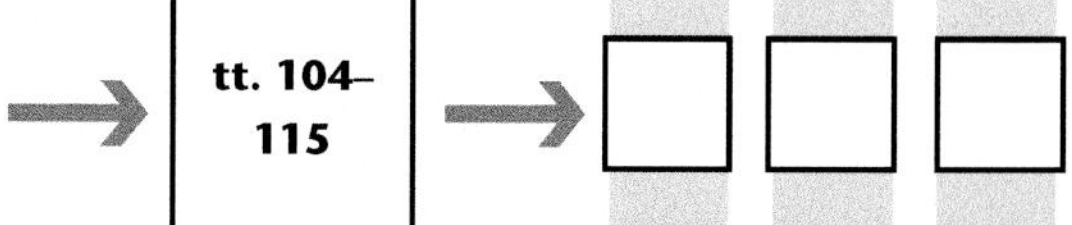

2.1 Dosbarthiad a bioamrywiaeth

Dosbarthiad

Rydym ni'n dweud bod dosbarthu biolegol yn esblygol/ffylogenetig: mae'n adlewyrchu esblygiad organeb drwy roi organebau mewn grwpiau sy'n dibynnu ar nodweddion allanol gweladwy. Mae coeden esblygol/ffylogenetig yn dangos sut mae organebau yn perthyn i'w gilydd drwy ddangos eu cyd-hynafiaid.

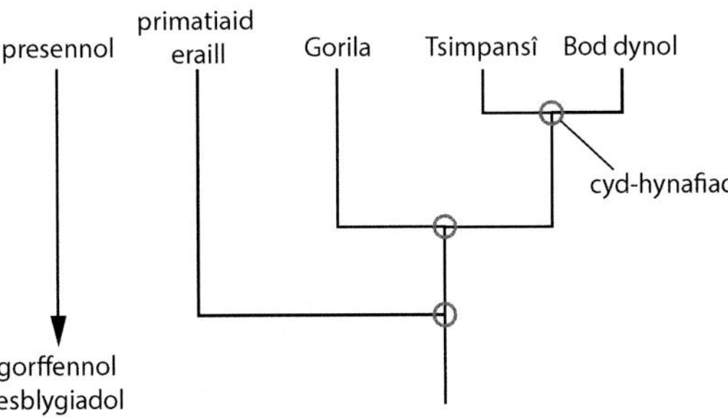

Coeden esblygol/ffylogenetig

Mae dosbarthiad yn defnyddio hierarchaeth sy'n rhoi grwpiau bach mewn grwpiau mwy, heb ddim gorgyffwrdd rhwng y grwpiau, o'r enw tacsonau. Un enghraifft yw: parth, teyrnas, ffylwm, dosbarth, urdd, teulu, genws, rhywogaeth.

1. Mae yna dri **pharth**: Archaea (bacteria sy'n byw mewn amgylchedd anghyfeillgar, e.e. tymheredd, pH, halwynedd neu wasgedd eithafol, â metabolaeth anarferol, e.e. cynhyrchu methan); Eubacteria (bacteria cyffredin) ac Eukaryota (yr ewcaryotau – yn cynnwys planhigion, anifeiliaid, ffyngau a phrotoctistiaid). Hwn yw'r categori uchaf rydym ni'n dosbarthu organebau ynddo.
2. Yna, mae organebau yn cael eu dosbarthu mewn pum teyrnas yn seiliedig ar eu nodweddion corfforol: Plantae (planhigion), Animalia (anifeiliaid), Fungi (ffyngau), Procaryotau (bacteria), a Protoctista. Micro-organebau ewcaryotig ungellog sydd ddim yn ffurfio meinweoedd yw'r rhan fwyaf o brotoctistiaid. Mae llawer ohonynt yn ffotosynthetig, e.e. algâu.
3. Yna, rydym ni'n trefnu'r teyrnasoedd yn nifer mawr o grwpiau llai, sef y ffyla. Mae holl aelodau ffylwm neu adran benodol yn debyg mewn rhyw ffordd, e.e. mae gan y cordatau i gyd fadruddyn y cefn.
4. Mae pob dosbarth sy'n is-grŵp mewn ffylwm, e.e. mae mamolion yn ddosbarth o fewn cordatau, wedi'i isrannu'n urddau, e.e. mae bodau dynol yn perthyn i urdd y primatiaid.
5. Mae isadran urdd yn cynnwys gwahanol deuluoedd.
6. Rydym ni'n rhannu teuluoedd mewn genera (unigol genws). Genws yw grŵp o organebau sy'n debyg mewn llawer o ffyrdd ond fel rheol dydy aelodau o wahanol rywogaethau o fewn genws ddim yn gallu rhyngfridio'n llwyddiannus, e.e. mae'r ceffyl a'r asyn yn gallu cynhyrchu epil, sef mul, ond mae'r mul ei hun yn anffrwythlon.

Cofiwch

Dyma frawddeg ddefnyddiol i gofio trefn y rhain (parth, teyrnas, ffylwm, dosbarth, urdd, teulu, genws, rhywogaeth): **P**um **T**eisen **Ff**rwythau **D**ynnwyd **U**nwaith **T**rwy **G**eg **Rh**ian

Term Allweddol

Parthau: mae'r rhain yn cynnwys organebau sy'n rhannu patrwm penodol unigryw o RNA ribosomol, sy'n sefydlu'r berthynas esblygiadol agos rhyngddynt.

7. Yn olaf, rydym ni'n rhannu genera yn **rhywogaethau** – categori sy'n cynnwys grŵp o unigolion tebyg sy'n gallu rhyngfridio a chynhyrchu epil ffrwythlon. Mae ganddynt nifer mawr iawn o nodweddion anatomegol a ffisiolegol tebyg.

System finomaidd

Mae gan bob organeb ddau enw. Y cyntaf i gyflwyno'r system enwi hon oedd y gwyddonydd o Sweden, Carl Linnaeus, yn 1735. Yr enw cyntaf yw enw'r genws mae'r organeb yn perthyn iddo. Rydym ni'n rhoi priflythyren ar ddechrau enw'r genws, e.e. *Homo* (dyn). Yr ail enw yw enw'r rhywogaeth mae'r organeb yn perthyn iddi, a dim ond un math o organeb sydd â'r enw hwn, ac rydym ni'n rhoi llythyren fach ar y dechrau, e.e. *sapiens* (modern). Mae'r system finomaidd yn system gyffredinol ac mae'n helpu i osgoi dryswch rhwng gwahanol ieithoedd.

Drwy ddosbarthu organebau, gallwn ni lunio casgliadau am berthnasoedd esblygol, ac mae hyn hefyd yn ei gwneud hi'n haws rheoli'r nifer mawr o organebau. Fodd bynnag, mae hi'n broses betrus a allai newid wrth i ni ddarganfod rhywogaethau newydd sydd ddim yn ffitio'n daclus yn y grwpiau sydd ar gael ar hyn o bryd.

Y system pum teyrnas

Teyrnas	Nodweddion allweddol
Plantae	Organebau ewcaryotig amlgellog sy'n cyflawni ffotosynthesis (**awtotroffig**). Atgenhedlu gan ddefnyddio sborau (e.e. mwsoglau a rhedyn) neu hadau (e.e. planhigion blodeuol a choed conwydd). Mae ganddynt gellfuriau cellwlos.
Animalia	Organebau amlgellog, **heterotroffig**, ewcaryotig. Dim cellfuriau. Dangos cyd-drefniant nerfol.
Fungi	Organebau ewcaryotig amlgellog (e.e. llwydni) neu ungellog (e.e. burum). Mewn llwydni, mae'r corff wedi'i wneud o rwydwaith o edafedd o'r enw hyffâu. Mae'r cellfuriau wedi'u gwneud o gitin. Maen nhw'n heterotroffig – naill ai'n **saproffytig** neu'n **barasitig**. Maen nhw'n atgenhedlu drwy gynhyrchu sborau (llwydni) neu drwy flaguro (e.e. burum).
Procaryotau	Organebau microsgopig, ungellog gan gynnwys cyanobacteria a bacteria (algâu gwyrddlas). Mae'r cellfuriau wedi'u gwneud o beptidoglycan (mwrein). Does dim organynnau pilennog na gwir gnewyllyn. Mae'r ribosomau'n llai nag mewn ewcaryotau (70S).
Protoctista	Mae'r rhain yn cynnwys algâu a llwydni llysnafedd. Mae rhai'n ungellog ac yn debyg i gelloedd anifail (e.e. *Amoeba*) ac mae eraill yn gytrefol ac wedi'u gwneud o gelloedd fel celloedd planhigyn (e.e. *Spirogyra*). Maen nhw'n cynnwys organynnau pilennog a chnewyllyn.

Termau Allweddol

Rhywogaeth: yn cynnwys grŵp o unigolion â nodweddion tebyg sy'n gallu *rhyngfridio* **a** *chynhyrchu epil ffrwythlon*.

Maethiad awtotroffig: gwneud moleciwlau organig cymhleth o foleciwlau anorganig syml gan ddefnyddio egni golau neu egni cemegol.

Maethiad heterotroffig: bwyta moleciwlau organig cymhleth sydd wedi'u gwneud yn barod.

Maethiad saproffytig: bwyta defnydd sydd wedi marw neu'n pydru drwy gynhyrchu ensymau yn allgellog ac yna amsugno'r cynhyrchion.

Maethiad parasitig: cael maetholion o organeb letyol dros gyfnod hir, gan achosi niwed iddi yn y broses.

Gwella gradd

Dylech chi allu rhestru nodweddion allweddol pob teyrnas.

Asesu perthynas

Yn wreiddiol, roedd y berthynas rhwng rhywogaethau yn cael ei hasesu drwy edrych ar nodweddion corfforol organebau byw a thystiolaeth ffosilau. Mae defnyddio imiwnoleg ac, yn fwy diweddar, proffilio DNA, wedi arwain at well dealltwriaeth o ba mor agos yw'r berthynas rhwng organebau.

Cymharu nodweddion corfforol

Wrth gymharu nodweddion, mae tacsonomegwyr yn chwilio am **ffurfiadau homologaidd** (tebyg). Un enghraifft mewn fertebratau yw'r aelod pentadactyl (sy'n golygu bod ganddo bum digid). Mae ei adeiledd sylfaenol yn debyg mewn amffibiaid, ymlusgiaid, adar a mamolion, er ei fod yn gwneud gwaith gwahanol iawn ym mhob un. Mae hyn yn dangos tystiolaeth o esblygiad dargyfeiriol lle mae adeiledd wedi esblygu o gyd-hynafiad i wneud gwaith gwahanol.

Aelod blaen fertebrat	Diagram	Swyddogaeth
Bod dynol	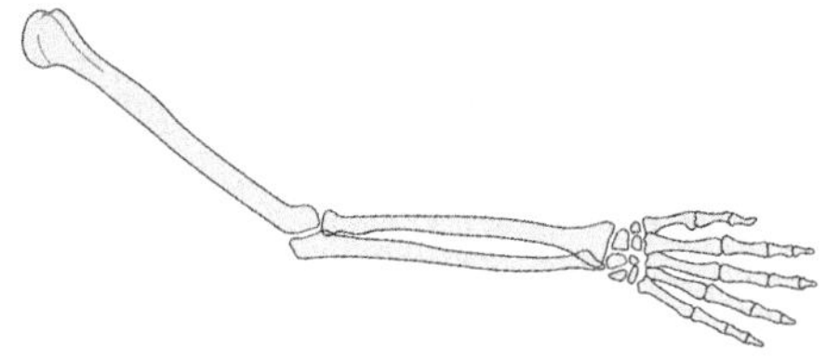	Gafael
Aderyn	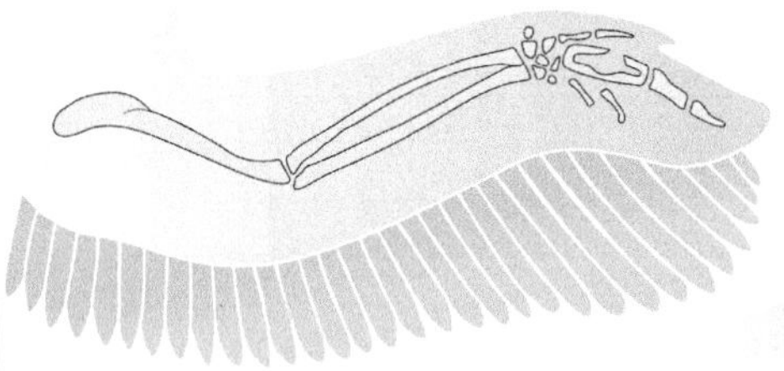	Hedfan
Morfil	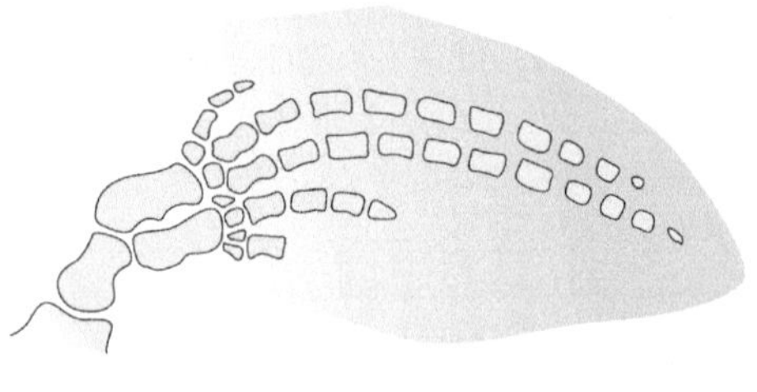	Nofio

Os yw **ffurfiadau** yn **gydweddol**, h.y. yn gwneud yr un gwaith ond â siâp/adeiledd gwahanol iawn, mae hyn yn dystiolaeth o esblygiad cydgyfeiriol lle mae hynafiaid wedi addasu i'r un pwysau amgylcheddol ond wedi datblygu o darddiadau gwahanol. Un enghraifft yw adenydd aderyn ac adenydd glöyn byw: mae'r ddau yn gallu hedfan, ond oherwydd bod adeiledd yr adenydd yn wahanol iawn, does dim tystiolaeth eu bod nhw wedi rhannu cyd-hynafiad ac felly ni ddylid defnyddio'r adenydd i'w dosbarthu nhw.

Termau Allweddol

Ffurfiadau homologaidd: ffurfiadau mewn rhywogaethau gwahanol sy'n debyg o ran safle anatomegol a tharddiad datblygu, ac yn deillio o gyd-hynafiad.

Ffurfiadau cydweddol: maen nhw'n gwneud yr un gwaith ac mae eu siâp yn debyg, ond mae eu tarddiad datblygu yn wahanol.

cwestiwn cyflym

① Gan roi enghreifftiau, esboniwch y gwahaniaeth rhwng ffurfiadau cydweddol a homologaidd.

Imiwnoleg

Y brif dechneg imiwnolegol rydym ni'n ei defnyddio i ddangos y berthynas rhwng rhywogaethau yw cymharu proteinau'n imiwnolegol; mae hyn yn golygu creu gwrthgyrff i brotein un rhywogaeth mewn cwningen, ac yna eu cyflwyno nhw i broteinau rhywogaethau eraill. Er enghraifft, pe baech chi eisiau cymharu primatiaid byw â bod dynol i ganfod ei hynafiad agosaf, yn gyntaf byddai angen i chi ganfod protein sy'n bresennol ym mhob rhywogaeth. Yna, mae'r protein dynol yn cael ei chwistrellu i mewn i gwningen i gynhyrchu gwrthgyrff iddo. Yna, rydym ni'n ychwanegu'r serwm gwrthgyrff hwn at brotein o'r primatiaid eraill, e.e. tsimpansî, gibon a gorila, ac yn mesur faint sy'n gwaddodi. Os ydym ni'n ychwanegu gwrthgorff dynol at y protein dynol, mae'r gwrthgorff a'r antigen yn cyfateb yn union a bydd gwaddodiad 100%. Wrth i'r proteinau fynd yn llai tebyg i'w gilydd, bydd llai o ddyddodiad yn digwydd. Rydym ni wedi gwneud hyn â haemoglobin, ac wedi gweld mai'r perthnasau agosaf oedd y tsimpansî a'r gorila; roedd y ddau o'r rhain yn rhoi gwaddodiad 95%. Wrth gymharu union ddilyniant asidau amino haemoglobin gorila a tsimpansî â bodau dynol, y tsimpansî oedd y tebycaf.

Proffilio DNA a dilyniannu DNA

Wrth i rywogaethau esblygu, mae newidiadau yn digwydd i ddilyniannau basau eu DNA, felly os yw organebau yn perthyn yn agosach i'w gilydd, mae llai o wahaniaethau rhwng eu dilyniannau basau. Mae cymharu proffiliau genetig (DNA) a dilyniannau DNA genynnau wedi cadarnhau perthnasoedd esblygiadol, e.e. mae dilyniannu DNA wedi cadarnhau bod pincod/pilaod Darwin yn wir wedi esblygu o'r pinc/pila hynafol ar y tir mawr, fel roedd ef yn ei feddwl.

Yn seiliedig ar ba mor debyg yw dilyniannau DNA, ein hynafiad agosaf ni yw'r tsimpansî, yna'r gorila ac yna'r orangwtan.

Mewn ewcaryotau, dydy'r rhan fwyaf o'r DNA ddim yn codio ar gyfer polypeptidau: mae'r rhannau hyn sydd ddim yn codio rhwng genynnau yn cynnwys dilyniannau DNA byr sy'n ailadrodd, e.e. TATATATATATATATA, ac rydym ni'n eu galw nhw'n ailadroddiadau tandem byr (STRs: *short tandem repeats*). Mae sawl gwaith mae'r rhain yn ailadrodd yn unigryw, felly dyma sy'n rhoi sail i broffilio genetig.

Cofiwch

Y mwyaf yw'r amrywiad yn y dilyniant basau, y mwyaf o amrywiaeth enynnol sydd gan y rhywogaeth.

Term Allweddol

Bioamrywiaeth: nifer y rhywogaethau a nifer yr unigolion o bob rhywogaeth mewn ardal ddaearyddol benodol.

Gwella gradd

Wrth i fioamrywiaeth rhywogaethau planhigol gynyddu, mae mwy o gynefinoedd posibl yn cael eu creu ar gyfer organebau eraill, e.e. pryfed, felly mae eu bioamrywiaeth nhw'n debygol o gynyddu hefyd.

Bioamrywiaeth

Mae cyfoeth rhywogaethau yn mesur nifer y gwahanol rywogaethau mewn cymuned. Mae hyn, ynghyd â nifer yr organebau o fewn pob rhywogaeth, yn cynrychioli **bioamrywiaeth** yr ardal ddaearyddol honno. Felly, mae cae â nifer mawr o rywogaethau, a niferoedd iach o bob un, yn fwy amrywiol na chae â'r un nifer o rywogaethau ond mewn niferoedd bach iawn.

Wrth i chi symud oddi wrth y pegynau tuag at y cyhydedd, mae bioamrywiaeth yn cynyddu. Mae hyn yn rhannol oherwydd bod arddwysedd golau yn cynyddu, ond mae faint o ddŵr sydd ar gael yn bwysig hefyd: mae llai o fioamrywiaeth mewn diffeithdir poeth nag mewn coedwig dymherus. Oherwydd bod yr arddwysedd golau yn uwch, mae mwy o egni solar yn mynd i mewn i'r ecosystemau hyn, sy'n caniatáu mwy o ffotosynthesis, ond yn y diffeithdir, bydd y diffyg dŵr yn cyfyngu ar dwf planhigion ac felly ar fioamrywiaeth.

Ffactorau sy'n effeithio ar fioamrywiaeth

1. Olyniaeth: mae cyfansoddiad cymuned yn newid dros amser wrth i wahanol rywogaethau gytrefu.
2. Detholiad naturiol: gweler tudalen 77.
3. Gweithgareddau bodau dynol: mae llygredd, gorbysgota a datgoedwigo i gyd wedi effeithio ar fioamrywiaeth drwy gael gwared ar rywogaethau yn uniongyrchol neu drwy ddinistrio eu cynefinoedd. Mae ffermio hefyd wedi cyfrannu at hyn; mae dulliau ffermio ungnwd yn tyfu cnwd o un rhywogaeth, e.e. India corn, gan gael gwared ar rywogaethau eraill i gynyddu'r cynnyrch.

Mae lleihau bioamrywiaeth yn bryder oherwydd mae llawer o rywogaethau planhigion yn darparu prif fwydydd bodau dynol, e.e. reis a gwenith, ac yn darparu defnyddiau crai, e.e. cotwm. Mae llawer o gyffuriau yn deillio o blanhigion, e.e. fincristin, sef cyffur i drin canser, ac mae'n bosibl bod llawer mwy o'r rhain nad ydym ni wedi eu darganfod eto.

Mae gwerth Mynegai Amrywiaeth Simpson rhwng 0 ac 1. Yr agosaf yw'r gwerth at 1, y mwyaf o amrywiaeth sydd. Gallwn ni ddefnyddio'r mynegai i gymharu gwahanol ecosystemau.

Asesu bioamrywiaeth

Mae mynegai amrywiaeth yn mesur nifer yr unigolion o bob rhywogaeth a nifer y rhywogaethau. Gallwn ni gyfrifo amrywiaeth rhywogaethau drwy ddefnyddio fformiwla mynegai amrywiaeth, fel Mynegai Amrywiaeth Simpson:

$$S = 1 - \frac{\Sigma n(n-1)}{N(N-1)}$$

lle : N yw cyfanswm nifer yr organebau o bob rhywogaeth gyda'i gilydd

n yw cyfanswm nifer yr organebau o bob rhywogaeth unigol

Σ yw'r swm.

Enghraifft wedi'i chyfrifo:

Rhywogaeth	Nifer y planhigion ym mhob m^2 yng nghae A (n)	n(n–1)
Blodyn ymenyn	12	12 × 11 = 132
Llygad y dydd	8	8 × 7 = 56
Llyriad	9	9 × 8 = 72
Meillionen	13	13 × 12 = 156
Ysgallen	12	12 × 11 = 132
Dant y llew	11	11 × 10 = 110
Rhedyn	0	0
Danadl	0	0
	N = 65 (N–1) = 64	Σ n (n–1) = 658

Cae A

$$S = 1 - \frac{658}{65 \times 64}$$

= 1 – 0.16 (2 l.d.)

= 0.84

Loci polymorffig a bioamrywiaeth

Safle **genyn** ar y cromosom yw ei locws (loci). Mae locws yn dangos polymorffedd os oes ganddo ddau neu fwy o **alelau** sydd ddim yn gallu cael eu hesbonio gan fwtaniad yn unig, gan arwain at ddau neu fwy o wahanol **ffenoteipiau**. Yn y grwpiau gwaed ABO, mae gan y genyn sy'n gyfrifol am gynhyrchu antigenau ar arwyneb celloedd coch y gwaed dri alel gwahanol: A, B ac O. Mewn rhai rhannau o'r byd, mae amlder yr alel O yn uchel iawn, ac yn gyfrifol am dros 99% o'r **cyfanswm genynnol**. Mewn gwledydd eraill, mae cyfran yr alelau A a B yn llawer uwch: mae hyn yn golygu mwy o fioamrywiaeth.

Termau Allweddol

Genyn: darn o DNA ar gromosom sy'n codio ar gyfer polypeptid penodol.

Alel: ffurf wahanol ar yr un genyn.

Ffenoteip: sut mae organeb yn edrych; ei nodweddion.

Cyfanswm genynnol: cyfanswm nifer yr alelau mewn poblogaeth.

» Cofiwch

Meddyliwch am y genyn fel car, a'r alel yw'r gwneuthuriad, e.e. BMW, Ford, etc.

» Cofiwch

Gallwn ni asesu bioamrywiaeth enynnol drwy ganfod nifer yr alelau ar locws (e.e. tri yn achos grŵp gwaed ABO) a chyfran y boblogaeth sydd ag alel penodol.

Cwestiwn cyflym

② Os yw amrywiaeth cae A yn 0.84, ac amrywiaeth cae B yn 0.79, ym mha gae mae'r mwyaf o fioamrywiaeth?

Gwella gradd

Efallai y bydd gofyn i chi ganfod gwelliannau i ddull gafodd ei ddefnyddio i gynhyrchu canlyniadau, neu ddisgrifio sut byddech chi'n cynhyrchu data dilys.

Gwahanol dechnegau samplu

Gallwn ni ddefnyddio nifer o dechnegau ymarferol i amcangyfrif faint o unigolion o bob rhywogaeth sydd mewn ardal benodol. Dylid samplu ar hap i ddileu tuedd samplu.

Poblogaeth	Techneg	Dull
Anifeiliaid daearol	Dal – marcio – ail-ddal neu ddull dal/ail-ddal (Mynegai Lincoln)	Dal anifeiliaid a'u marcio nhw (mae'n bwysig nad yw hyn yn eu niweidio nhw nac yn eu gwneud nhw'n fwy gweladwy i ysglyfaethwyr) ac yna eu rhyddhau nhw. Cyn gynted â bod yr anifeiliaid wedi cael cyfle i ailintegreiddio â'r boblogaeth, e.e. 24 awr, mae'r maglau (traps) yn cael eu hailosod. Gallwn ni amcangyfrif cyfanswm maint y boblogaeth gan ddefnyddio nifer yr unigolion gafodd eu dal yn sampl 2, a'r nifer yn y sampl hwnnw sydd wedi'u marcio (h.y. wedi'u dal o'r blaen). Maint y boblogaeth = $\frac{\text{nifer yn sampl 1} \times \text{nifer yn sampl 2}}{\text{nifer wedi'u marcio yn y sampl}}$ Rhaid tybio nad oes dim genedigaethau/marwolaethau/mewnfudo/allfudo wedi digwydd yn ystod yr amser rhwng casglu'r ddau sampl.
Infertebratau dŵr croyw	Defnyddio samplu cicio a defnyddio Mynegai Simpson	Casglu ac adnabod infertebratau o arwynebedd penodol gan ddefnyddio cwadrat a rhwyd. Cicio neu gribinio'r arwynebedd, e.e. $0.5m^2$, am gyfnod penodol, e.e. 30 eiliad, a chasglu infertebratau mewn rhwyd i lawr yr afon. Rhyddhau'r infertebratau yn ofalus. Defnyddio Mynegai Simpson i gyfrifo amrywiaeth.
Planhigion	Cwadratau a thrawsluniau	Amcangyfrifwch ganran darn o dir y mae planhigion gwahanol yn ei orchuddio. Mesur amrywiaeth planhigion drwy gyfrif nifer y planhigion mewn cwadrat, e.e. $1m^2$. Trawslun yw darn o raff y gallwn ni ei ddefnyddio i fesur gwahanol rannau ar hyd graddiant amgylcheddol, e.e. pellter oddi wrth goetir, gan osod cwadratau ar ei hyd.

Detholiad naturiol

Esblygiad yw'r broses o ffurfio rhywogaethau newydd o rai a oedd yn bodoli eisoes dros gyfnod hir. Datblygodd Darwin syniad dethol naturiol ar ôl arsylwi amrywiad o fewn poblogaeth. Roedd Darwin wedi sylwi bod rhywogaethau'n newid. Cynigiodd ddamcaniaeth detholiad naturiol i esbonio pam roedd hyn yn digwydd. Mae detholiad naturiol yn arwain at rywogaethau sydd wedi addasu'n well i'w hamgylchedd.

Mae organebau yn cynhyrchu gormod o epil, fel bod llawer o amrywiad ymysg genoteipiau'r boblogaeth. Mae newidiadau i amodau amgylcheddol yn dod â phwysau dethol newydd oherwydd cystadleuaeth/ysglyfaethu/clefydau. Dim ond unigolion ag alelau buddiol sy'n cael mantais ddetholus, e.e. ffwr gwyn yn yr arctig, ac mae'r rhain felly'n fwy tebygol o oroesi. Mae'r unigolion hyn wedyn yn atgenhedlu, felly mae'r epil yn debygol o etifeddu'r alelau buddiol, ac mae amlder yr alel buddiol yn cynyddu o fewn y cyfanswm genynnol.

Mae gwahanol fathau o addasiadau:

1. Anatomegol, e.e. siâp pig pincod/pilaod.
2. Ffisiolegol, e.e. haemoglobin ag affinedd uwch ag ocsigen e.e. lama sy'n byw ar uchder uchel.
3. Ymddygiadol, e.e. anifeiliaid y nos.

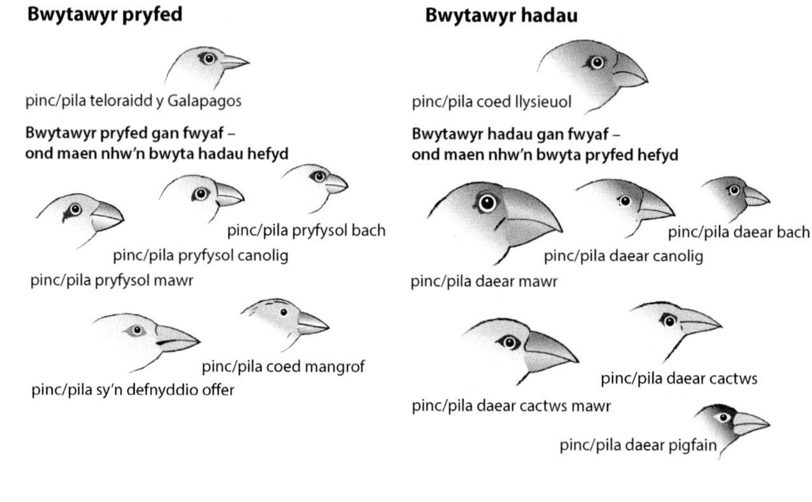

Gwahanol fathau o bigau pincod/pilaod

Gwella gradd

Mae'n bwysig defnyddio'r term alel NID genyn wrth ddisgrifio detholiad naturiol.

Cofiwch

Mae angen i chi ddeall sut mae ysglyfaethu detholus yn cyfrannu at ddetholiad naturiol, ond does dim angen mecanwaith manwl esblygiad yn UG/Blwyddyn 1.

Cwestiwn cyflym

③ Cywir neu anghywir?

A Alel yw genyn o'r un ffurf.

B Mae amrywiaeth enynnol yn cynrychioli nifer y gwahanol alelau o enynnau mewn poblogaeth.

C Mae mwtaniad yn gallu digwydd ar hap gan arwain at alelau newydd i enyn.

CH Mae cyfoeth rhywogaethau'n mesur nifer y gwahanol rywogaethau mewn cymuned.

2.2 Addasiadau ar gyfer cyfnewid nwyon

Cymhareb arwynebedd arwyneb i gyfaint

Mae organebau yn cyfnewid nwyon fel ocsigen a charbon deuocsid â'r atmosffer ar arwyneb cyfnewid nwyon. Arwynebedd yr arwyneb hwn sy'n pennu faint mae'r organeb yn gallu ei gyfnewid. Os yw maint organeb yn dyblu, mae ei chyfaint (ac felly ei gofynion am ocsigen) yn ciwbio, ond dim ond sgwario mae'r arwynebedd arwyneb. Felly, wrth i organebau fynd yn fwy, mae angen arwyneb arbenigol i gyfnewid nwyon er mwyn cynyddu'r arwynebedd sydd ar gael. Gan fod hyn hefyd yn cynyddu'r arwynebedd sydd ar gael i golli dŵr, mae angen i organebau daearol daro cydbwysedd drwy'r amser rhwng cyfnewid nwyon a cholledion dŵr.

	1, 1, 1	2, 2, 2	4, 4, 4
Arwynebedd arwyneb	$1 \times 1 \times 6$ ochr $= 6mm^2$	$2 \times 2 \times 6$ ochr $= 24mm^2$	$4 \times 4 \times 6$ ochr $= 96mm^2$
Cyfaint	$1 \times 1 \times 1 = 1mm^3$	$2 \times 2 \times 2 = 8mm^3$	$4 \times 4 \times 4 = 64mm^3$
Cymhareb arwynebedd arwyneb : cyfaint	6 : 1	3 : 1	1.5 : 1

Cymhareb arwynebedd arwyneb i gyfaint

Cofiwch

Mae gan organebau mwy nifer mwy o gelloedd ac felly mae angen mwy o ocsigen arnynt.

Nodweddion cyffredinol arwyneb cyfnewid nwyon

- Cymhareb fawr arwynebedd arwyneb i gyfaint
- Llaith er mwyn caniatáu i nwyon hydoddi
- Tenau i ddarparu pellter tryledu byr
- Athraidd i nwyon.

Gwella gradd

Mae yna rai nodweddion ychwanegol, ond dydy'r rhain DDIM yn bresennol ym mhob organeb, e.e.

- Cyflenwad gwaed da i gynnal y graddiant crynodiad (*ddim* mewn organebau ungellog, pryfed na phlanhigion).
- Mecanwaith awyru i gynnal y graddiant crynodiad (*ddim* mewn organebau ungellog, mwydod na phlanhigion).

Organebau ungellog

Mewn organebau ungellog, e.e. *Amoeba*, mae'r arwynebedd arwyneb yn ddigon mawr i ddiwallu anghenion yr organeb, ac felly mae'n gallu cyfnewid defnyddiau'n uniongyrchol ar draws pilen arwyneb y gell, sy'n denau ac athraidd. Gan fod y cytoplasm yn symud yn gyson, mae'r graddiant crynodiad yn cael ei gynnal drwy'r amser.

Anifeiliaid amlgellog

Mewn organebau mwy, mae'r gymhareb arwynebedd arwyneb i gyfaint yn lleihau, felly dydy trylediad ar draws arwyneb y corff ddim yn ddigon i fodloni anghenion yr organeb. Mae nifer o addasiadau wedi esblygu i ddatrys y problemau hyn, gan fynd yn fwy arbenigol wrth i faint yr organebau gynyddu. Mae anifeiliaid yn weithgar iawn ac felly mae eu cyfradd fetabolaidd yn uwch, sy'n golygu nad yw arwyneb y corff yn unig yn gallu cyflenwi'r ocsigen sydd ei angen arnynt. Yn aml mae presenoldeb arwyneb arbenigol i gyfnewid nwyon sydd â mecanwaith awyru yn datrys hyn. Mae'r mecanwaith hwn yn cynnal y graddiant crynodiad ar draws yr arwyneb resbiradol.

Un o oblygiadau cynnal arwyneb resbiradol llaith mewn anifeiliaid daearol yw colli dŵr: mae'r ffaith bod yr arwynebau cyfnewid nwyon yn fewnol, sef yr ysgyfaint, yn lleihau hyn.

Organeb	Addasiadau
Llyngyren ledog	Corff fflat i leihau'r pellter tryledu rhwng yr arwyneb a'r celloedd y tu mewn ac i gynyddu cyfanswm yr arwynebedd arwyneb (rydym ni wedi gweld hyn fel un o addasiadau mitocondria siâp silindrog ar dudalen 23).
Mwydyn/pryf genwair	Secretu mwcws i gynnal arwyneb llaith, a rhwydwaith capilarïau datblygedig o dan y croen. Cyfradd fetabolaidd isel fel bod angen llai o ocsigen. Rhwydwaith o bibellau gwaed a gwaed sy'n cynnwys haemoglobin i gludo ocsigen. Mae carbon deuocsid yn cael ei gludo yn y plasma gwaed gan fwyaf.
Amffibiaid, e.e. brogaod a madfallod dŵr	Croen llaith ac athraidd, ac mae rhwydwaith cymhleth o gapilarïau o dan yr arwyneb. Ysgyfaint i'w defnyddio pan mae'r anifail yn fwy gweithgar.
Ymlusgiaid, e.e. nadroedd a chrocodeilod	Ysgyfaint mewnol fel amffibiaid, ond maen nhw'n fwy cymhleth ac mae eu harwynebedd arwyneb yn fwy.
Adar	Mae hedfan yn cynhyrchu cyfradd fetabolaidd uchel iawn ac felly mae angen llawer iawn o ocsigen. Felly, mae gan adar fecanwaith awyru effeithlon i gynyddu'r graddiant crynodiad ar draws arwyneb yr ysgyfaint.

Cofiwch

Os yw cysyniad cymhareb arwynebedd arwyneb : cyfaint yn anodd i chi, cofiwch hyn: wrth i organeb fynd yn fwy gan gadw'r un siâp, mae'r pellter i ganol yr organeb yn cynyddu.

cwestiwn cyflym

① Pam mae angen arwynebau cyfnewid arbenigol ar anifeiliaid amlgellog?

cwestiwn cyflym

② Enwch dri arwyneb cyfnewid nwyon gwahanol.

Cyfnewid nwyon mewn pysgod

Mae pysgod wedi datblygu arwyneb cyfnewid nwyon mewnol arbenigol, sef y tagellau. Mae'r rhain wedi'u gwneud o lawer o ffilamentau tagell sy'n cynnwys lamelâu tagell ar ongl sgwâr i'r ffilamentau. Mae'r rhain yn cynyddu'r arwynebedd arwyneb yn fawr iawn er mwyn cyfnewid ocsigen a charbon deuocsid.

Mae pysgod yn awyru eu tagellau mewn dwy ffordd wahanol:

1. Pysgod cartilagaidd, e.e. y siarc: mae dŵr a gwaed yn llifo i'r un cyfeiriad dros y dagell (**llif paralel**). Dim ond dros ran o arwyneb y ffilament tagell mae cyfnewid nwyon yn bosibl, gan fod ecwilibriwm yn cael ei gyrraedd sy'n atal mwy o dryledu ac yn lleihau faint o ocsigen sy'n gallu cael ei amsugno i'r gwaed. Mae'r mecanwaith awyru mewn pysgod cartilagaidd yn sylfaenol: wrth iddynt nofio, maen nhw'n agor eu ceg i adael i ddŵr lifo dros y tagellau.

Term Allweddol

Llif paralel: mae'r gwaed a'r dŵr yn llifo i'r un cyfeiriad ar lamelâu'r dagell. Mae hyn yn cynnal y graddiant crynodiad fel bod ocsigen ddim ond yn tryledu i mewn i'r gwaed hyd at y pwynt pan mae ei grynodiad yn y gwaed a'r dŵr yn hafal.

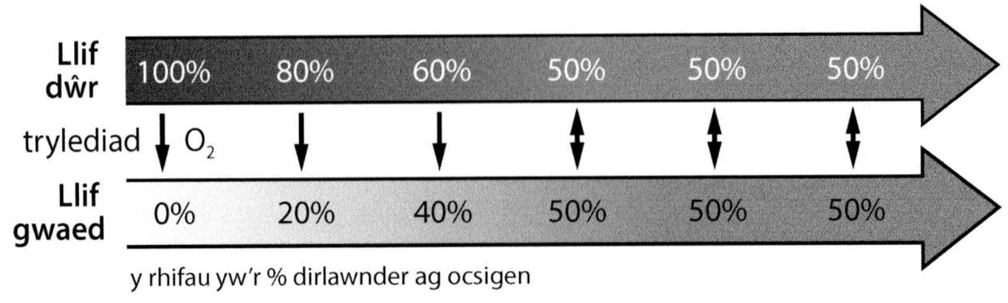

Llif paralel

Term Allweddol

Llif gwrthgerrynt: mae'r gwaed a'r dŵr yn llifo i gyfeiriadau dirgroes ar y lamelâu tagell, gan gynnal y graddiant crynodiad ac, felly, trylediad ocsigen i'r gwaed, yr holl ffordd ar eu hyd.

2. Mae **llif gwrthgerrynt** i'w weld mewn pysgod esgyrnog, e.e. eog, lle mae gwaed a dŵr yn llifo i gyfeiriadau dirgroes. Mae'r system hon yn llawer mwy effeithlon oherwydd mae hi'n cynnal trylediad yr holl ffordd ar hyd y ffilament tagell gan fod crynodiad yr ocsigen bob amser yn uwch yn y dŵr nag yn y gwaed sy'n dod i gysylltiad â'r dŵr. Felly, mae mwy o ocsigen yn cael ei amsugno oherwydd dydy'r system ddim yn cyrraedd ecwilibriwm. Mae gan bysgod esgyrnog fecanwaith awyru mwy datblygedig na physgod cartilagaidd.

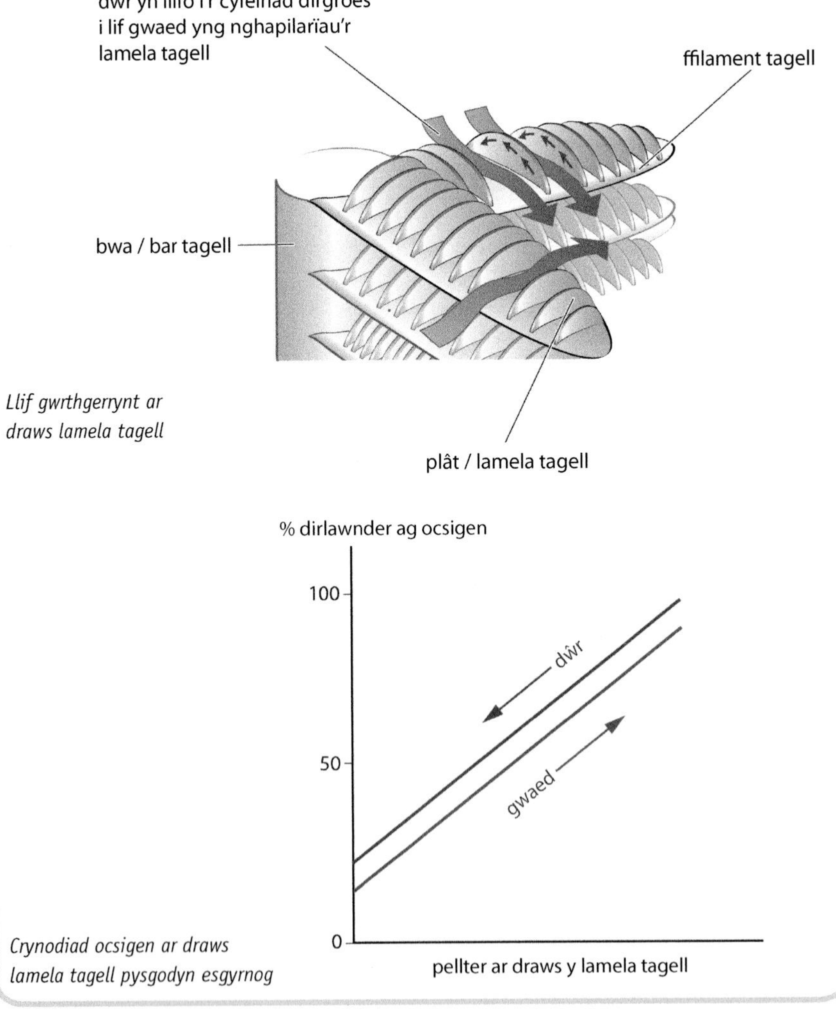

Llif gwrthgerrynt ar draws lamela tagell

Crynodiad ocsigen ar draws lamela tagell pysgodyn esgyrnog

Mecanwaith awyru pysgod esgyrnog

Mae gan bysgod esgyrnog sgerbwd esgyrnog mewnol a fflap yn gorchuddio'r tagellau, sef yr opercwlwm.

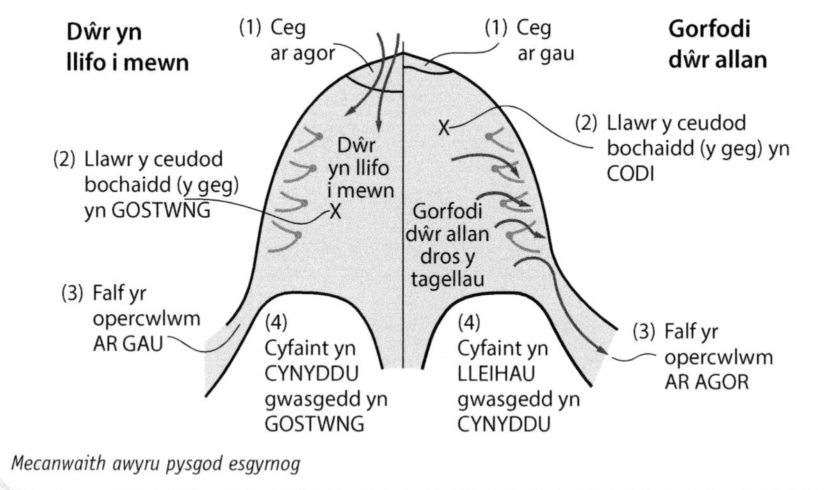

Mecanwaith awyru pysgod esgyrnog

System resbiradol bodau dynol

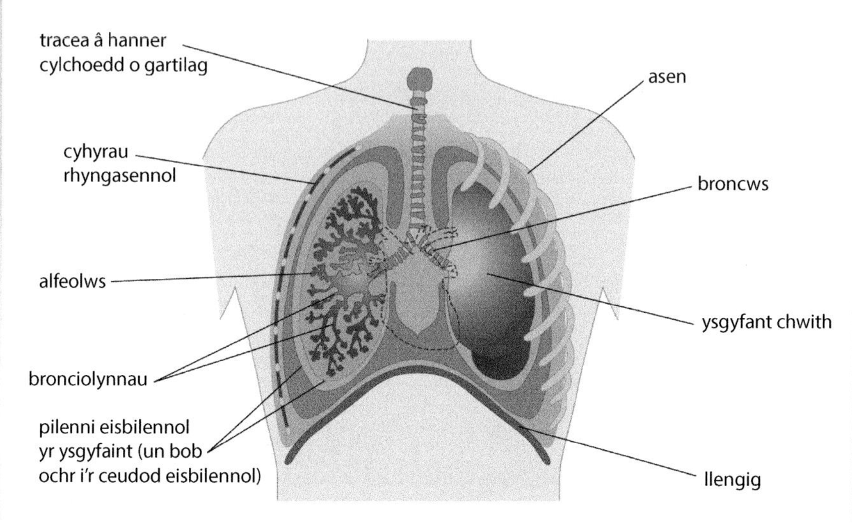

System resbiradol bodau dynol

Mae'r tracea, sydd wedi'i gynnal gan 20 o gylchoedd anghyflawn o gartilag, yn canghennu'n ddau froncws, sy'n mynd i mewn i ysgyfant. Mae'r bronci yn canghennu'n diwbiau teneuach o'r enw bronciolynnau, sy'n arwain at alfeoli lle mae cyfnewid nwyon yn digwydd.

» Cofiwch

Mae pysgod yn marw os nad ydynt mewn dŵr oherwydd mae'r tagellau yn cwympo a'r ffilamentau yn glynu wrth ei gilydd, gan wneud yr arwynebedd arwyneb i gyfnewid ocsigen yn llawer llai.

» Cofiwch

Oherwydd bod llif gwrthgerrynt mor effeithlon, mae mwy o garbon deuocsid yn tryledu o'r gwaed i'r dŵr mewn pysgod esgyrnog nag mewn pysgod cartilagaidd.

Cwestiwn cyflym

③ Llenwch y geiriau coll.

Mae cyfnewid nwyon mewn pysgod cartilagaidd yn .... effeithiol nag mewn pysgod esgyrnog. Mae'r dŵr a'r gwaed yn llifo i'r .... cyfeiriad, sef llif .... Mae cyfnewid nwyon yn digwydd dros .... y lamelâu tagellau felly mae'n cyrraedd ...., ac mae .... o ocsigen yn cael ei amsugno o gymharu â llif gwrthgerrynt. Mae pysgod esgyrnog yn gallu .... eu tagellau drwy ostwng a chodi .... y geg neu'r ceudod bochaidd. Yr unig ffordd mae pysgod cartilagaidd yn gallu awyru eu tagellau yw drwy .... yn gyson.

Mecanwaith awyru

Mewnanadlu (gweithredol)

- Mae'r cyhyrau rhyngasennol allanol yn cyfangu gan symud yr asennau i fyny a thuag allan, sy'n tynnu pilen eisbilennol allanol yr ysgyfaint tuag allan.
- Mae'r llengig yn cyfangu ac yn gwastadu.
- Mae hyn yn lleihau'r gwasgedd yn y ceudod eisbilennol ac mae'r bilen eisbilennol fewnol yn symud tuag allan.
- Mae hyn yn tynnu ar arwyneb yr ysgyfaint ac yn achosi i'r alfeoli ehangu.
- Mae'r gwasgedd yn yr alfeoli yn gostwng yn is na gwasgedd yr atmosffer; mae hyn yn tynnu aer i mewn.

Allanadlu (goddefol)

- Mae'r cyhyrau rhyngasennol allanol yn llaesu felly mae'r asennau yn symud i lawr a thuag i mewn, sy'n gadael i bilen eisbilennol allanol yr ysgyfaint symud tuag i mewn.
- Mae'r llengig yn llaesu ac yn symud i fyny.
- Mae hyn yn cynyddu'r gwasgedd yn y ceudod eisbilennol ac mae'r bilen eisbilennol fewnol yn symud i mewn.
- Mae hyn yn gwthio ar arwyneb yr ysgyfaint ac yn achosi i'r alfeoli gyfangu.
- Mae'r gwasgedd yn yr alfeoli yn cynyddu'n uwch na gwasgedd yr atmosffer; mae hyn yn gorfodi aer allan.

» Cofiwch

Yr unig adegau mae'r cyhyrau rhyngasennol mewnol yn cael eu defnyddio yw wrth allanadlu'n rymus, e.e. wrth chwythu balŵn, neu yn ystod ymarfer corff.

Cyfnewid nwyon mewn alfeolws

Dyma sut mae'r alfeoli wedi addasu i gyfnewid nwyon:

- arwynebedd arwyneb mawr iawn ~ 700 miliwn o alfeoli
- muriau tenau iawn ~ 0.1µm
- wedi'u hamgylchynu â chapilarïau, felly pellter tryledu byr a chyflenwad gwaed da
- leinin llaith
- athraidd i nwyon
- colagen a ffibrau elastig yn caniatáu ehangu ac adlamu.

Mae un o ganghennau'r rhydweli ysgyfeiniol yn dod â gwaed dadocsigenedig i'r alfeoli ac mae un o ganghennau'r wythïen ysgyfeiniol yn cludo gwaed ocsigenedig o'r alfeoli yn ôl i'r galon. Mae'r alfeoli'n cynhyrchu syrffactydd, sy'n gostwng y tyniant arwyneb i atal yr alfeoli rhag dymchwel a glynu at ei gilydd, ac yn caniatáu i nwyon hydoddi.

Dydy'r ffoetws ddim yn cynhyrchu syrffactydd tan mae tua 23 wythnos o'r beichiogrwydd wedi mynd heibio. Os caiff ffoetws ei eni cyn yr adeg hon, bydd hi'n anodd iddo anadlu.

Mae tagellau yn echdynnu ocsigen bedair gwaith yn fwy effeithlon nag ysgyfaint. Mae hyn oherwydd bod llawer llai o ocsigen wedi'i hydoddi mewn dŵr nag sy'n bodoli mewn aer.

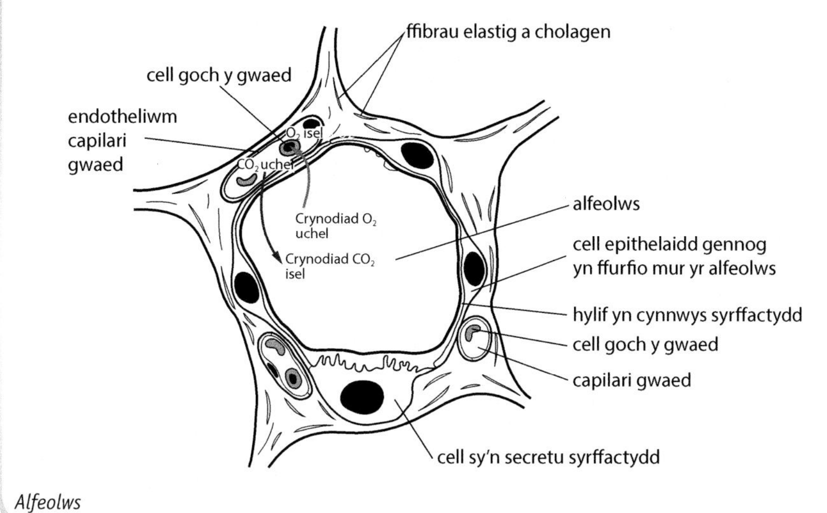

Alfeolws

cwestiwn cyflym

④ Pa bibell waed sy'n cludo gwaed a llawer o garbon deuocsid ynddo tuag at yr alfeoli?

Cyfnewid nwyon mewn pryfed

Mae gan bryfed system ganghennog o draceâu sydd wedi'u leinio â chitin ac yn cynnwys agoriadau o'r enw sbiraglau. Mae'r citin wedi'i drefnu mewn cylchoedd, sy'n caniatáu i'r traceâu ehangu a chyfangu a gweithredu fel megin i yrru aer i mewn ac allan o gorff y pryfyn. Mae'r sbiraglau, sy'n bodoli mewn parau ar rannau o'r thoracs a'r abdomen, yn gallu cau wrth i'r pryfyn orffwys, ac mae presenoldeb citin hefyd yn helpu i leihau colledion dŵr. Mae tiwbiau'r traceolau yn dod i gysylltiad uniongyrchol â phob meinwe, gan gyflenwi ocsigen a chael gwared ar garbon deuocsid, felly does dim angen haemoglobin. Mae dau ben y tiwbiau yn llawn hylif i ganiatáu i nwyon hydoddi.

Mae cyhyrau yn y thoracs a'r abdomen yn cyfangu/llaesu gan achosi symudiadau rhythmig sy'n awyru tiwbiau'r traceolau ac yn cynnal graddiant crynodiad.

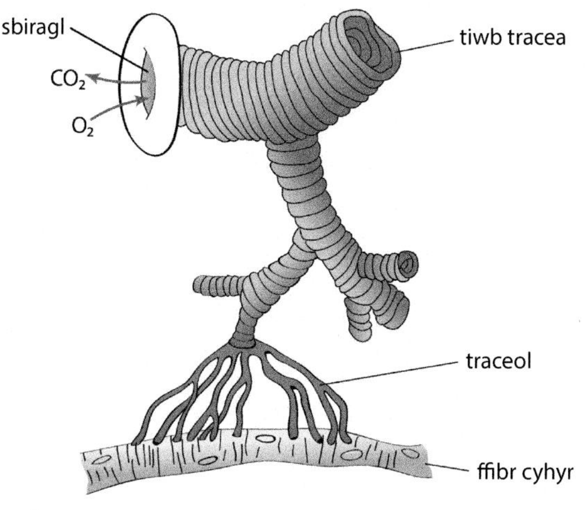

System traceâu pryfyn

Cofiwch

Mae gan bryfed sgerbwd allanol citin sydd wedi'i orchuddio â chwyr, sy'n anathraidd i ddŵr a nwyon.

Cofiwch

Mae effeithlonrwydd y system traceâu o ran cyflenwi ocsigen i feinweoedd yn cyfyngu ar faint a siâp pryfyn gan ei bod hi'n dibynnu ar dryledi ad, ac felly'n dibynnu ar bellter tryledu.

Gwella gradd

Peidiwch â chynnwys cyflenwad gwaed da fel un o addasiadau arwynebau cyfnewid nwyon mewn pryfed: dydyn nhw ddim yn ei ddefnyddio.

Cyfnewid nwyon mewn planhigion

Mae angen ocsigen ar blanhigion i resbiradu a charbon deuocsid i gyflawni ffotosynthesis: mae'r nwyon hyn yn tryledu i mewn i'r planhigyn drwy'r ddeilen. Fodd bynnag, i leihau colledion dŵr, mae gan blanhigion gwtigl cwyraidd sy'n gorchuddio arwyneb y ddeilen, sydd hefyd yn atal trylediad nwyon. Mae gan blanhigion fandyllau o'r enw stomata ar ochr isaf y rhan fwyaf o ddail, sy'n gallu agor yn ystod y dydd i ganiatáu cyfnewid nwyon, a chau dros nos neu mewn amodau sych i leihau colledion dŵr.

Mecanwaith agor stomata

Mae'r celloedd gwarchod o gwmpas y mandwll (stoma) yn gallu rheoli ei faint er mwyn lleihau colledion dŵr drwy gyfrwng **trydarthiad**.

1. Mae'r celloedd gwarchod yn cyflawni ffotosynthesis gan gynhyrchu ATP.
2. Mae'r egni sy'n cael ei ryddhau o ATP yn cael ei ddefnyddio i gludo ïonau potasiwm yn actif *i mewn* i'r celloedd gwarchod.
3. Mae hyn yn sbarduno'r broses sy'n trawsnewid startsh (anhydawdd) yn ïonau malad (hydawdd).
4. Mae potensial dŵr y gell warchod yn gostwng, felly mae dŵr yn symud i mewn i'r celloedd drwy gyfrwng osmosis.
5. Mae'r celloedd gwarchod yn ehangu ac mae'r mur allanol yn ymestyn mwy na'r mur mewnol gan ei fod yn deneuach. Mae hyn yn creu mandwll rhwng y ddwy gell warchod.
6. Mae'r gwrthwyneb yn digwydd yn y nos.

Term Allweddol

Trydarthiad: anweddiad anwedd dŵr o'r dail neu o rannau eraill o'r planhigyn sydd uwchben y ddaear, allan drwy'r stomata ac i'r atmosffer.

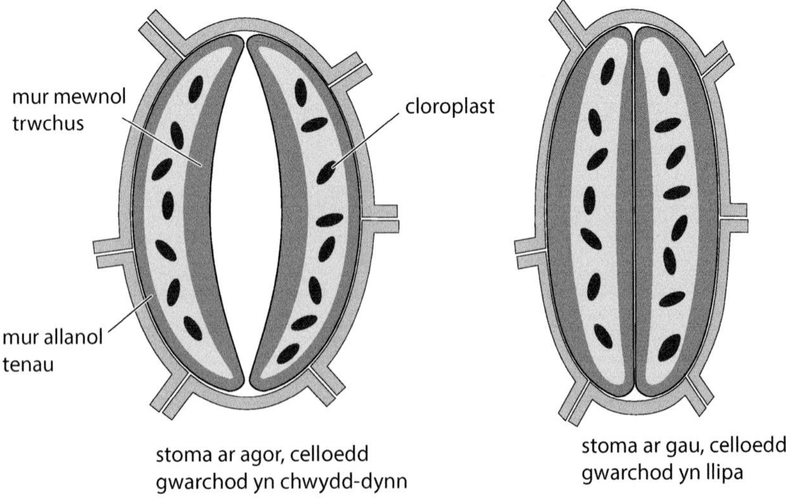

stoma ar agor, celloedd gwarchod yn chwydd-dynn

stoma ar gau, celloedd gwarchod yn llipa

» Cofiwch

Mae gwagleoedd aer yn cynyddu cyfradd trylediad oherwydd mae'n digwydd yn y wedd nwy (*gas phase*).

Addasiadau'r ddeilen ar gyfer cyfnewid nwyon

- Mae dail yn denau ac yn fflat, sy'n rhoi arwynebedd arwyneb mawr i ddal golau a chyfnewid nwyon.
- Mae gan ddail lawer o fandyllau o'r enw stomata (stoma yw un ohonyn nhw) i ganiatáu cyfnewid nwyon.
- Mae celloedd mesoffyl sbwngaidd wedi'u hamgylchynu â gwagleoedd aer sy'n caniatáu i nwyon dryledu.

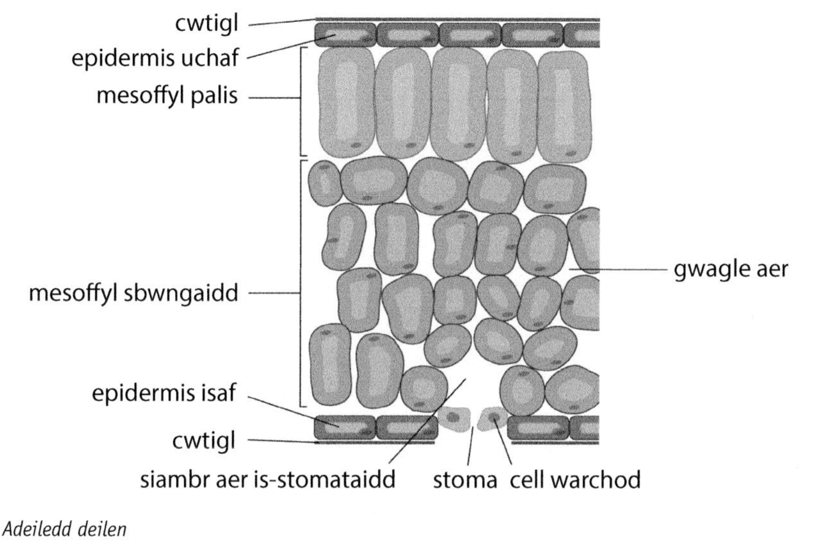

Adeiledd deilen

Gwella gradd

Efallai y bydd gofyn i chi gyfrifo chwyddhad neu faint gwirioneddol oddi ar luniad neu ddelwedd microsgop:

$$\text{chwyddhad} = \frac{\text{maint y ddelwedd}}{\text{maint gwirioneddol}}$$

$$\text{Maint gwirioneddol} = \frac{\text{maint y ddelwedd}}{\text{chwyddhad}}$$

cwestiwn cyflym

⑤ Cywir neu anghywir?

A. Mae syrffactydd yn cynyddu tyniant arwyneb.

B. Mae tagellau yn amsugno ocsigen yn llai effeithlon na'r ysgyfaint.

C. Pan mae startsh yn cael ei drawsnewid yn falad mewn celloedd gwarchod, mae'r potensial dŵr yn mynd yn fwy negatif.

CH. Mae sbiraglau yn gallu cau i atal colledion dŵr mewn planhigion.

D. Mae gan lyngyren ledog arwynebedd arwyneb mwy na mwydyn/pryf genwair â'r un cyfaint.

ychwanegol

Os yw gwasgedd rhannol carbon deuocsid yn y gwaed yn y capilari sy'n dod â gwaed dadocsigenedig i'r alfeolws yn 5.8kPa, a bod gwasgedd rhannol carbon deuocsid yn y gwaed yn y capilari sy'n gadael yr alfeolws yn 5.1kPa, beth yw gwasgedd rhannol y carbon deuocsid yn yr aer yn yr alfeolws? Rhowch reswm.

cwestiwn cyflym

⑥ Os yw trwch deilen mewn lluniad yn 15mm a bod y chwyddhad yn 50 gwaith, beth yw trwch gwirioneddol y ddeilen?

2.3a Addasiadau ar gyfer cludiant mewn anifeiliaid

Mae pob system cludiant anifeiliaid yn cynnwys cyfrwng addas i gludo sylweddau wedi'u hydoddi, sy'n cael cymorth gan bwmp i symud y deunyddiau. Mae gan rai systemau (nid pryfed) bigment resbiradol, e.e. haemoglobin, i gludo nwyon wedi'u hydoddi ac mae'r rhain yn defnyddio system o bibellau â falfiau i sicrhau llif un-ffordd i bob rhan o'r corff.

Systemau cylchrediad agored

Term Allweddol

Ceudod gwaed: prif geudod y corff yn y rhan fwyaf o infertebratau; mae'n cynnwys hylif cylchredol.

Mewn systemau cylchrediad agored, dydy'r gwaed ddim yn symud o gwmpas y corff mewn pibellau gwaed. Yn lle hynny, mae celloedd yn cael eu trochi gan waed neu hylif o'r enw haemolymff mewn gwagle llawn hylif o gwmpas yr organau sef y **ceudod gwaed** (*haemocoel*), ac mae'r hylif hwn yn dychwelyd yn araf i'r galon ddorsal siâp tiwb, e.e. pryfed. Does dim angen pigment resbiradol oherwydd mae'r ocsigen yn cael ei gyflenwi'n uniongyrchol i'r meinweoedd yn y system draceol.

Mae systemau cylchrediad agored yn gymharol aneffeithlon. Mewn pryfed, dydy'r systemau hyn ddim yn gyfrifol am ddosbarthu nwyon resbiradol.

Systemau cylchrediad caeedig

Gwella gradd

Dylech chi allu cymharu addasiadau'r systemau cludiant mewn mwydod/pryfed genwair, pryfed, pysgod ac anifeiliaid.

Un o fanteision systemau cylchrediad caeedig yw eu bod nhw'n defnyddio pibellau, felly maen nhw'n gallu cludo gwaed yn gyflymach ar bwysedd uwch i bob rhan o gorff yr anifail.

1. Mewn system cylchrediad sengl, mae'r gwaed yn mynd drwy'r galon unwaith ar ei ffordd o gwmpas y corff. Mae'r math hwn yn bodoli mewn pysgod, ac mae'n pwmpio gwaed i'r tagellau ac i organau'r corff cyn dychwelyd i'r galon. Mae gan y mwydyn/pryf genwair hefyd system cylchrediad sengl: mae pum pâr o 'ffug-galonnau' (pibellau gwaed cyhyrog trwchus) yn pwmpio gwaed o'r bibell ddorsal i'r bibell fentrol.
2. Mewn system cylchrediad dwbl, mae'r gwaed yn mynd drwy'r galon ddwywaith: ac mewn mamolion, mae un gylchred yn cyflenwi gwaed i'r ysgyfaint i'w ocsigenu (cylchrediad ysgyfeiniol), ac ail gylchred yn cyflenwi gwaed ocsigenedig i'r corff (cylchrediad systemig). Mae nifer o fanteision i gylchrediad dwbl dros gylchrediad sengl i ddiwallu anghenion mamolion â chyfradd fetabolaidd uchel: mae'n gallu cynnal pwysedd gwaed uwch a chylchrediad cyflymach yn y cylchrediad systemig, a chadw gwaed ocsigenedig a dadocsigenedig ar wahân i'w gilydd, sy'n gwella dosbarthiad ocsigen.

Adeiledd a swyddogaeth pibellau gwaed

Pibell waed	Diagram
Rhydwelïau – cludo gwaed ODDI WRTH y galon. Mae gan y rhain furiau trwchus i wrthsefyll y pwysedd gwaed uchel: mae ffibrau elastig yn ymestyn i ganiatáu i'r rhydwelïau lenwi â gwaed ac yna maen nhw'n adlamu'n elastig i wthio gwaed ar hyd y rhydweli. Mae'r pwysedd yn y rhydwelïau hyn yn cynyddu ac yn gostwng yn rhythmig, gan gyfateb i **systole** fentriglaidd. Wrth i'r gwaed lifo drwy'r rhydweli, mae ffrithiant â muriau'r bibell yn achosi i bwysedd y gwaed a chyfradd llif y gwaed ostwng.	ffibrau colagen haen drwchus o ffibrau cyhyrau a ffibrau elastig endotheliwm lwmen (gwaed) lled 0.1-10mm
Rhydwelïynnau – mae'r prif rydwelïau yn canghennu'n barhaus i ffurfio rhydwelïau llai, ac yn y pen draw, rhydwelïynnau. Mae gan y rhydwelïynnau gyfanswm arwynebedd arwyneb mawr a lwmen cymharol gul, sy'n gostwng pwysedd a chyfradd llif gwaed ymhellach. Y ffurfiad pwysig mewn rhydwelïyn yw'r feinwe cyhyr llyfn, sy'n gallu lledu neu gulhau'r lwmen i gynyddu neu leihau llif y gwaed.	
Capilarïau – mae miliynau o gapilarïau yn ffurfio rhwydweithiau dwys mewn meinweoedd. Mae eu lwmen yn gul (diamedr 8–10μm), ond mae eu cyfanswm arwynebedd trawstoriadol yn fawr iawn. Wrth i'r gwaed lifo drwy'r capilarïau, mae pwysedd y gwaed a chyfradd llif y gwaed yn gostwng. Mae hyn oherwydd y cynnydd yn y cyfanswm arwynebedd trawstoriadol ac yng ngwrthiant ffrithiannol y gwaed sy'n llifo drwy'r pibellau gwaed. Eu swyddogaeth yw cyflenwi ocsigen a maetholion ac amsugno carbon deuocsid a gwastraff.	pilen waelodol endotheliwm lwmen cell goch y gwaed lled 8-10μm
Gwythienigau – gwythiennau bach sy'n cydgyfeirio i ffurfio gwythienigau mwy, ac yn y pen draw, gwythiennau. Mae eu hadeiledd yn debyg i adeiledd gwythiennau ac wrth iddynt ledu, mae ganddynt lai o wrthiant i lif gwaed sy'n golygu bod cyfradd llif y gwaed yn gallu cynyddu eto.	
Gwythiennau – mae'r rhain yn cludo gwaed YN ÔL i'r galon. Y ffurfiadau pwysig mewn gwythiennau yw'r falfiau cilgant, sy'n atal ôl-lifiad gwaed ac yn sicrhau bod y gwaed yn llifo i un cyfeiriad yn unig. Er bod y pwysedd mewn gwythiennau yn isel, mae'r gwaed yn dychwelyd i'r galon oherwydd effeithiau cyfangu'r cyhyrau ysgerbydol o'u cwmpas nhw, sy'n gwasgu'r wythïen, gan leihau'r cyfaint, a chynyddu'r pwysedd yn y wythïen; mae hyn yn gorfodi gwaed drwy'r falf.	haen denau o ffibrau cyhyr llyfn a ffibrau elastig ffibrau collagen endotheliwm falf lwmen lled 0.1-20mm

Gwella gradd

Mae angen i chi allu disgrifio'r berthynas rhwng adeiledd pibell waed a'i swyddogaeth.

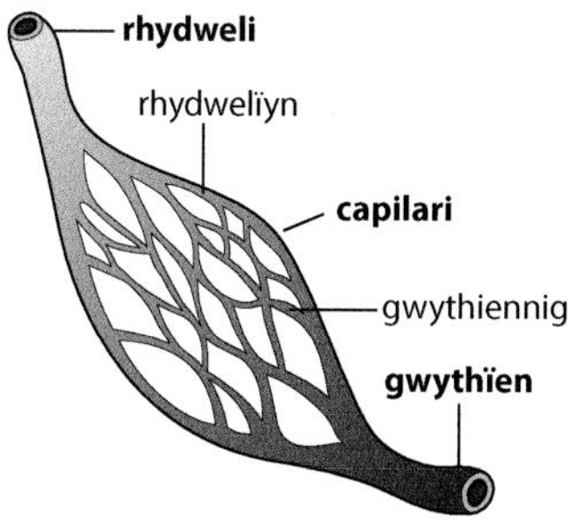

Mae pibellau gwaed yn ffurfio rhwydwaith sy'n cyflenwi ocsigen i feinweoedd.

Mae newidiadau pwysedd yn y gwahanol bibellau gwaed i'w gweld yn y graff:

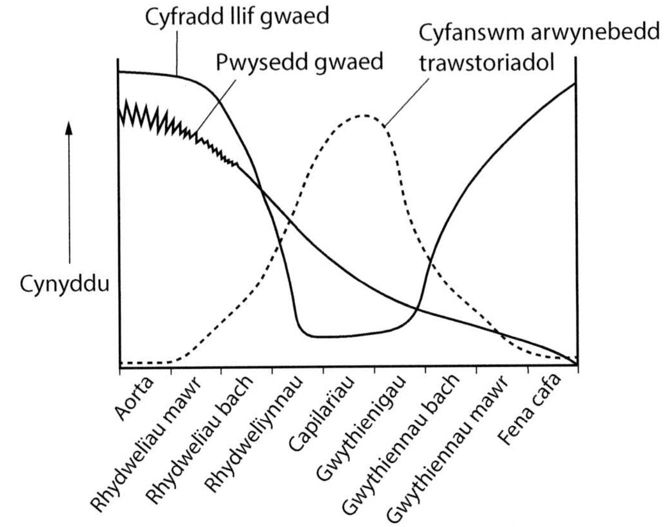

Newidiadau pwysedd mewn pibellau gwaed

cwestiwn cyflym

① Parwch y bibell waed gywir (rhydweli, capilari, gwythïen) â'r gosodiadau canlynol. Cewch chi ddefnyddio pob pibell unwaith, fwy nag unwaith neu ddim o gwbl.

A. Y lwmen lletaf o'i gymharu â diamedr y bibell
B. Y mur mwyaf trwchus
C. Yn cynnwys endotheliwm
CH. Yn cynnwys haen allanol o ffibrau colagen
D. Yn cynnwys falfiau.

Y galon

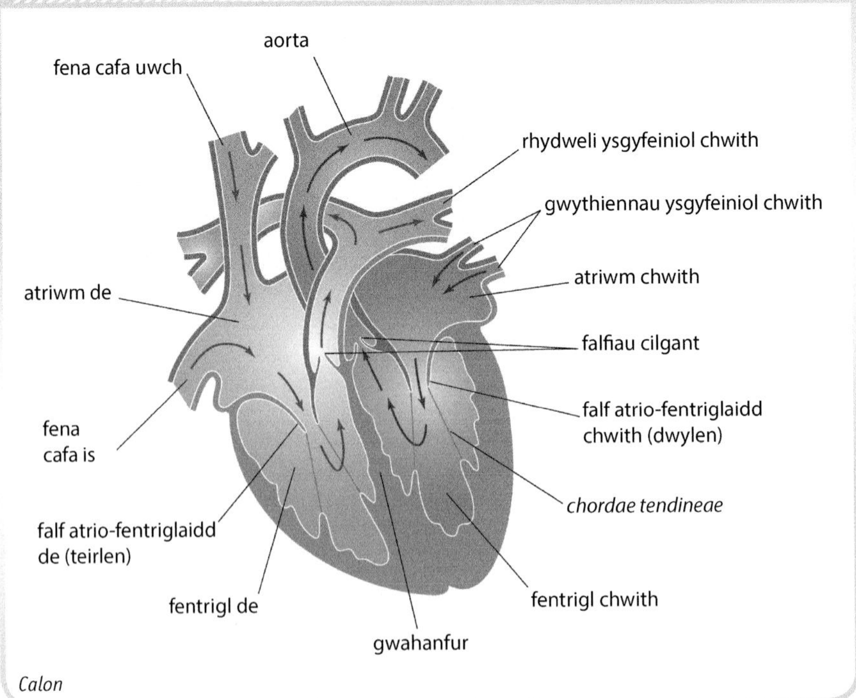

Calon

Llif gwaed drwy'r galon

- Mae gwaed yn mynd i'r galon o'r pen a'r corff drwy'r fena cafa i mewn i'r atriwm de.
- Mae'r atriwm de yn cyfangu (**systole** atrïaidd) gan orfodi gwaed drwy'r falf atrio-fentriglaidd de i'r fentrigl de, sy'n llaesu.
- Mae'r fentrigl de yn cyfangu (systole fentriglaidd) gan orfodi gwaed allan o'r galon drwy'r falf gilgant dde i'r ysgyfaint drwy'r rhydweli ysgyfeiniol.

Mae gwaed ocsigenedig yn dychwelyd o'r ysgyfaint i'r galon drwy'r wythïen ysgyfeiniol ac yn mynd i'r atriwm chwith pan mae'r atriwm chwith yn llaesu (**diastole** cyflawn).

- Mae'r atriwm chwith yn cyfangu, gan orfodi gwaed drwy'r falf atrio-fentriglaidd chwith i'r fentrigl chwith, sy'n llaesu.
- Mae'r fentrigl chwith yn cyfangu, gan orfodi gwaed allan drwy'r falf gilgant chwith i'r aorta ac yna i weddill y corff.
- Mae hyn yn disgrifio un gylchred gwaed. Yn ystod y gylchred gardiaidd, mae'r ddau atriwm yn cyfangu gyda'i gilydd ac yna mae'r ddau fentrigl yn cyfangu gyda'i gilydd.
- Mae'r falfiau yn sicrhau bod gwaed yn llifo i un cyfeiriad yn unig, h.y. maen nhw'n atal ôl-lifiad gwaed.

Termau Allweddol

Systole: cyfangu

Diastole: llaesu

Cofiwch

Mae diastole yn golygu llaesu.

Cofiwch

Allbwn cardiaidd = cyfaint trawiad × cyfradd y galon – mewn geiriau eraill, cyfanswm cyfaint y gwaed mae'r galon yn ei bwmpio bob munud yw cyfaint y gwaed sy'n cael ei bwmpio gan bob curiad wedi'i luosi â sawl gwaith mae'r galon yn curo mewn munud.

Y gylchred gardiaidd

- Mae'r fentrigl chwith yn cyfangu felly mae cyfaint yr atriwm yn lleihau ac mae'r pwysedd yn cynyddu.
- Pan fydd y pwysedd gwaed yn yr atriwm chwith yn fwy nag yn y fentrigl chwith, bydd gwaed yn llifo i mewn i'r fentrigl chwith.
- Yna, mae'r fentrigl yn cyfangu (systole fentriglaidd) ac mae'r pwysedd yn cynyddu yn y fentrigl chwith wrth i'r cyfaint leihau.
- Wrth i'r fentrigl gyfangu, mae gwaed yn cael ei wthio yn erbyn y falfiau atrio-fentriglaidd i'w cau nhw ac atal y gwaed rhag llifo'n ôl i'r atria (gweler 1 ar y diagram).
- Pan fydd y pwysedd yn y fentrigl chwith yn fwy nag yn yr aorta, bydd y falf gilgant chwith yn agor (gweler 2 ar y diagram) a bydd gwaed yn llifo allan i'r aorta.
- Mae'r fentrigl chwith yna'n llaesu (diastole) felly mae ei gyfaint yn cynyddu a'r pwysedd yn gostwng.
- Pan mae'r pwysedd yn y fentrigl yn mynd yn is nag yn yr aorta, mae gwaed yn ceisio llifo'n ôl i mewn i'r fentrigl o'r aorta, gan wthio yn erbyn y falf gilgant chwith a'i chau hi (gweler 3 ar y diagram).
- Pan mae'r pwysedd yn y fentrigl chwith yn mynd yn is nag yn yr atriwm chwith, mae'r falf atrio-fentriglaidd chwith yn agor (gweler 4 ar y diagram) ac mae'r cylch yn dechrau eto.
- Cofiwch: mae gwaed bob amser yn llifo o fan â phwysedd *uchel* i fan â phwysedd *isel*, *oni bai* bod falf yn atal hynny.

Gwella gradd

Mae angen i chi allu disgrifio'r newidiadau hyn a nodi lle mae'r gwahanol falfiau yn y galon yn agor ac yn cau.

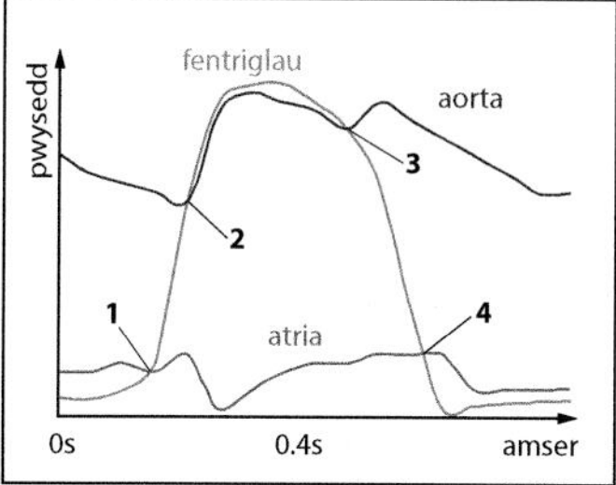

Cylchred gardiaidd

Gwella gradd

Peidiwch â drysu rhwng y gylchred gardiaidd a rheoli curiad y galon.

Termau Allweddol

Sypyn His: ffibr cyhyr cardiaidd wedi'i addasu sy'n mynd o'r nod atrio-fentriglaidd i waelod y fentrigl drwy wahanfur y galon.

Ffibrau Purkinje: rhwydwaith o ffibrau ym mur y fentriglau.

» Cofiwch

Gallwch chi gyfrifo cyfradd y galon drwy fesur yr amser mae'n ei gymryd i fynd o un pwynt ar yr olin ECG i'r nesaf, e.e. R i R (yn yr achos hwn 0.30s i 1.15s = 0.85s).

$$\text{Cyfradd} = \frac{60}{0.85} = 71\text{bpm}$$

cwestiwn cyflym

② Parwch y labeli canlynol ar olin ECG: T, P, QRS, TP, â'r pedwar gosodiad canlynol:

1. Newid foltedd sy'n gysylltiedig â chyfangu'r atria.
2. Cyfangu'r fentriglau.
3. Ailbolaru cyhyrau'r fentriglau.
4. Yr amser llenwi.

» Cofiwch

Mae'r oediad sy'n cael ei greu wrth i'r don o gyffroad gyrraedd y nod atrio-fentriglaidd, a lledaenu drwy Sypyn His, yn bwysig oherwydd mae'n golygu bod yr atria'n gwagio'n llwyr *cyn* i'r fentriglau gyfangu *ac* yn sicrhau bod y fentriglau yn cyfangu o'r gwaelod tuag i fyny.

Rheoli curiad y galon

Mae'r galon yn fyogenig – caiff y curiad calon ei gychwyn o'r tu mewn i'r cyhyr cardiaidd ei hun, heb ddibynnu ar symbyliad allanol. Fodd bynnag, mae'n cael ei reoleiddio gan y nod sinwatrïaidd sy'n ysgogi ton o gyffroad ar draws y ddau atriwm.

Cyfnod yn y gylchred gardiaidd	Manylion
Systole atrïaidd	• Ton o gyffroad yn lledaenu o'r nod sinwatrïaidd (*sinoatrial node:* SAN) ar draws y ddau atriwm • Y ddau atriwm yn dechrau cyfangu • Dydy'r don ddim yn gallu lledaenu i'r fentriglau oherwydd yr haen o feinwe gyswllt • Mae'r don yn lledaenu drwy'r nod atrio-fentriglaidd (*atrioventricular node:* AVN), drwy **Sypyn His** i apig y fentrigl
Systole fentriglaidd	• Mae Sypyn His yn canghennu'n **ffibrau Purkinje** sy'n cludo'r don i fyny drwy gyhyr y fentrigl, gan achosi iddo gyfangu • Felly, mae oedi cyn cyfangiad y fentrigl ac mae'r cyfangiad yn digwydd o'r gwaelod i fyny

Gallwn ni weld y digwyddiadau hyn ar ECG (electrocardiogram).

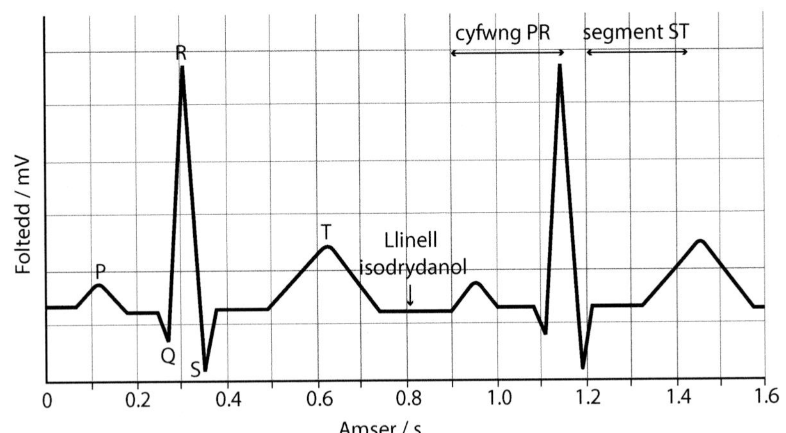

ECG

P = newid foltedd sy'n gysylltiedig â chyfangu'r atria

QRS = dadbolaru a chyfangu'r fentriglau

T = ailbolaru cyhyrau'r fentrigl

Mae'r bwlch rhwng T a'r don P nesaf yn cynrychioli'r amser llenwi (wedi'i labelu'n llinell isodrydanol)

Gallwn ni ddefnyddio newidiadau i'r olin hwn i roi diagnosis ar gyfer problemau â'r galon, e.e. efallai y bydd claf sy'n dioddef trawiad ar y galon (cnawdnychiad myocardiaidd) yn dangos gostyngiad yn y segment S–T.

Gwaed

Mae gwaed wedi'i wneud o blasma (55%) a chelloedd (45%). Celloedd coch y gwaed (corffilod coch y gwaed) yw'r mwyafrif helaeth o'r celloedd sy'n bresennol, ac mae'r rhain yn cynnwys haemoglobin. Celloedd gwyn a phlatennau yw'r gweddill (<5%). Mewn bodau dynol, mae gan gelloedd coch y gwaed siâp deugeugrwm, sy'n cynyddu eu harwynebedd arwyneb i amsugno a rhyddhau ocsigen, a does ganddynt ddim cnewyllyn. Mae hyn yn golygu eu bod nhw'n gallu cludo mwy o haemoglobin, ond mae'n cyfyngu ar eu hoes, felly rhaid i ni eu cynhyrchu nhw'n gyson. Mae dau brif fath o gelloedd gwyn y gwaed: granwlocytau, sy'n ffagocytig, a lymffocytau sy'n datblygu'n gelloedd sy'n cynhyrchu gwrthgyrff.

Dŵr yw 90% o'r plasma, ac mae'n cludo hydoddion wedi'u hydoddi, e.e. glwcos ac asidau amino, hormonau a phroteinau plasma. Mae'r plasma yn gyfrifol am ddosbarthu gwres ac am gludo carbon deuocsid ar ffurf ïonau HCO_3^-. Mae cynhyrchion ysgarthol fel wrea hefyd yn cael eu cludo wedi'u hydoddi yn y plasma.

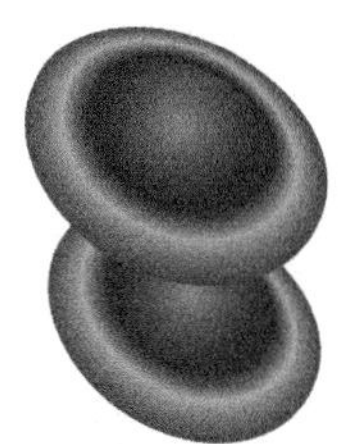

Corffilod coch y gwaed

Cludiant ocsigen

Mae haemoglobin yn rhwymo wrth ocsigen yn yr ysgyfaint, ac yn ei ryddhau i'r meinweoedd sy'n resbiradu. Gallwn ni ddangos yr adwaith cildroadwy hwn fel hyn:

ocsigen + haemoglobin ⟷ ocsihaemoglobin

Mae nifer o ffactorau yn dylanwadu ar uno a daduno ocsigen â haemoglobin, ac rydym ni'n defnyddio cromlin ddaduniad i ddangos hyn.

Mae pob moleciwl yn gallu cludo pedwar moleciwl ocsigen ($4O_2$), un ynghlwm wrth bob un o'r pedwar grŵp haem. Wrth i foleciwlau ocsigen rwymo, mae'r moleciwl haemoglobin yn newid ychydig bach, gan ei gwneud hi'n haws i'r nesaf rwymo. Rhwymo cydweithredol yw hyn, ac mae'n digwydd yn rhan serth y gromlin. Mae'n anoddach i'r pedwerydd moleciwl ocsigen, yr olaf, rwymo; mae angen cynnydd mawr yng **ngwasgedd rhannol** ocsigen er mwyn i hyn ddigwydd: dyma'r rhan lle mae'r graff yn gwastadu, gan roi siâp sigmoid (S) i'r gromlin.

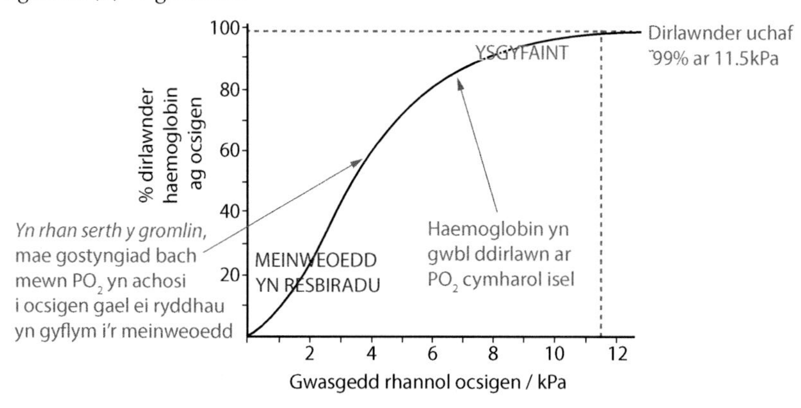

Cromlin ddaduniad

Term Allweddol

Gwasgedd rhannol nwy: y gwasgedd fyddai'r nwy yn ei roi os mai dim ond y nwy hwnnw fyddai'n bresennol.

» *Cofiwch*

Gall helpu i feddwl am wasgedd rhannol fel crynodiad. Wrth i'r gwasgedd rhannol gynyddu, mae mwy yn bresennol.

Term Allweddol

Affinedd: i ba raddau mae dau foleciwl yn cael eu hatynnu at ei gilydd.

Gwella gradd

Wrth ateb cwestiynau am ddaduno ocsigen, cofiwch siarad yn nhermau affinedd haemoglobin ag ocsigen a chanlyniadau hyn.

Cofiwch

Gan ddefnyddio pensil, tynnwch linellau o'r un gwasgedd rhannol ocsigen i fyny at y gromlin er mwyn i chi allu cymharu'r dirlawnder canrannol.

Cofiwch

Mae cromlin % dirlawnder haemoglobin ag ocsigen mewn amgylcheddau *heb lawer* o ocsigen (lama/lygwn) i'r *chwith* o hon.

Cofiwch

Storfa ocsigen mewn cyhyrau yw myoglobin. Mae ganddo affinedd uchel iawn ag ocsigen a dim ond ar wasgedd rhannol isel iawn mae'n rhyddhau ocsigen. Mae hyd yn oed yn bellach i'r chwith na haemoglobin lama.

cwestiwn cyflym

③ Beth yw arwyddocâd symud y gromlin haemoglobin i'r chwith o gymharu â symud i'r dde?

cwestiwn cyflym

④ Awgrymwch un newid allai ymddangos yng ngwaed athletwr sy'n hyfforddi ar uchder uchel.

Mae'r graff yn dangos sut mae **affinedd** haemoglobin ag ocsigen yn newid gyda gwasgedd rhannol: ar wasgedd rhannol uchel, mae'r affinedd yn uchel, felly dydy ocsihaemoglobin ddim yn rhyddhau ei ocsigen yn rhwydd. Ar wasgedd rhannol isel, mae ocsigen yn cael ei ryddhau yn gyflym i'r meinweoedd sy'n resbiradu lle mae ei angen, oherwydd mae affinedd haemoglobin ag ocsigen yn isel.

Amgylcheddau heb lawer o ocsigen

Mewn amgylcheddau heb lawer o ocsigen, fel uchder uchel neu dyllau mwdlyd, mae anifeiliaid wedi addasu drwy esblygu haemoglobin â mwy o affinedd ag ocsigen na haemoglobin arferol. Mae cromliniau daduniad ocsigen anifeiliaid fel y lama (*Lama glama*) a'r lygwn (*Arenicola marina*) i'r *chwith* o'r cromliniau normal (gweler y graff) sy'n golygu bod eu haemoglobin yn fwy dirlawn ar yr un gwasgedd rhannol ocsigen, h.y. mae'n gallu cludo mwy o ocsigen.

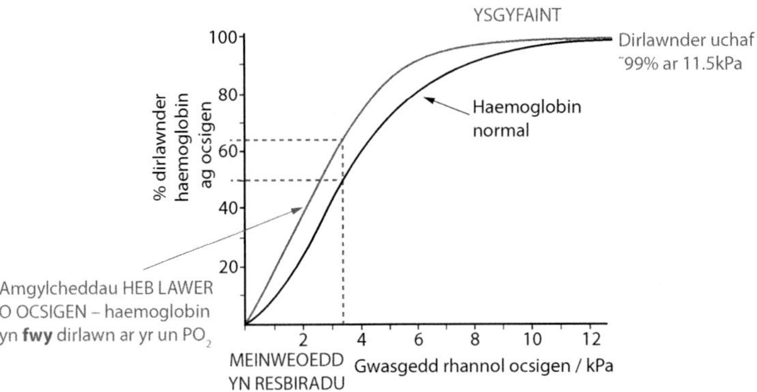

Amgylcheddau heb lawer o ocsigen

Mae gan haemoglobin ffoetws hefyd affinedd uwch ag ocsigen na gwaed normal (gwaed y fam) felly mae hwn hefyd i'r chwith. Mae hyn yn golygu ei fod yn gallu amsugno ocsigen o waed y fam drwy'r brych.

Effeithiau carbon deuocsid ar ddaduniad

Pan mae crynodiadau carbon deuocsid yn y gwaed yn cynyddu yn ystod ymarfer corff, mae'r gromlin daduniad haemoglobin yn symud i'r dde (gweler y graff). Mae hyn oherwydd bod affinedd yr haemoglobin ag ocsigen yn is, felly mae mwy o ocsigen yn cael ei ryddhau ar yr un gwasgedd rhannol ocsigen. Mae hyn yn cyflenwi ocsigen yn gyflymach i feinweoedd sy'n resbiradu, lle mae ei angen. **Effaith Bohr** yw hyn, ac mae hi'n hawdd ei hesbonio os ydych chi'n deall sut mae'r carbon deuocsid yn cael ei gludo yn y gwaed.

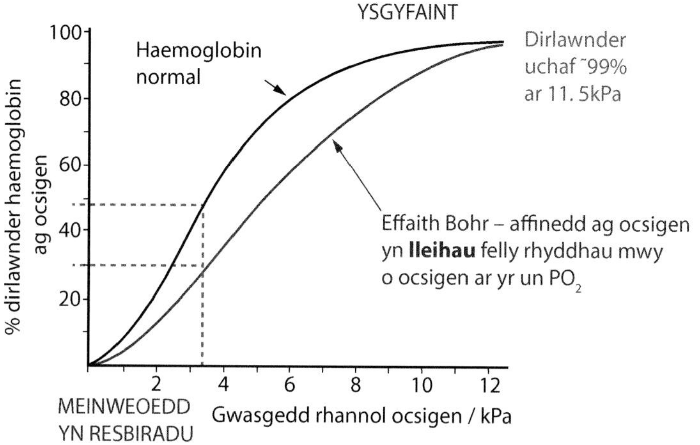

Graff effaith Bohr

Mae carbon deuocsid yn cael ei gludo mewn tair ffordd:

- wedi'i hydoddi mewn plasma (5%)
- ar ffurf ïonau HCO_3^- (85%) yn y plasma
- wedi rhwymo wrth haemoglobin ar ffurf carbamino-haemoglobin (10%).

Mae'r rhan fwyaf o garbon deuocsid yn cael ei gludo ar ffurf ïonau HCO_3^-, sy'n ffurfio mewn cyfres o adweithiau o fewn cell goch y gwaed ei hun.

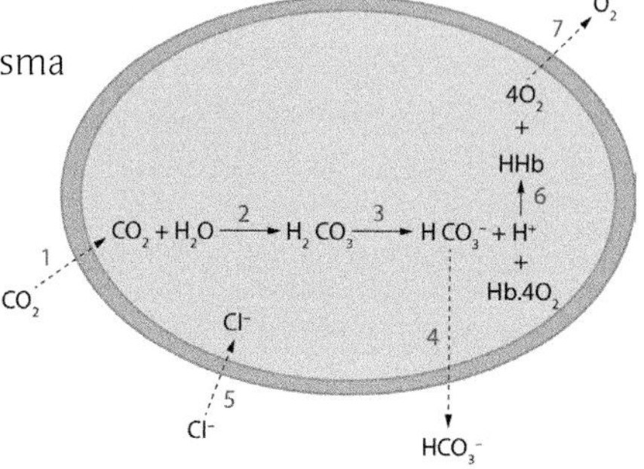

Adweithiau mewn cell goch y gwaed

1. Mae carbon deuocsid yn tryledu i gell goch y gwaed.
2. Mae carbonig anhydras yn catalyddu'r adwaith rhwng carbon deuocsid a dŵr i ffurfio asid carbonig.
3. Mae asid carbonig yn daduno i ffurfio ïonau HCO_3^- a H^+.
4. Mae HCO_3^- yn tryledu allan o gell goch y gwaed.
5. Mae ïonau Cl^- yn tryledu i mewn i'r gell i gynnal y niwtraliaeth electrocemegol: y syfliad clorid yw hyn.
6. Mae ïonau H^+ yn cyfuno ag ocsihaemoglobin i ffurfio asid haemoglobinig (HHb) a rhyddhau ocsigen.
7. Mae ocsigen yn tryledu allan o'r gell.

ychwanegol

Mae pob un o gelloedd coch y gwaed yn cynnwys tua 280 × 10^6 o foleciwlau haemoglobin pan mae hi'n gwbl ddirlawn â 95% dirlawnder. Mae pob moleciwl haemoglobin yn gallu cludo pedwar moleciwl ocsigen. Sawl moleciwl ocsigen sy'n cael eu rhyddhau o un o gelloedd coch y gwaed os yw dirlawnder canrannol haemoglobin yn 44%?

Term Allweddol

Effaith Bohr: symudiad y gromlin ddaduniad ocsigen i'r dde o ganlyniad i wasgedd rhannol carbon deuocsid uwch. Mae haemoglobin yn dangos affinedd is ag ocsigen.

Cofiwch

Mwy o CO_2 yn y gwaed = cynhyrchu mwy o ïonau HCO_3^- a H^+ yng nghelloedd coch y gwaed = cynhyrchu mwy o HHb ac felly rhyddhau mwy o O_2.

cwestiwn cyflym

⑤ Beth yw arwyddocâd y syfliad clorid?

Ffurfio hylif meinweol

Mae hylif meinweol yn ffurfio o'r plasma sydd yn y gwaed. Mae'n cynnwys dŵr, halwynau, glwcos, asidau amino ac ocsigen wedi'i hydoddi, ac mae'n trochi'r celloedd yn y gwely capilarïau. Y prosesau canlynol sy'n ei ffurfio:

1. Mae gwasgedd hydrostatig wedi'i greu gan bwysedd gwaed ym mhen y rhydwelïyn yn gorfodi'r deunyddiau hyn allan o'r capilarïau drwy fandyllau yn eu muriau. Mae proteinau plasma yn rhy fawr i adael. Mae potensial dŵr y gwaed yn is na photensial dŵr yr hylif meinweol, sy'n tueddu i dynnu dŵr i mewn i'r capilari. Mae hyn yn lleihau ar hyd y capilari wrth i ddŵr adael, ond mae'n llai na'r gwasgedd hydrostatig felly mae'r symudiad net *tuag allan* o'r capilarïau.
2. Mae'r rhan fwyaf o'r dŵr yn cael ei adamsugno drwy gyfrwng osmosis ym mhen gwythiennig y gwely capilarïau. Yma, mae'r gwasgedd osmotig (wedi'i greu gan y graddiant potensial dŵr) yn fwy na'r gwasgedd hydrostatig yn y capilarïau felly mae symudiad net hylifau *i mewn* i'r capilari. Mae carbon deuocsid yn cael ei adamsugno drwy gyfrwng tryledaid.
3. Mae gormodedd hylif meinweol yn draenio i'r system lymffatig ac yn dychwelyd i'r system wythiennol drwy'r ddwythell thorasig, sy'n gwagio i mewn i'r wythïen isglafiglaidd chwith yn y gwddf.

» Cofiwch

Os yw pobl yn dioddef diffyg maeth, bydd crynodiadau eu proteinau plasma yn is ac felly byddant yn adamsugno *llai* o ddŵr drwy gyfrwng osmosis ym mhen gwythiennol y capilari gan fod y gwasgedd osmotig yn is. Mae hyn yn arwain at oedema (cadw hylif) a chyflwr o'r enw cwasiorcor.

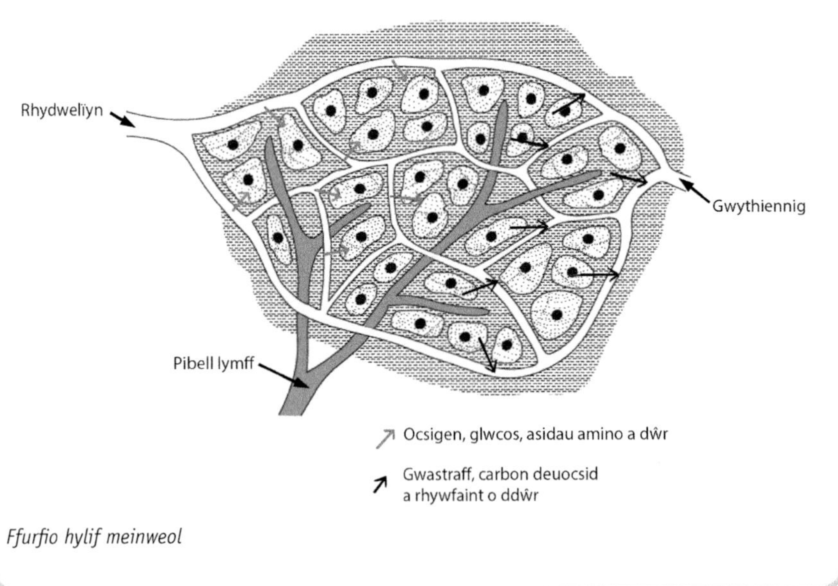

Ffurfio hylif meinweol

2.3b Addasiadau ar gyfer cludiant mewn planhigion

Mae meinwe fasgwlar mewn planhigion wedi'i wneud o ddau brif fath o feinwe: sylem a ffloem. Sylem sy'n gyfrifol am gludo dŵr ac ïonau mwynol yn ogystal â darparu cynhaliad, a ffloem sy'n gyfrifol am drawsleoli hydoddion organig, e.e. swcros, ac asidau amino. Mae'r rhain wedi'u trefnu'n wahanol mewn gwreiddiau, coesynnau a dail.

Rhan o'r planhigyn	Trefniad y feinwe fasgwlar	Diagram
Gwreiddyn	Mae'r sylem wedi'i drefnu'n ganolog mewn siâp seren ac mae'r ffloem y tu allan iddo. Mae hyn yn helpu i angori'r planhigyn yn y pridd, gan wrthsefyll grymoedd tynnu.	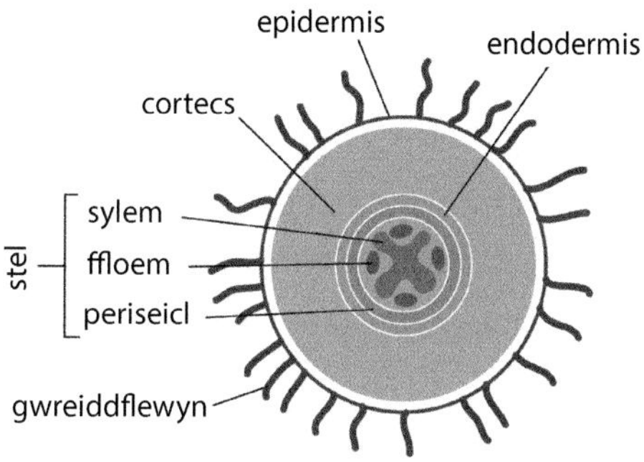
Cocsyn	Wedi'i threfnu tuag at yr ymylon mewn cylch, sy'n rhoi cynhaliad i wrthsefyll plygu.	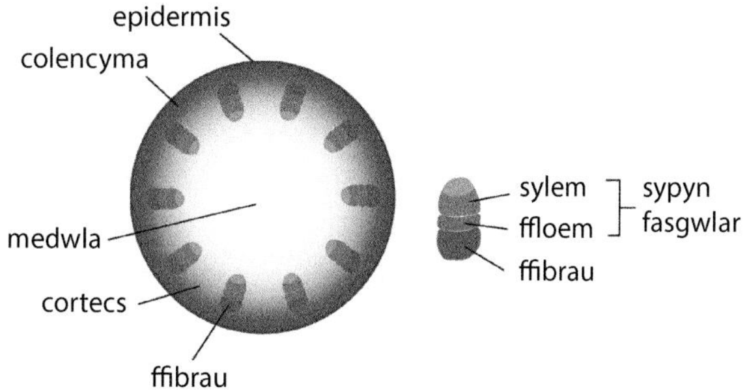
Deilen	Wedi'i threfnu yn y wythïen ganol i alluogi'r ddeilen i wrthsefyll rhwygo a hyblygrwydd.	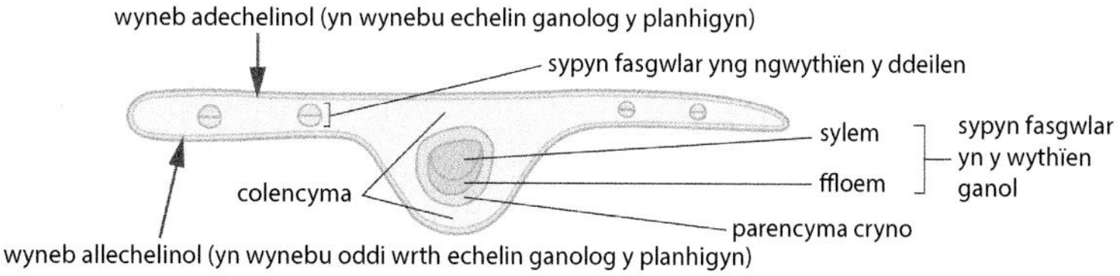

Term Allweddol

Angiosbermau: planhigion blodeuol.

Adeiledd sylem

Mae dŵr yn cael ei ddargludo drwy diwbiau a thraceidau, sy'n gelloedd marw oherwydd dyddodiadau lignin yn y muriau. Mae ffibrau yn darparu cynhaliad, ac mae parencyma sylem yn gweithredu fel meinwe becynnu. Mae traceidau yn bresennol mewn planhigion blodeuol (**angiosbermau**), rhedyn a choed conwydd, ond dim ond mewn planhigion blodeuol mae'r tiwbiau yn bresennol.

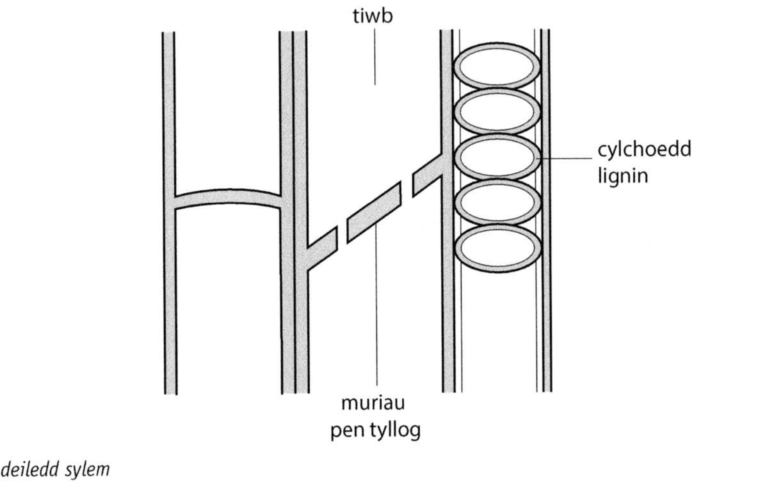

Adeiledd sylem

cwestiwn cyflym

① Nodwch ddwy o swyddogaethau sylem.

Gwella gradd

Gwnewch yn siŵr eich bod chi'n gallu adnabod y sylem a'r ffloem ar ffotomicrograffau ac electron micrograffau o wreiddiau, coesynnau a dail.

Mewnlifiad dŵr i'r gwreiddiau

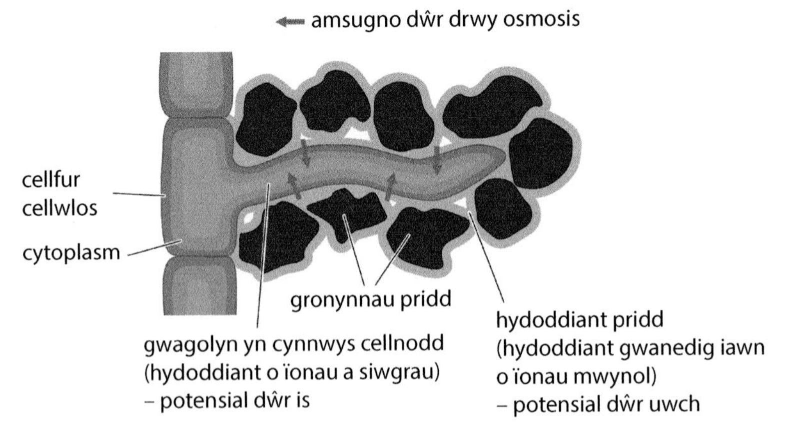

Amsugno dŵr drwy gell wreiddflew

Mae celloedd gwreiddflew wedi addasu ar gyfer mewnlifiad dŵr drwy fod ag arwynebedd arwyneb mawr. Mae dŵr yn mynd i mewn i'r celloedd gwreiddflew drwy gyfrwng osmosis, oherwydd mae potensial dŵr y pridd yn uwch na photensial dŵr gwagolyn y gell wreiddflew, sy'n cynnwys ïonau a siwgrau.

Mae dŵr yn symud ar draws cortecs y gwreiddyn o'r epidermis tuag at y sylem yn y canol ar hyd dri llwybr gwahanol:

1. Llwybr apoplast – y llwybr pwysicaf, lle mae dŵr yn symud rhwng y bylchau yn y cellfur cellwlos.
2. Llwybr symplast – mae dŵr yn symud drwy'r cytoplasm a'r plasmodesmata (llinynnau o gytoplasm drwy fân-bantiau yn y cellfur).
3. Llwybr gwagolynnol – llwybr llai pwysig lle mae dŵr yn symud o wagolyn i wagolyn.

Gwella gradd

Mae'n bwysig gwybod a yw prosesau sy'n ymwneud â chludiant dŵr yn actif neu'n oddefol.

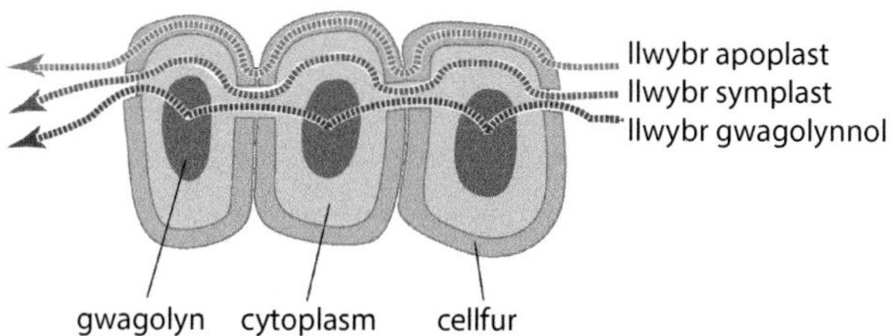

Tri llwybr mae dŵr yn eu dilyn ar draws cortecs y gwreiddyn mewn planhigion

cwestiwn cyflym

② Esboniwch pam mae dŵr sy'n teithio ar hyd y llwybr apoplast yn cael ei ddargyfeirio ar ôl cyrraedd yr endodermis.

Mae presenoldeb lignin yng nghellfuriau'r tiwbiau sylem yn eu gwneud nhw'n wrth-ddŵr. Bydd hefyd yn atal dŵr rhag mynd i'r sylem o'r llwybr apoplast. Yn y gwreiddyn, mae'r periseicl wedi'i amgylchynu ag un haen o gelloedd, sef yr endodermis, sy'n ffurfio cylch o gwmpas y feinwe fasgwlar yng nghanol y gwreiddyn. Mae cellfuriau'r endodermis wedi'u trwytho â swberin, sy'n ffurfio band anathraidd o'r enw stribed Casparaidd. Mae hwn yn gyrru dŵr o'r llwybr apoplast i mewn i'r cytoplasm. Mae'r endodermis yn helpu i reoleiddio symudiad dŵr, ïonau a hormonau i mewn ac allan o'r sylem.

Mae'r dŵr y mae'r stribed Casparaidd yn ei orfodi i mewn i gelloedd yr endodermis, ac ïonau sodiwm yn mynd i mewn i'r sylem drwy gludiant actif, yn codi potensial dŵr y celloedd hyn. Mae hyn yn gostwng potensial dŵr yr hylif yn y sylem, gan orfodi dŵr i mewn i'r sylem drwy gyfrwng osmosis: gwasgedd gwraidd yw hyn.

Mewnlifiad mwynau

Mae mwynau sy'n cynnwys nitradau a ffosffadau yn cael eu cludo'n actif i mewn i'r celloedd gwreiddflew yn erbyn eu graddiant crynodiad. Maen nhw hefyd yn gallu mynd ar hyd y llwybr apoplast mewn hydoddiant. Ar ôl iddynt gyrraedd stribed Casparaidd, maen nhw'n mynd i'r cytoplasm drwy gyfrwng cludiant actif ac yna'n symud drwy gyfrwng trylediad neu gludiant actif i'r sylem.

cwestiwn cyflym

③ Beth fyddai'r effaith ar fewnlifiad mwynau pe bai atalydd resbiradol fel cyanid yn cael ei ddefnyddio?

Symudiad dŵr o wreiddiau i ddail

Mae'r coed uchaf yn uwch na 100m, ac felly mae'n dipyn o dasg cludo cannoedd o litrau o ddŵr y pellter hwnnw i fyny i'r dail yn erbyn disgyrchiant bob dydd. Mae'r ddamcaniaeth cydlyniad–tensiwn yn esbonio sut mae dŵr yn symud i fyny'r sylem. Y prif fecanwaith sy'n tynnu dŵr i fyny'r coesyn yw **trydarthiad**, sy'n broses oddefol. Mae tyniad trydarthiad yn dibynnu ar y canlynol: **grymoedd adlynol** rhwng moleciwlau dŵr a'r sylem, a **grymoedd cydlynol** rhwng moleciwlau dŵr; mae gwasgedd gwraidd a **chapilaredd** yn cyfrannu hefyd ond fyddai'r rhain yn unig ddim yn ddigon i dynnu dŵr i fyny'r sylem i unrhyw uchder mawr.

Mae tyniad trydarthiad yn cael ei greu wrth i ddŵr anweddu o fwlch aer y ddeilen drwy'r stomata (er bod rhywfaint o dryledion drwy'r cwtigl); mae osmosis yn tynnu dŵr o'r tu mewn i'r celloedd sy'n leinio'r bwlch. Mae potensial dŵr y celloedd hyn nawr yn is felly maen nhw'n tynnu dŵr o gelloedd cyfagos drwy gyfrwng osmosis, ac mae hyn yn parhau ar draws y ddeilen nes bod dŵr yn cael ei dynnu o'r tiwb sylem. Wrth i ddŵr gael ei dynnu allan o'r sylem, mae moleciwlau dŵr yn cael eu 'tynnu' i fyny i gymryd lle'r rhai gafodd eu colli oherwydd y grymoedd cydlynol sy'n bodoli rhwng moleciwlau dŵr. Mae moleciwlau dŵr yn mynd i'r sylem i gymryd lle'r rhai sy'n symud i fyny drwy gyfrwng osmosis o'r celloedd endodermaidd, ac mae dŵr yn croesi'r cortecs o'r gwreiddflewyn yn yr un modd ag yng nghelloedd y ddeilen.

Termau Allweddol

Trydarthiad: anweddiad anwedd dŵr o'r dail neu o rannau eraill o'r planhigyn uwchlaw'r ddaear, allan drwy'r stomata i'r atmosffer.

Grymoedd adlynol: mae'r rhain yn cael eu creu rhwng y gwefrau ar y moleciwlau dŵr a'u hatyniad â leinin hydroffilig y tiwbiau.

Grymoedd cydlynol: mae'r rhain yn cael eu creu gan y grymoedd atynnu rhwng moleciwlau dŵr wrth i'w gwefrau deupol ffurfio bondiau hydrogen.

Capilaredd: symudiad dŵr i fyny tiwbiau cul, drwy weithgarwch capilarïaidd.

cwestiwn cyflym

④ Rhestrwch y prif rymoedd sy'n caniatáu i dyniad trydarthiad ddigwydd.

Ffactorau sy'n effeithio ar gyfradd trydarthu

Rhaid i blanhigion gydbwyso colledion dŵr drwy drydarthiad â'r angen i ddarparu dŵr ac ïonau mwynol i'r dail eu hunain. Felly, mae colledion dŵr yn anochel. Mae pedair ffactor yn effeithio ar gyfradd colli dŵr drwy drydarthiad:

Ffactor	Effaith
Tymheredd	Mae cynyddu'r tymheredd yn achosi i'r moleciwlau dŵr ennill mwy o egni cinetig, sy'n cynyddu cyfradd tryledu allan i'r atmosffer drwy'r stomata.
Lleithder	Wrth i leithder yr aer y tu allan i'r ddeilen gynyddu, mae'r gwahaniaeth rhwng tu mewn a thu allan y ddeilen yn lleihau, gan leihau'r graddiant tryledu.
Symudiad aer	Wrth i fuanedd aer gynyddu, mae aer dirlawn yn cael ei symud o arwyneb y ddeilen yn gyflymach, sy'n cynyddu'r graddiant tryledu.
Arddwysedd golau	Bydd cynyddu'r arddwysedd golau yn gwneud i'r stomata agor yn lletach. Gweler tudalen 84 (mecanwaith agor stomata).

O ganlyniad i hyn, bydd cyfradd trydarthu planhigion ar ei huchaf ar ddiwrnod golau, poeth, sych, gwyntog.

cwestiwn cyflym

⑤ Ar gyfer pob un o'r amodau canlynol, nodwch a ydy'r gyfradd trydarthiad yn cynyddu neu'n lleihau, ac esboniwch pam.

A. Buanedd gwynt yn gostwng.

B. Dechrau glawio.

C. Tymheredd yn cynyddu.

Gwaith ymarferol – defnyddio potomedr i gymharu cyfraddau trydarthu

Mae potomedr yn mesur cyfradd mewnlifiad dŵr. Bydd rhywfaint o'r dŵr yn cael ei ddefnyddio ar gyfer ffotosynthesis, ond os yw'r celloedd yn chwydd-dynn, mae'r gyfradd mewnlifiad yn ddigon agos at y gyfradd trydarthu. Wrth gydosod potomedr, mae'n bwysig:

- Torri'r coesyn a'i osod ar y potomedr dan ddŵr, gan fod hyn yn atal unrhyw swigod aer rhag ffurfio yn y tiwbiau sylem.
- Selio'r uniadau i gyd â Vaseline i atal aer rhag mynd i mewn.
- Blotio'r dail i'w sychu nhw oherwydd gallai unrhyw ddŵr ar arwyneb y ddeilen achosi haen laith.

Yna cyflwyno swigen aer ym mhen y tiwb capilari, a mesur y pellter mae'n ei deithio mewn cyfnod penodol, e.e. munud. Mae'r cyfaint yn hawdd ei gyfrifo os ydych chi'n gwybod diamedr y tiwb capilari. Fel unrhyw arbrawf, dylech chi ei ailadrodd.

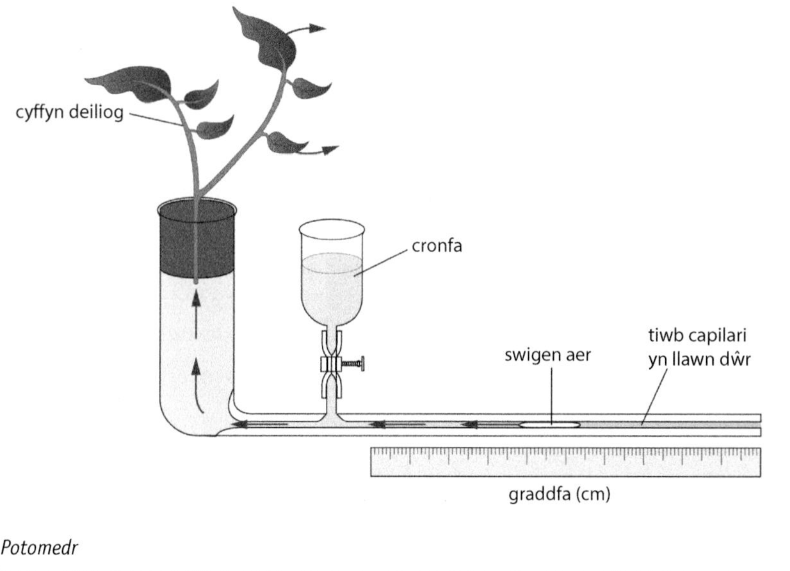

Potomedr

Cofiwch

I gyfrifo cyfaint y dŵr sy'n llifo i mewn i blanhigyn gan ddefnyddio potomedr, defnyddiwch yr hafaliad **cyfaint = $\pi r^2 d$** (lle π = 3.14, r = radiws y tiwb capilari, a d = y pellter mae'r swigen yn ei deithio). Cofiwch:

$$\frac{\text{diamedr}}{2} = \text{radiws}$$

Gwella gradd

Mae angen i chi wybod sut i gydosod potomedr gan gynnwys cymryd rhagofalon, a gwybod sut i gasglu canlyniadau dilys.

Addasiadau planhigion i fyw â gwahanol symiau o ddŵr sydd ar gael

Mesoffytau

Mae mesoffytau yn byw mewn mannau tymherus â chyflenwad dŵr digonol, ond rhaid iddynt oroesi cyfnodau o'r flwyddyn pan mae dŵr yn brin neu does dim dŵr ar gael, e.e. os yw'r dŵr wedi rhewi. Maen nhw'n gwneud y pethau canlynol i gadw dŵr:

- Cau stomata os yw dŵr yn brin, oherwydd dydy'r celloedd gwarchod ddim yn gallu aros yn chwydd-dynn.
- Colli dail a chysgu dros y gaeaf.
- Gaeafu dan y ddaear ar ffurf bylbiau neu gormau.
- Planhigion blynyddol sy'n cynhyrchu hadau sy'n gallu gaeafu.

Seroffytau

Seroffytau, e.e. moresg, yw planhigion sydd wedi addasu i fyw mewn amgylchedd sych drwy leihau eu colledion dŵr. Mae'r addasiadau hyn yn cynnwys:

- Stomata suddedig, sy'n dal aer llaith, gan leihau'r graddiant potensial dŵr rhwng bylchau aer yn y ddeilen a'r aer y tu allan iddi.
- Blew o gwmpas y stomata, sy'n dal anwedd dŵr, gan leihau'r graddiant potensial dŵr rhwng y ddeilen a'r aer.
- Dail wedi'u rholio, sy'n lleihau'r arwynebedd arwyneb lle mae trydarthiad yn digwydd. Mae rhai planhigion yn mynd â hyn i'r eithaf drwy leihau dail yn ddrain a defnyddio'r coesyn i gyflawni ffotosynthesis, e.e. cacti.
- Cwtigl trwchus, sydd hefyd yn lleihau colledion dŵr oddi ar arwyneb y ddeilen.

Hydroffytau

Mae hydroffytau yn tyfu'n rhannol neu'n gyfan gwbl dan ddŵr, felly dydy diffyg dŵr byth yn broblem, ond mae'n rhaid iddynt sicrhau eu bod nhw'n cael digon o olau a charbon deuocsid i gyflawni ffotosynthesis. Mae lili'r dŵr wedi gwneud yr addasiadau canlynol:

- Stomata ar arwyneb uchaf y ddeilen, sy'n dod i gysylltiad â'r aer.
- Bylchau aer mawr mewn coesynnau a dail i ddarparu hynofedd a chronfa o ocsigen a charbon deuocsid.
- Meinwe sylem sydd ddim yn ddatblygedig iawn oherwydd does dim angen cludo dŵr gan ei fod o'i chwmpas hi ym mhobman.
- Ychydig neu ddim cwtigl ar y dail oherwydd dydy colledion dŵr ddim yn broblem.
- Does dim angen meinwe gynhaliol oherwydd mae'r dŵr yn gyfrwng cynhaliol.

» Cofiwch

Mae'r cwtigl yn lleihau colledion dŵr. NID YW'N atal colledion dŵr yn llwyr.

cwestiwn cyflym

⑥ Esboniwch sut mae stomata suddedig yn lleihau trydarthiad.

cwestiwn cyflym

⑦ Disgrifiwch sut mae pryfed a phlanhigion yn gallu lleihau colledion dŵr mewn ffyrdd tebyg.

Trawsleoliad

Mae cynhyrchion ffotosynthesis yn cael eu cludo yn y ffloem ar ffurf swcros oddi wrth y man lle maen nhw'n cael eu cynhyrchu (y ffynhonnell) i'r mannau lle maen nhw'n cael eu defnyddio neu eu storio fel cronfeydd bwyd anhydawdd e.e. startsh (y suddfan). Mae'r ffloem hefyd yn cludo asidau amino.

Adeiledd ffloem

Mae ffloem yn feinwe fyw ac mae'n cynnwys tri phrif fath o gelloedd:

Tiwbiau hidlo – muriau â mandyllau ynddynt i gynhyrchu tiwbiau hydredol sy'n cynnwys cytoplasm ond dim cnewyllyn, ac mae'r rhan fwyaf o organynnau yn ymddatod wrth iddynt ddatblygu. Dydy'r muriau pen ddim yn ymddatod, ond mae mandyllau yn ffurfio ynddynt, gan ffurfio'r platiau pen.

Cymargelloedd – cytoplasm dwys â chnewyllyn a llawer o fitocondria; mae plasmodesmata yn eu cysylltu nhw â phob tiwb hidlo.

Parencyma ffloem yn gweithredu fel meinwe becynnu.

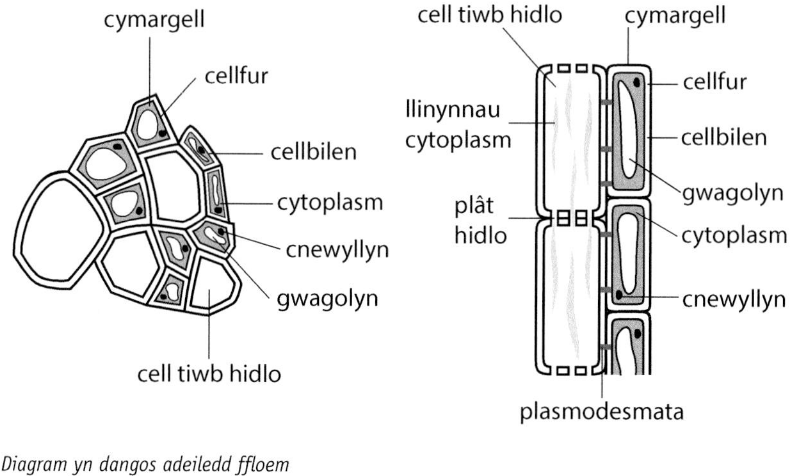

Diagram yn dangos adeiledd ffloem

cwestiwn cyflym

⑧ Awgrymwch pam mae cymargelloedd yn cynnwys llawer o fitocondria.

cwestiwn cyflym

⑨ Enwch ddau fath o gell sy'n bresennol mewn meinwe ffloem.

Tystiolaeth mai ffloem yw'r tiwb sy'n cael ei ddefnyddio ym mhroses trawsleoliad

Mae nifer o arbrofion wedi dangos pa diwbiau sy'n cludo hydoddion. Drwy ddefnyddio ^{14}C i labelu carbon deuocsid yn ymbelydrol, gallwn ni ddilyn cynhyrchion a'u llwybrau drwy roi'r planhigyn ar ffilm pelydr-X. Awtoradiograffau yw'r rhain. Rydym ni hefyd wedi defnyddio arbrofion cylchu, gan dorri cylch allanol y coesyn i gael gwared ar y ffloem a gadael y sylem ar ôl. Mae chwydd yn ffurfio uwchlaw'r cylch, sy'n awgrymu bod siwgr yn symud i lawr y coesyn yn y ffloem. Mewn arbrofion cynnar, cafodd pryfed gleision blanhigion i'w bwyta. Yna cafodd y pryfed anaesthetig cyn tynnu eu pennau allan a gadael y stylet bwyta yn ei le. Cafodd yr hylif oedd yn dod o'r stylet ei ddadansoddi, a dangosodd hyn mai swcros ydyw.

Canlyniadau'r arbrawf ^{14}C

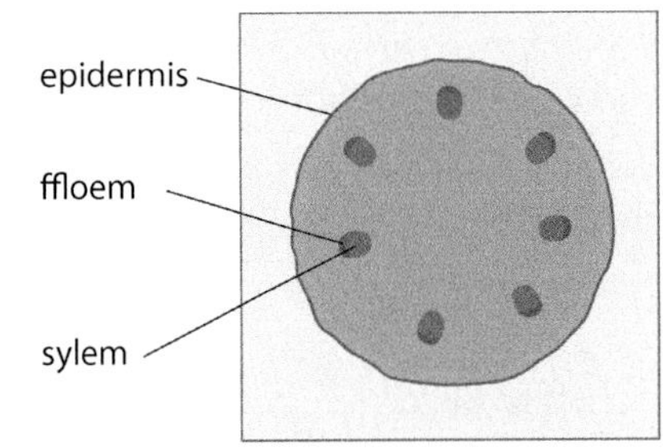

toriad drwy goesyn wedi'i osod yn erbyn ffilm ffotograffig yn y tywyllwch

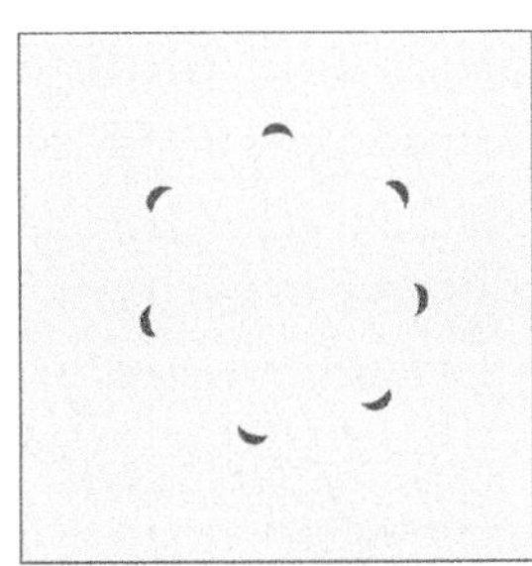

emwlsiwn ffilm wedi'i ddatblygu yn niwlog oherwydd presenoldeb ymbelydredd yn y ffloem

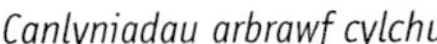

Canlyniadau arbrawf cylchu

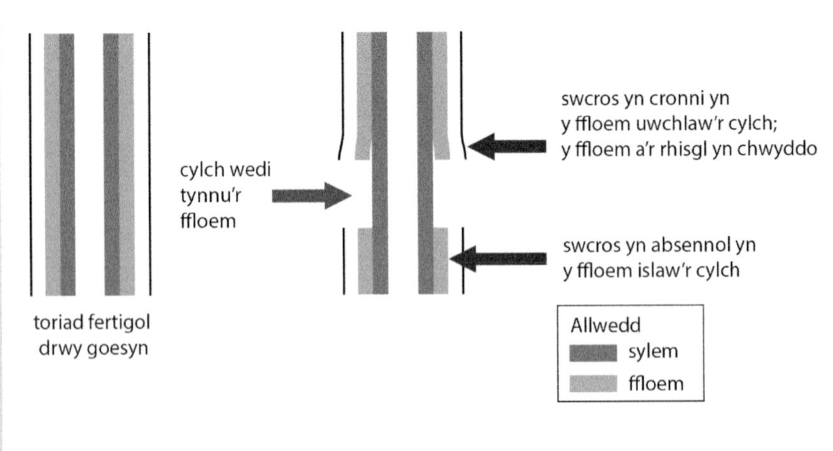

Damcaniaeth màs-lifiad

Mae nifer o ddamcaniaethau wedi cael eu cynnig i esbonio sut mae hydoddion organig yn cael eu cludo. Y rhagdybiaeth màs-lifiad yw'r un sydd wedi cael ei derbyn yn fwyaf cyffredinol, ond dydy hi ddim yn gallu esbonio sut mae swcros ac asidau amino yn cael eu cludo ar wahanol gyfraddau i gyfeiriadau dirgroes yn yr un tiwb ffloem, na sut mae cludiant yn digwydd filoedd o weithiau'n gyflymach nag sy'n bosibl drwy gyfrwng trylediad.

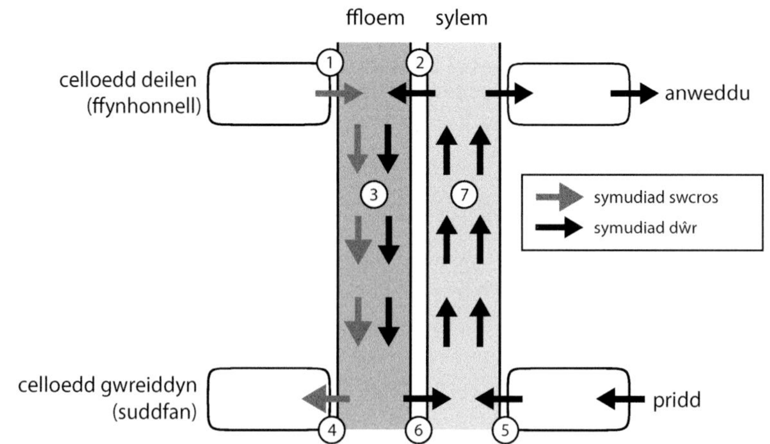

Damcaniaeth màs-lifiad

1. Mae celloedd sy'n cyflawni ffotosynthesis (celloedd ffynhonnell) yn cynhyrchu glwcos, sy'n cael ei drawsnewid yn swcros, sy'n gostwng potensial dŵr y gell. Wrth i ddŵr fynd i mewn i'r gell drwy gyfrwng osmosis, mae gwasgedd hydrostatig yn gorfodi swcros i mewn i diwb hidlo'r ffloem.
2. Mae cynyddu lefel yr hydoddion yn y ffloem yn gostwng y potensial dŵr (Ψ) ac mae dŵr yn symud i mewn o'r celloedd cyfagos a'r sylem, drwy gyfrwng osmosis, i lawr graddiant potensial dŵr. Mae hyn yn cynyddu'r *gwasgedd hydrostatig* yn y ffloem fel bod y gwasgedd yn uwch yno.
3. Mae swcros a hydoddion wedi hydoddi yn symud drwy gyfrwng màs-lifiad o fan â gwasgedd hydrostatig uchel, i lawr graddiant gwasgedd.
4. Yn y gwreiddiau/mannau tyfu (celloedd suddfan) mae'r swcros yn tryledu i'r celloedd i lawr graddiant crynodiad, felly mae'n cael ei dynnu o'r tiwbiau hidlo. Yn y tiwbiau hidlo, mae'n cael ei drawsnewid yn startsh i'w storio neu'n cael ei drawsnewid yn glwcos i'w resbiradu. Mae colli swcros o'r ffloem yn cynyddu'r potensial dŵr yn uwch nag yn y sylem a'r celloedd cyfagos.
5. Mae dŵr yn llifo i mewn i'r sylem drwy gyfrwng osmosis.
6. Mae dŵr hefyd yn symud o'r ffloem i'r sylem i lawr graddiant potensial dŵr, gan ostwng y gwasgedd hydrostatig.
7. Mae dŵr yn symud i fyny'r sylem drwy gyfrwng trydarthiad.

Mae damcaniaethau eraill wedi cael eu hawgrymu, gan gynnwys defnyddio ffilamentau protein a ffrydio cytoplasmig, a allai esbonio'r cludiant i ddau gyfeiriad.

cwestiwn cyflym

⑩ Ble byddech chi'n disgwyl gweld celloedd suddfan mewn planhigyn?

Gwella gradd

Mae angen i chi allu disgrifio rhai agweddau ar drawsleoliad sydd ddim yn cael eu hesbonio gan y rhagdybiaeth màs-lifiad.

Gwella gradd

Dylech chi allu dehongli ac esbonio canlyniadau ymchwiliadau i gludiant yn y ffloem.

2.4 Addasiadau ar gyfer maethiad

Dulliau maethiad

Dull maethiad	Organeb	Sut mae'n cael egni
Awtotroffig – gwneud ei bwyd organig ei hun o ddefnyddiau crai anorganig syml	Ffotoawtotroffig	Defnyddio egni golau i gyflawni ffotosynthesis. Mae enghreifftiau'n cynnwys planhigion gwyrdd, Protoctista a rhai bacteria.
	Cemoawtotroffig	Defnyddio egni o adweithiau cemegol. Mae enghreifftiau'n cynnwys rhai procaryotau.
Heterotroffig – bwyta moleciwlau organig cymhleth sydd wedi'u cynhyrchu gan awtotroffau	Saprotroffig	Bwydo ar ddeunydd sydd wedi marw neu'n pydru drwy secretu ensymau yn allgellog ac yna amsugno'r cynhyrchion, e.e. *Rhizopus* (llwydni bara).
	Parasitig	Cael maeth gan organeb fyw arall, sef yr organeb letyol, dros gyfnod hir, gan achosi niwed iddi yn y broses. Mae endoparasitiaid yn byw y tu mewn i gorff yr organeb letyol, e.e. y llyngyren, *Taenia*. Mae ectoparasitiaid yn byw ar yr arwyneb, e.e. y lleuen ben ddynol, *Pediculus*.
	Holosöig	Math o faethiad sy'n cael ei ddefnyddio gan y rhan fwyaf o anifeiliaid sy'n amlyncu bwyd ac yna'n ei dreulio, gan amsugno maetholion. Mae ganddynt system dreulio arbenigol. Mae enghreifftiau'n cynnwys llysysyddion (deunydd planhigol), cigysyddion (anifeiliaid), hollysyddion (deunydd planhigol ac anifeiliaid) a detritysyddion (deunydd sydd wedi marw neu'n pydru).

Term Allweddol

Maethiad parasitig: cael maetholion o organeb letyol dros gyfnod hir, gan achosi niwed iddi yn y broses.

Maethiad organebau ungellog

Mae Protoctista fel amoeba yn heterotroffau holosöig. Maen nhw'n amsugno maetholion yn uniongyrchol drwy eu cellbilen drwy gyfrwng tryledIad, gan amsugno moleciwlau mawr drwy gyfrwng endocytosis a hylifau drwy gyfrwng pinocytosis i mewn i wagolynnau bwyd. Mae lysosomau yn asio â'r gwagolynnau ac yn rhyddhau ensymau treulio. Mae maetholion yn cael eu hamsugno drwy bilen y gwagolyn bwyd ac mae gwastraff yn cael ei garthu drwy gyfrwng ecsocytosis.

Maethiad organebau amlgellog

Mae gan rai organebau mwy un agoriad yn y corff; e.e. *Hydra*, sy'n byw mewn dŵr croyw. Mae'r tentaclau yn parlysu ysglyfaeth, e.e. *Daphnia*, ac yn ei symud i geudod gwag y corff drwy'r geg. Mae ensymau proteas a lipas yn treulio'r bwyd yn allgellog, mae'r cynhyrchion yn cael eu hamsugno, ac mae'r organeb yn carthu'r gweddillion dydy hi ddim yn gallu eu treulio yn ôl drwy'r geg.

Mae gan organebau mwy datblygedig goludd tiwb, ac maen nhw'n amlyncu yn un pen ac yn carthu yn y pen arall, ac mae gan y rhai mwyaf datblygedig o'r rhain rannau arbenigol.

System dreulio bodau dynol

Mae'r coludd yn cynnwys tiwb cyhyrog gwag hir, ac mae bwyd yn mynd drwyddo drwy gyfrwng **peristalsis**. Mae gwahanol rannau o'r coludd wedi arbenigo i gyflawni pedair prif swyddogaeth:

1. Amlyncu – cymryd bwyd i mewn i'r corff drwy'r geg i ddod ag ef i gysylltiad â'r arwyneb treulio.
2. Treulio – yn achosi **hydrolysu** moleciwlau biolegol mawr i ffurfio moleciwlau llai sy'n gallu cael eu hamsugno ar draws cellbilenni. Mae treulio'n dechrau â threulio mecanyddol yn y geg gan ddefnyddio'r dannedd, sy'n torri darnau mawr o fwyd yn ddarnau llai. Yna, mae ensymau yn cwblhau'r broses o dreulio.
3. Amsugno – moleciwlau maetholion yn mynd drwy wal y coludd i'r gwaed.
4. Carthu – cael gwared ar ddefnydd heb ei dreulio, e.e. ffibrau cellwlos.

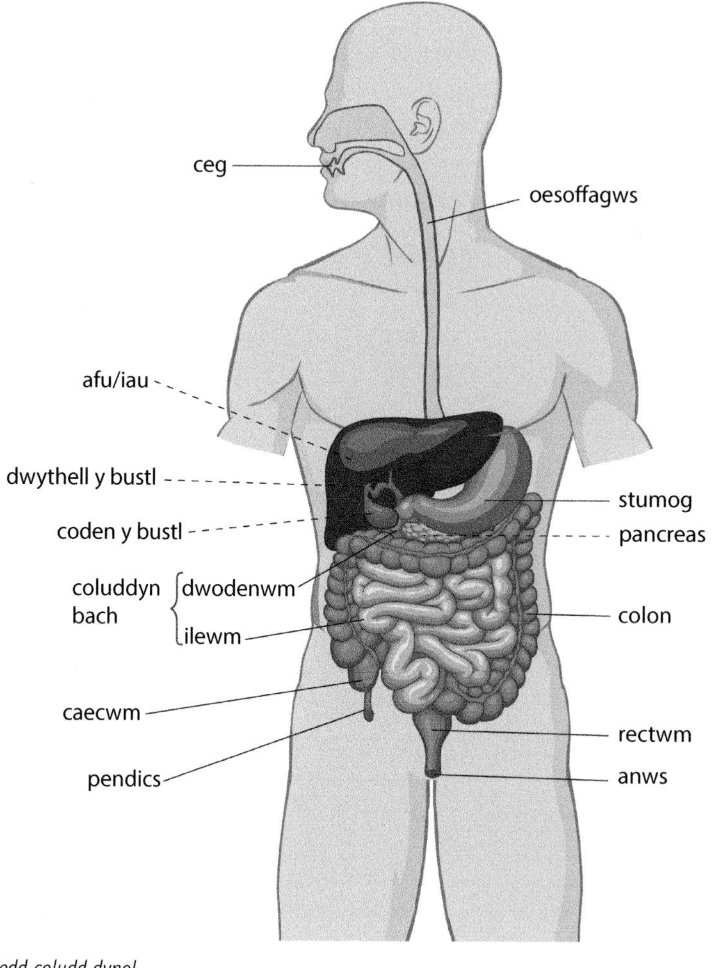

Adeiledd coludd dynol

Termau Allweddol

Peristalsis: y don gyd-drefnol o gyfangu a llaesu cyhyrau llyfn yn y coludd.

Hydrolysis: adwaith sy'n adio dŵr yn gemegol i dorri'r bond sy'n ffurfio mewn adwaith cyddwyso.

Gwella gradd

Mae treulio mecanyddol yn y geg yn cymysgu amylas poerol â bwyd, ac mae'r dannedd yn torri darnau mawr o fwyd yn ddarnau llai NID moleciwlau llai.

Gwella gradd

Carthu yw cael gwared ar fwyd heb ei dreulio yn yr ymgarthion. Ysgarthu yw cael gwared ar wastraff sydd wedi'i wneud yn y corff, e.e. wrea a charbon deuocsid.

Adeiledd wal y coludd

Mae wal y coludd dynol yn cynnwys pedair haen sylfaenol, ac mae eu cyfrannau yn amrywio mewn gwahanol rannau arbenigol.

Haen	Swyddogaeth
Serosa	Yr haen allanol sy'n cynnwys meinwe gyswllt wydn, sy'n amddiffyn y coludd ac yn lleihau ffrithiant gydag organau eraill yr abdomen.
Cyhyryn	Mae hwn yn cynnwys dwy haen: cyhyrau llyfn crwn a hydredol sy'n cyfangu mewn modd cyd-drefnol i wthio bwyd ymlaen drwy gyfrwng peristalsis.
Is-fwcosa	Meinwe gyswllt sy'n cynnwys pibellau gwaed a lymff i gludo cynhyrchion treuliad wedi'u hamsugno oddi yno. Mae nerfau'n bresennol hefyd i cyd-drefnu cyfangiadau cyhyrau.
Mwcosa	Yr haen fewnol sy'n leinio'r coludd; mae'n secretu mwcws (iro ac amddiffyn rhag ensymau). Gan ddibynnu ar y rhan, mae'n secretu ensymau ac yn amsugno bwyd a maetholion wedi'u treulio.

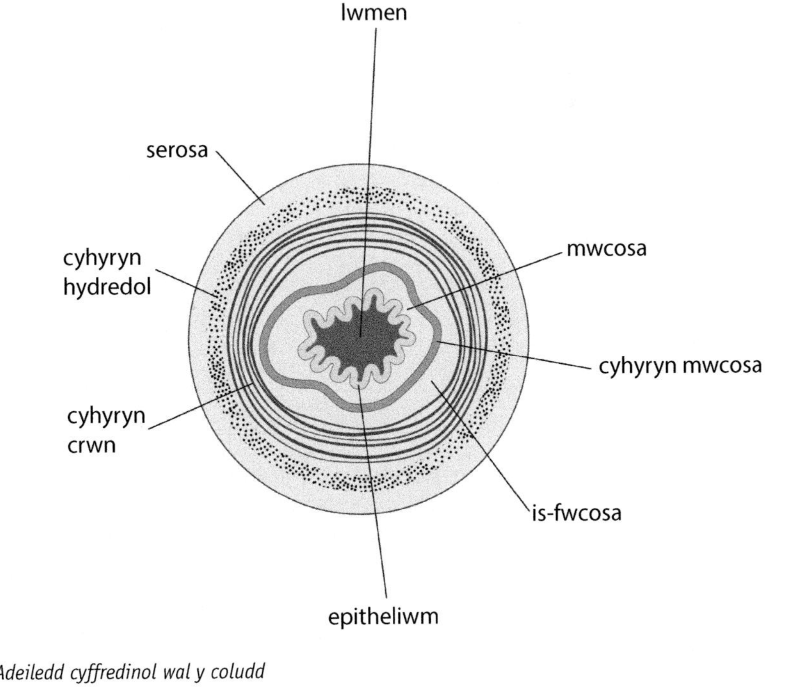

Adeiledd cyffredinol wal y coludd

cwestiwn cyflym

① Enwch bedair haen wal y coludd, yn eu trefn o'r lwmen tuag allan.

Gwella gradd

Rhaid i chi allu labelu diagram sy'n dangos toriad drwy wal y coludd.

Treuliad

Mae gwahanol grwpiau bwyd yn cael eu treulio ac yna eu hamsugno mewn gwahanol rannau o'r coludd. Rydym ni'n edrych ar hyn yn fanylach ar dudalen 108. Mae treulio carbohydradau yn dechrau wrth i amylas poerol hydrolysu startsh yn y geg, ac mae pepsin yn dechrau treulio protein yn y stumog. Mae'r tabl isod yn dangos treuliad y gwahanol grwpiau bwyd a pha ensymau sy'n cymryd rhan.

Bwyd	Proses
Carbohydradau	Mae amylas yn hydrolysu startsh i ffurfio maltos, ac yna mae maltas yn hydrolysu maltos i ffurfio glwcos. Mae swcras yn hydrolysu swcros i ffurfio glwcos a ffrwctos. Mae lactas yn hydrolysu lactos i ffurfio glwcos a galactos. 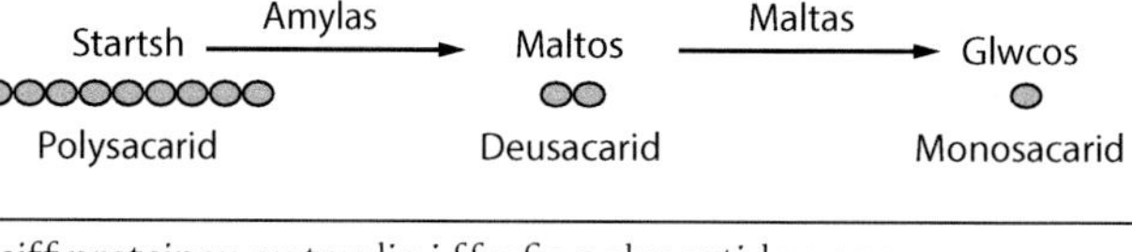
Proteinau	Caiff proteinau eu treulio i ffurfio polypeptidau, yna deupeptidau, ac yn olaf asidau amino. Peptidasau yw'r ensymau sy'n gwneud hyn, ac maen nhw wedi'u henwi yn unol â ble maen nhw'n torri bondiau peptid. 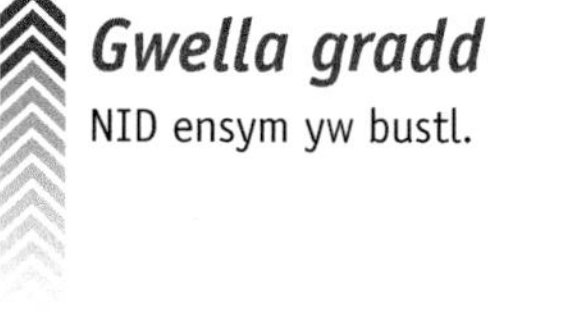 
Brasterau	Mae brasterau yn cael eu hemwlsio gan fustl ac yna eu hydrolysu i ffurfio asidau brasterog a glyserol. 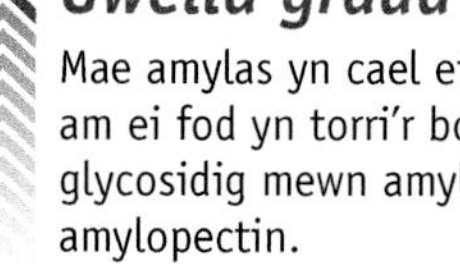

Gwella gradd

Mae amylas yn cael ei enw am ei fod yn torri'r bondiau glycosidig mewn amylos ac amylopectin.

Gwella gradd

NID ensym yw bustl.

Cofiwch

Mae endo yn golygu mewnol, ac ecso yn golygu allanol. Bydd hyn yn eich helpu chi i gofio pa ran o'r moleciwl protein sy'n cael ei hydrolysu gan endopeptidasau ac ecsopeptidasau.

Arbenigedd rannau o goludd mamolyn

1. Y geg (ceudod bochaidd)

   Dyma lle mae treulio'n dechrau. Mae'r dannedd yn treulio bwyd yn fecanyddol ac mae'r dafod yn ei gymysgu â phoer ac yn ei rolio'n folws i'w lyncu. Mae'r poer yn cynnwys yr ensym amylas, a mwcws sy'n iro'r bwyd. Yr ensym amylas sy'n dechrau'r broses o dreulio startsh.

2. Mae cyhyrau'r oesoffagws yn cyfangu i symud y bwyd tuag at y stumog drwy gyfrwng peristalsis.

3. Yn y stumog, mae cyhyrau waliau'r stumog a sudd gastrig, sy'n cynnwys asid hydroclorig (o gelloedd ocsyntig yn y mân-bantiau gastrig) a phepsin, yn treulio'r bwyd am tua phedair awr. Mae pepsin yn endopeptidas sy'n cael ei secretu ar ffurf pepsinogen anactif, ac yn cael ei actifadu gan ïonau H^+: mae hyn yn atal rhagdreulio. Mae'r pH asidig, tua 2, hefyd yn lladd bacteria. Mae celloedd gobled yn y mân-bantiau gastrig yn cynhyrchu mwcws, sy'n iro bwyd ac yn amddiffyn y leinin.

4. Y dwodenwm yw rhan gyntaf y coluddyn bach, ac mae'n derbyn secretiadau o'r afu/iau a'r pancreas. Mae bustl, sy'n cynnwys halwynau bustl, yn niwtralu bwyd asidig o'r stumog ac yn emwlsio brasterau. Mae sudd pancreatig ychydig bach yn alcalïaidd (oherwydd presenoldeb sodiwm hydrogen carbonad) ac mae'n cael ei secretu gan gelloedd ynysig yn y pancreas, ac yn mynd i mewn i'r dwodenwm drwy'r ddwythell bancreatig. Mae'n cynnwys endopeptidasau a thrypsinogen (sy'n anactif; mae enterocinas yn ei drawsnewid i ffurfio'r ffurf actif trypsin), amylas a lipas. Mae chwarennau Brunner yng ngwaelod cryptau Lieberkühn yn cynhyrchu secretiadau alcalïaidd sydd hefyd yn niwtralu bwyd asidig o'r stumog. Mae llawer o blygion ym mwcosa'r coluddyn bach, sy'n ffurfio filysau. Yn y dwodenwm, mae celloedd ar flaenau'r filysau yn secretu endopeptidasau ac ecsopeptidasau, ac mae peptidasau, sydd wedi'u rhwymo wrth gelloedd epithelaidd, yn gorffen treulio peptidau i ffurfio asidau amino. Mae ensymau maltas, lactas a swcras, sydd hefyd wedi'u rhwymo wrth y celloedd epithelaidd, yn cwblhau'r broses o dreulio carbohydradau.

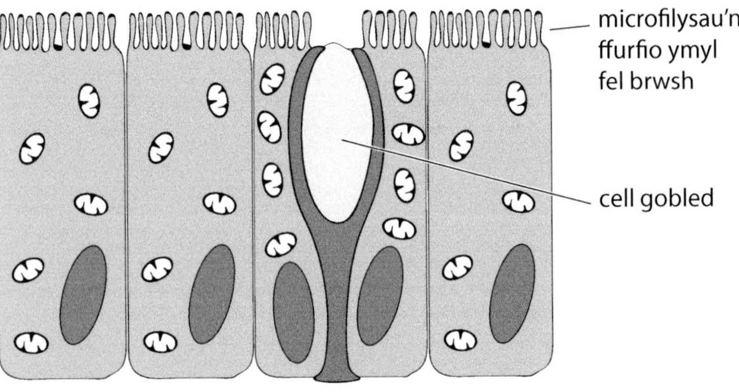

Adeiledd y celloedd epithelaidd sy'n leinio'r coluddyn bach

Emwlsio: torri defnynnau braster mawr yn ddefnynnau llai, sy'n cynyddu'r arwynebedd arwyneb sydd ar gael i lipas weithredu arno.

Cofiwch

Mae cydgludiant yn golygu cludo dau foleciwl gwahanol gyda'i gilydd, e.e. glwcos ac ïonau sodiwm, a dyma'r mecanwaith mae mamolion yn ei ddefnyddio i amsugno glwcos yn yr ilewm – gweler tudalen 35.

5. Yr ilewm yw ail ran y coluddyn bach, ac mae'n gyfrifol am amsugno bwyd wedi'i dreulio. Mae filysau a microfilysau'n cynyddu arwynebedd arwyneb yr ilewm yn fawr (dros 600 gwaith) i amsugno maetholion drwy gyfrwng trylediad, trylediad cynorthwyedig, cydgludiant a chludiant actif, ac er mwyn i ensymau sydd wedi'u rhwymo wrth bilenni'r epitheliwm weithredu:
   - Mae glwcos yn mynd i mewn i gelloedd epithelaidd drwy gyfrwng cydgludiant a chludiant actif ac yn mynd i mewn i gapilari'r filws drwy gyfrwng trylediad cynorthwyedig.
   - Mae asidau amino yn mynd i mewn i gelloedd epithelaidd drwy gyfrwng cludiant actif ac yna i mewn i gapilari'r filws drwy gyfrwng trylediad cynorthwyedig.
   - Mae asidau brasterog a glyserol yn mynd i mewn i gelloedd epithelaidd drwy gyfrwng trylediad, ac yno maen nhw'n ailgyfuno i ffurfio triglyseridau ac yn mynd i mewn i lacteal y filws. Yn y celloedd epithelaidd hyn, mae reticwlwm endoplasmig llyfn datblygedig iawn yn cynorthwyo â'r broses hon.
   - Mae dŵr yn cael ei amsugno drwy gyfrwng osmosis i mewn i gelloedd epithelaidd ac i gapilari'r filws.
   - Mae fitaminau hydawdd mewn dŵr (e.e. B ac C) yn cael eu hamsugno'n uniongyrchol i'r gwaed, ac mae fitaminau hydawdd mewn braster (e.e. A, D ac E) yn cael eu hamsugno i'r lactealau drwy gyfrwng trylediad.

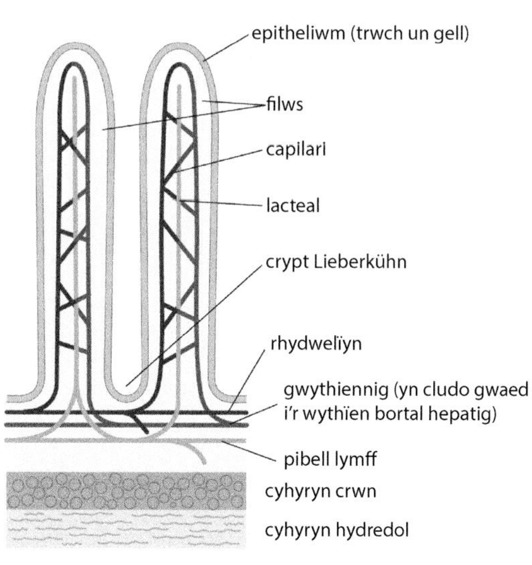

Toriad hydredol drwy fur ilewm

6. Mae filysau bach yn bresennol yn y coluddyn mawr (pendics, caecwm, colon, rectwm ac anws) a hwn sy'n gyfrifol am amsugno dŵr a ffurfio ymgarthion, sy'n cael eu storio yn y rectwm nes eu bod nhw'n cael eu carthu. Y bacteria cydymddibynnol sy'n bresennol yn y colon sy'n gyfrifol am gynhyrchu fitamin K ac asid ffolig. Mae'r wythïen bortal hepatig yn cludo glwcos ac asidau amino i'r afu/iau, lle maen nhw'n cael eu prosesu. Mae'r lactealau yn draenio i'r system lymffatig sy'n draenio i mewn i'r gwaed drwy'r ddwythell thorasig yn y wythïen isglafiglaidd dde.

cwestiwn cyflym

② Pa rannau o'r filws sy'n amsugno'r cynhyrchion canlynol?

A. glwcos

B. asidau brasterog a glyserol

C. asidau amino.

ychwanegol

Cwblhewch y tabl canlynol sy'n crynhoi treuliad y gwahanol grwpiau bwyd mewn bodau dynol.

Bwyd	Rhan o'r coludd	Ensym(au)	Safle cynhyrchu	pH	Swbstrad	Cynhyrchion	Sut mae'n cael ei amsugno
Carbohydrad	Ceg	Amylas	……………	7	……………	Maltos	
	…………… (rhan 1af y coluddyn bach)	Amylas	……………	7	……………	Maltos	
	…………… (2il ran y coluddyn bach)	…………… …………… ……………	…………… mwcosa	8.5	Maltos Swcros Lactos	…………… ……………+ …………… ……………+ ……………	Mae glwcos yn mynd i mewn i gelloedd …………… drwy gyfrwng …………… ac yn mynd i mewn i gapilari'r filws drwy gyfrwng …………… ……………
Protein	Stumog	……………	Chwarennau gastrig	2	……………	Polypeptidau	
	…………… (rhan 1af y coluddyn bach)	endopeptidasau	……………	7	…………… Polypeptidau	Polypeptidau ……………	
	…………… (2il ran y coluddyn bach)	endopeptidasau ac ecsopeptidasau	Mwcosa'r ……………	8.5			Mae asidau amino yn mynd i mewn i gelloedd …………… drwy gyfrwng cludiant actif ac yna i mewn i gapilari'r filws drwy gyfrwng …………… ……………

Lipid*	.... (rhan 1af y coluddyn bach) .... (2il ran y coluddyn bach)	....	.... Mwcosa'r	7 8.5	Lipidau Lipidau	.... a .... a	Mae asidau brasterog a glyserol yn mynd i mewn i gelloedd .... drwy gyfrwng tryledriad. Maen nhw'n ailgyfuno i ffurfio .... ac yn mynd i mewn i lacteal y filws
....	Amherthnasol	-	-	-	-	-	Darparu swmp ac ysgogi ....
Dŵr	Amherthnasol	-	-	-	-	-	Drwy gyfrwng .... i filysau a'r colon

DS – mae bustl yn emwlsio brasterau i gynhyrchu defnynnau llai, sy'n cynyddu'r arwynebedd arwyneb sydd ar gael i lipas weithredu arno.
Mae mwcws yn iro bwyd ac yn gwarchod wal y coludd rhag ensymau/asid (stumog).

Term Allweddol

Ysgithrau: gogilddannedd uchaf a childdannedd isaf sydd wedi'u haddasu mewn cigysyddion i weithio fel siswrn er mwyn rhwygo esgyrn a chnawd.

cwestiwn cyflym

③ Disgrifiwch ddau wahaniaeth rhwng dannedd cigysydd a dannedd llysysydd.

Addasiadau i ddeietau gwahanol

Mae deintiad ac adeiledd coludd gwahanol anifeiliaid yn cael eu haddasu i adlewyrchu eu deiet. Mae gan anifeiliaid sy'n bwyta cig yn unig ddeintiad ac adeiledd coludd sy'n wahanol i anifeiliaid sy'n bwyta deiet sy'n cynnwys llystyfiant yn unig.

Cigysyddion

Mae cigysyddion wedi esblygu blaenddannedd miniog i rwygo cnawd, dannedd llygad pigfain i dyllu cnawd a lladd ysglyfaethau, a childdannedd arbenigol (y 3ydd cilddant blaen ar yr ên uchaf a'r cilddant 1[af] ar yr ên isaf), sef **ysgithrau**, i dorri cnawd ac esgyrn. Mae ganddynt gyhyrau gên pwerus, sy'n symud yr ên isaf yn fertigol i fyny ac i lawr, ac maen nhw'n gallu agor eu genau yn llydan i ddal anifeiliaid ysglyfaeth mawr. Mae eu coluddion yn gymharol fyr, oherwydd protein yw'r rhan fwyaf o'u deiet, ac mae hwn yn gymharol hawdd ei dreulio.

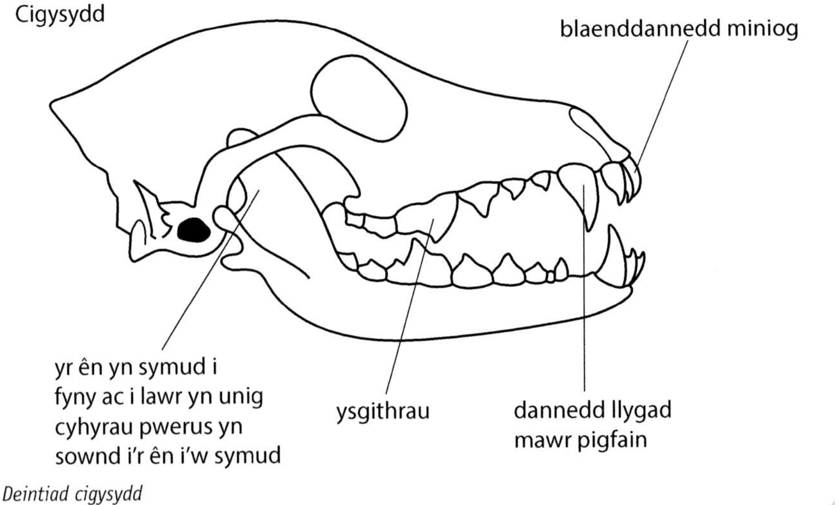

Deintiad cigysydd

Llysysyddion

Yr anhawster wrth fwyta deiet llystyfol yw mai cellwlos yw prif gydran cellfuriau mewn meinweoedd planhigol. Mae wedi'i wneud o β-glwcos, ond mae'r moleciwlau hyn wedi'u trefnu mewn microffibrolion sy'n ei gwneud hi'n anodd iawn treulio cellwlos. Mae gan lysysyddion flaenddannedd a dannedd llygad sy'n torri drwy lystyfiant. Does gan rai llysysyddion ddim blaenddannedd yn yr ên uchaf; yn lle hynny, mae ganddynt bad cornaidd, ac mae'r dannedd isaf yn torri yn erbyn hwn. Mae bwlch, sef y diastema, yn galluogi'r anifail i gymysgu'r bwyd yn ystod y broses gnoi. Mae eu cilddannedd yn cydgloi ac mae'r rhain yn arw oherwydd yr ymylon enamel miniog sydd arnynt. Mae'r deunydd planhigol garw yn treulio'r dannedd, felly maen nhw'n tyfu'n gyson. Mae'r genau yn gallu symud o ochr i ochr i helpu i falu'r bwyd.

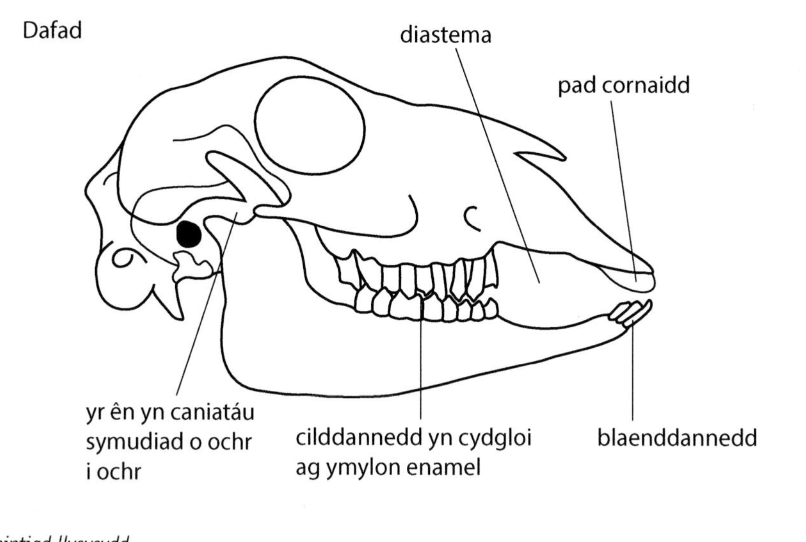

Deintiad llysysydd

Anifeiliaid cnoi cil

Mae gan anifeiliaid cnoi cil, sy'n cynnwys gwartheg a defaid, oesoffagws sydd wedi'i addasu sy'n cynnwys tair siambr – un o'r rhain yw'r rwmen – yn ogystal â 'gwir' stumog.

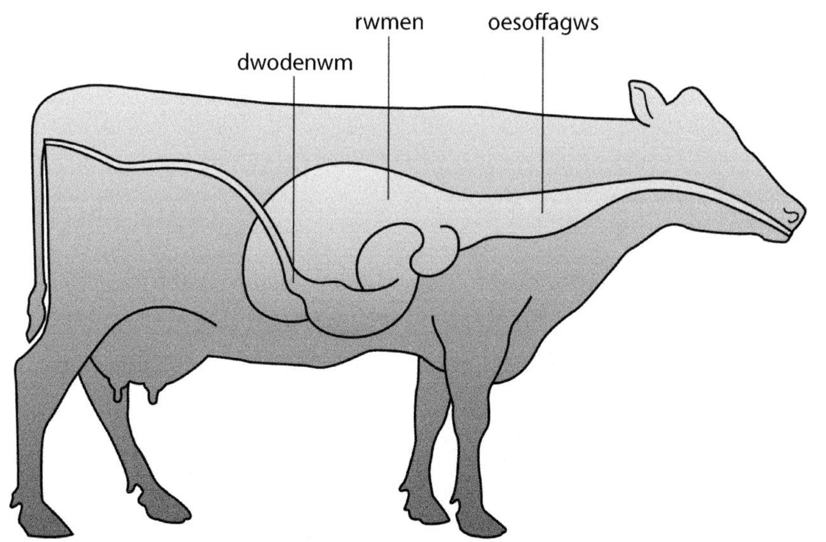

Coludd anifail cnoi cil

- Yn gyntaf, mae'r anifail yn cnoi'r gwair i ffurfio bolws, sef y 'cil', sy'n cael ei lyncu ac yn mynd i'r rwmen lle mae'n cymysgu â bacteria cydymddibynnol sy'n treulio cellwlos ac yn cynhyrchu glwcos ohono. Mae'r bacteria yn resbiradu'r glwcos yn anaerobig gan gynhyrchu asidau organig, carbon deuocsid a methan fel cynhyrchion gwastraff.

Gwella gradd

Peidiwch â dweud bod gan anifeiliaid cnoi cil bedair stumog – mae ganddynt bedair siambr, ac un o'r rhain yw'r 'gwir' stumog.

cwestiwn cyflym

④ Pam mae angen bacteria treulio cellwlos ar anifeiliaid cnoi cil?

Cofiwch

Does gan gwningod ddim rwmen. Yn lle hynny, mae bacteria treulio cellwlos yn byw yn y caecwm a'r pendics. Felly, rhaid iddynt fwyta eu hymgarthion eto i amsugno cynhyrchion treulio cellwlos.

- Mae'r gwair sydd ar ôl yn mynd i'r reticwlwm lle mae'n cael ei ailffurfio mewn cil, sy'n cael ei ailchwydu a'i ailgnoi i gynyddu'r arwynebedd arwyneb i'r cellwlasau bacteriol weithio arno, cyn cael ei lyncu eto.
- Nawr mae'r cil yn symud i'r omaswm, lle caiff asidau organig eu hamsugno i'r gwaed.
- Yn olaf, mae'r defnydd yn symud i'r abomaswm (y gwir stumog) lle mae asid yn lladd y bacteria ac mae pepsin yn dechrau treulio'r bacteria.
- Caiff dŵr ei amsugno yn y coluddyn mawr mewn modd tebyg i fodau dynol.

Parasitiaid

Parasitiaid yw organebau sy'n byw mewn organeb letyol (endoparasitiaid) neu arni (ectoparasitiaid), gan wneud niwed iddi. Mae gan y llyngyren borc, *Taenia solium*, ddwy organeb letyol: bodau dynol yw'r organeb letyol gynradd (yr un lle mae atgenhedlu rhywiol yn digwydd) a moch yw'r organeb letyol eilaidd. Mae angen y ddwy i gwblhau cylchred bywyd y parasit yn llawn. Os yw bod dynol yn bwyta wyau'r parasit yn uniongyrchol, yn hytrach na bwyta cig wedi'i heintio, mae codennau yn gallu ffurfio yn yr ymennydd, sy'n achosi cyflwr llawer mwy difrifol.

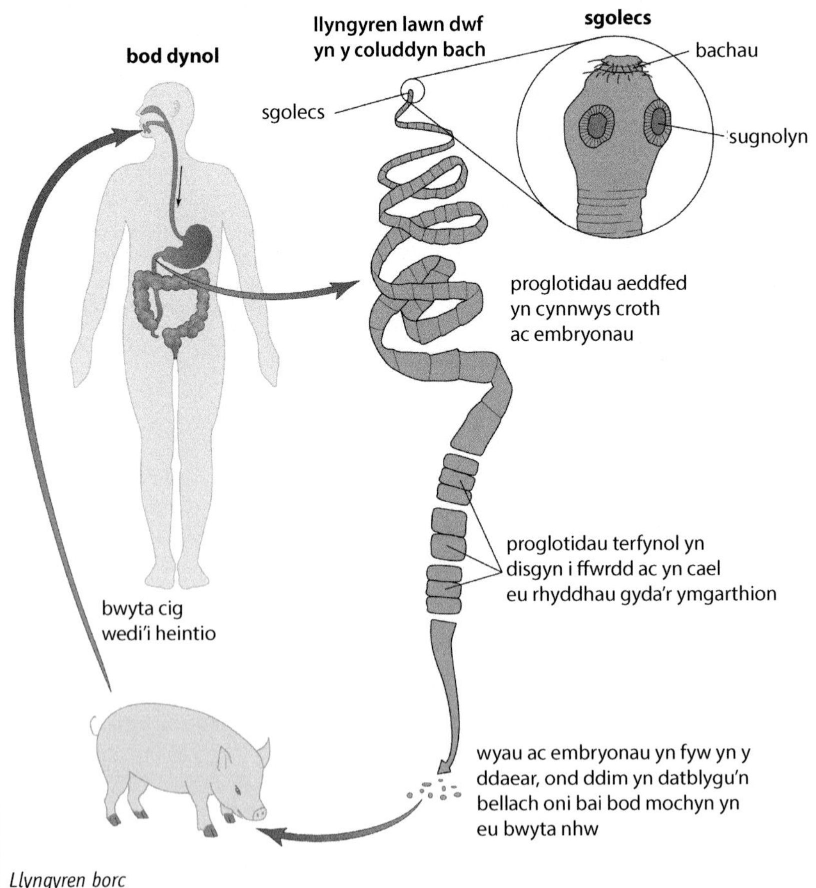

Llyngyren borc

Mae'r llyngyren borc wedi esblygu llawer o addasiadau i oresgyn yr amgylchedd anghyfeillgar y tu mewn i system dreulio bodau dynol:

Addasiad	Rheswm
Sugnolynau a bachau	Glynu at wal y coludd
Tenau a chymhareb arwynebedd arwyneb i gyfaint fawr	Amsugno cymaint â phosibl o fwyd wedi'i dreulio
Cynhyrchu atalyddion ensymau	Atal ensymau'r organeb letyol rhag ei threulio hi
Cwtigl trwchus	Ei hamddiffyn rhag ymatebion imiwn yr organeb letyol
Ffurfiadau atgenhedlu gwrywol a benywol	Caniatáu atgenhedlu rhywiol heb ail lyngyren
Cynhyrchu niferoedd enfawr o wyau (mae un segment yn gallu cynnwys hyd at 125,000 o wyau. Mae chwe segment yn gadael y corff yn yr ymgarthion bob dydd)	Cynyddu'r siawns o ddod o hyd i organeb letyol arall
Plisg gwydn ar yr wyau	Gallu goroesi nes bod yr organeb letyol eilaidd yn eu bwyta nhw

Does gan y llyngyren ddim system dreulio, felly mae hi'n amsugno cynhyrchion treulio'r organeb letyol yn uniongyrchol drwy ei chwtigl. Mae llau pen (*Pediculus*) yn enghraifft o ectoparasit, ac mae'r rhain yn bwydo drwy sugno gwaed o gorun yr organeb letyol. Mae'n bryfyn heb adenydd, felly yr unig ffordd mae'n gallu symud i organeb letyol newydd yw drwy gyffyrddiad uniongyrchol. Mae'n cymryd tua phythefnos i nymff ddod allan o wy, ac yna mae'n bwyta gwaed. Ar ôl 10 diwrnod arall, mae nymffau yn datblygu'n llau llawn dwf, sydd yna'n gallu dodwy wyau, ac mae'r gylchred yn parhau. Mae wedi esblygu nifer o addasiadau i'w ffordd o fyw barasitig:

- Mae'r coesau wedi addasu i fod yn debyg i grafangau i ddal gafael ar y gwallt.
- Mae'n dodwy wyau sy'n glynu at waelod gwallt.

Cwestiwn cyflym

⑤ Enwch dair problem mae'n rhaid i lyngyren eu goresgyn.

Gwella gradd

Byddwch yn barod i esbonio sut mae pob addasiad yn helpu'r parasit.

Crynodeb Uned 2

Dosbarthiad a bioamrywiaeth

- Mae dosbarthiad yn hierarchaidd ac yn trefnu organebau tebyg mewn parthau, teyrnasoedd, ffyla, dosbarthiadau, urddau, teuluoedd, genera a rhywogaethau
- Gallwn ni ddefnyddio nodweddion corfforol, DNA a dilyniannau asidau amino ac imiwnoleg i ymchwilio i'r berthynas rhwng organebau
- Mae bioamrywiaeth yn gallu amrywio dros amser ac yn ofodol
- Addasiadau i wahanol amgylcheddau drwy gyfrwng detholiad naturiol

Addasiadau ar gyfer cludiant mewn anifeiliaid

- Mae systemau cylchrediad naill ai'n agored neu'n gaeedig, ac maen nhw'n defnyddio pwmp. Mewn anifeiliaid, y prif bibellau yw rhydwelïau, rhydwelïynnau, capilarïau, gwythienigau a gwythiennau
- Mae'r galon yn fyogenig ac yn cael ei rheoli gan ddarnau arbenigol o ffibrau cardiaidd. Mae'r gylchred gardiaidd yn cynnwys systole atrïaidd, systole fentriglaidd a diastole cyflawn
- Mae gwaed yn cynnwys plasma, celloedd coch y gwaed sy'n cynnwys haemoglobin (cludo ocsigen), a chelloedd gwyn y gwaed (amddiffyn y corff). Mae'n cludo ocsigen ar ffurf ocsihaemoglobin. Mae carbon deuocsid yn cael ei gludo ar ffurf ïonau hydrogen carbonad gan fwyaf
- Ffurfio hylif meinweol a'i swyddogaeth o ran cyflenwi maetholion i gelloedd a chael gwared ar wastraff

Addasiadau ar gyfer cyfnewid nwyon

- Problemau sy'n gysylltiedig â chynnydd mewn maint – mae gofynion organeb yn cynyddu X^3, a'r arwyneb sydd ar gael yn cynyddu X^2 felly mae angen arwyneb cyfnewid nwyon arbenigol ar organebau mwy, e.e. tagellau neu ysgyfaint, mecanwaith awyru, a system cludiant. Mae organebau ungellog yn defnyddio trylediad syml
- Cyfnewid nwyon mewn pysgod drwy'r tagellau, gan ddefnyddio llif paralel o ddŵr a gwaed mewn siarcod a llif gwrthgerrynt mewn pysgod esgyrnog. Mae symudiadau'r opercwlwm yn awyru'r tagellau
- Mae bodau dynol yn cyfnewid nwyon yn yr alfeoli yn yr ysgyfaint. Mae anadlu â gwasgedd negatif yn awyru'r ysgyfaint
- Mae gan bryfed system draceâu o diwbiau wedi'u leinio â chitin. Mae'r rhain yn arwain at draceolau sy'n dod i gysylltiad uniongyrchol â'r meinweoedd. Mae sbiraglau yn gallu cau i leihau colledion dŵr
- Mae planhigion yn defnyddio stomata i gyfnewid nwyon; mae'r rhain yn cau dros nos neu yn ystod cyfnodau o ddiffyg dŵr

Addasiadau ar gyfer cludiant mewn planhigion

- Mae dosbarthiad meinwe fasgwlar mewn planhigion yn wahanol mewn gwreiddiau, coesynnau a dail. Mae sylem yn cludo dŵr ac ïonau mwynol wedi'u hydoddi, ac mae tiwbiau hidlo ffloem yn cludo hydoddion (swcros ac asidau amino) o'r FFYNHONNELL i'r SUDDFAN yn unol â damcaniaeth màs-lifiad
- Mae dŵr yn symud drwy'r gwreiddyn ar hyd y llwybrau apoplast, symplast a gwagolynnol
- Trydarthiad yw colled anwedd dŵr o'r ddeilen drwy'r stomata. Mae'r grymoedd sy'n ymwneud â hyn yn cynnwys: grymoedd adlynol a chydlynol, gwasgedd gwraidd a thyniad trydarthiad
- Mae planhigion wedi addasu i fyw mewn amgylcheddau sych (seroffytau) a gwlyb (hydroffytau)

Addasiadau ar gyfer maethiad

- Dulliau maethiad – mae planhigion yn awtotroffig ac yn gallu gwneud bwyd drwy gyfrwng ffotosynthesis. Mae anifeiliaid yn heterotroffig ac yn bwyta defnydd organig cymhleth
- Mae bwyd yn cael ei brosesu drwy ei amlyncu, ei dreulio, ei amsugno a'i garthu. Mae gwahanol rannau o'r coludd wedi arbenigo i gyflawni'r swyddogaethau hyn. Y cynhyrchion terfynol yw glwcos, asidau amino, asidau brasterog a glyserol
- Addasiadau i ddeietau gwahanol – mae llysysyddion a chigysyddion wedi esblygu deintiad gwahanol. Mae gan anifeiliaid cnoi cil stumog arbenigol lle mae bacteria treulio cellwlos yn byw
- Parasitedd – mae parasitiaid yn byw mewn organeb letyol, neu arni, gan wneud niwed iddi. Maen nhw wedi esblygu addasiadau i oroesi mewn amodau anghyfeillgar, e.e. y tu mewn i goludd bodau dynol

Arfer a thechneg arholiad

Nodau ac amcanion

Nod Bioleg Safon Uwch CBAC yw annog dysgwyr i wneud y canlynol:

- Datblygu gwybodaeth a dealltwriaeth hanfodol o feysydd gwahanol bioleg a sut mae'r meysydd hyn yn cysylltu â'i gilydd.
- Datblygu a dangos gwerthfawrogiad dwys o'r sgiliau, y wybodaeth a'r ddealltwriaeth o'r dulliau gwyddonol sy'n cael eu defnyddio ym maes bioleg.
- Datblygu cymhwysedd a hyder mewn amrywiaeth o sgiliau ymarferol, mathemategol a datrys problemau.
- Datblygu eu diddordeb a'u brwdfrydedd am bwnc bioleg, gan gynnwys datblygu diddordeb i'w astudio ymhellach ac i ddilyn gyrfaoedd sy'n gysylltiedig â'r pwnc.
- Deall sut mae cymdeithas yn gwneud penderfyniadau am faterion biolegol a sut mae bioleg yn cyfrannu at lwyddiant yr economi a chymdeithas.

Mathau o gwestiynau arholiad

Mae **dau** brif fath o gwestiwn yn yr arholiad:

1. Cwestiynau strwythuredig ateb byr

Mae'r rhan fwyaf o gwestiynau'n perthyn i'r categori hwn. Efallai y bydd y cwestiynau hyn yn gofyn i chi ddisgrifio, esbonio, cymhwyso, a/neu werthuso rhywbeth, ac maen nhw'n werth 6–10 marc fel arfer. Gallai cwestiynau cymhwyso ofyn i chi ddefnyddio eich gwybodaeth mewn cyd-destun anghyfarwydd neu esbonio data arbrofol. Mae'r cwestiynau wedi'u rhannu'n ddarnau llai, e.e. a), b), c), etc., sy'n gallu cynnwys rhai cwestiynau enwi neu nodi am 1 marc. Efallai y bydd gofyn i chi hefyd gwblhau tabl, labelu neu luniadu diagram, plotio graff, neu wneud cyfrifiad mathemategol.

Rhai enghreifftiau o enwi neu nodi:

- Enwch y bond sydd wedi'i labelu'n X ar y diagram. (1 marc)
- Enwch y math o gellraniad sy'n digwydd. (1 marc)
- Beth yw enw'r math hwn o ddiagram? (1 marc)

Rhai enghreifftiau o gyfrifiadau mathemategol:

- Chwyddhad y ddelwedd uchod yw × 32 500. Cyfrifwch led gwirioneddol yr organyn mewn micrometrau rhwng pwyntiau A a B. (2 farc)
- Defnyddiwch y fformiwla a'r tabl isod i gyfrifo'r Mynegai Amrywiaeth. (3 marc)

Rhai enghreifftiau sy'n gofyn am ddisgrifio:

- Disgrifiwch ganlyniadau'r ensymau rhydd ar dymheredd uwch na 40 °C. (2 farc)
- Disgrifiwch un peth sy'n debyg ac un peth sy'n wahanol rhwng adeileddau citin a chellwlos. (2 farc)
- Disgrifiwch sut gallem ni ddefnyddio rhwyd ysgubo i amcangyfrif Mynegai Amrywiaeth pryfed yng ngwaelod perth. (3 marc)

Rhai enghreifftiau sy'n gofyn am esbonio:

- Esboniwch pam mae'n rhaid bod tri bas ym mhob codon i gydosod yr asid amino cywir. (2 farc)
- Gan roi enghreifftiau, esboniwch y gwahaniaeth rhwng ffurfiadau homologaidd a chydweddol. (2 farc)
- Esboniwch sut mae adeileddau cellwlos a chitin yn wahanol i adeiledd startsh. (2 farc)

Rhai enghreifftiau sy'n gofyn am gymhwyso:

- Defnyddiwch eich gwybodaeth am adeiledd cellbilenni i esbonio pam mae ethanol yn achosi i'r pigment coch betacyanin ollwng o'r celloedd betys. (2 farc)
- Esboniwch pam roedd cyfradd mewnlifiad dŵr i'r planhigyn yn cynyddu wrth i fuanedd y gwynt gynyddu. (3 marc)
- Pa gasgliadau allech chi eu tynnu o'r arbrawf hwn o ran effaith tymheredd ar gellbilenni? (3 marc)

Rhai enghreifftiau sy'n gofyn am werthuso:

- Disgrifiwch sut gallech chi wella eich hyder yn eich casgliad. (2 farc)
- Rhowch sylwadau am ddilysrwydd eich casgliad. (2 farc)
- Gwerthuswch gryfder eu tystiolaeth ac felly dilysrwydd eu casgliadau. (4 marc)

2. Cwestiynau traethawd hirach

Fel rhan o'r arholiad, bydd angen i chi ateb cwestiwn ymateb estynedig sy'n werth 9 marc. Bydd y cwestiwn hwn yn asesu ansawdd eich ymateb estynedig. Byddwch chi'n cael marciau yn seiliedig ar gyfres o ddisgrifyddion: i gael marciau llawn, mae'n bwysig rhoi disgrifiad llawn a manwl gan gynnwys esboniad manwl. Dylech chi ddefnyddio terminoleg a geirfa wyddonol yn gywir, gan gynnwys sillafu a gramadeg cywir a pheidio â chynnwys gwybodaeth amherthnasol. Mae'n syniad da ffurfio cynllun cryno cyn i chi ddechrau rhoi trefn ar eich meddyliau: dylech chi groesi hwn allan ar ôl i chi orffen. Byddwn ni'n edrych ar rai enghreifftiau yn nes ymlaen.

Geiriau gorchymyn neu eiriau gweithredu

Mae'r rhain yn dweud wrthych chi beth mae angen i chi ei wneud. Dyma rai enghreifftiau:

Mae **dadansoddwch** yn golygu archwilio strwythur data, graffiau neu wybodaeth. Un awgrym da yw chwilio am batrymau a thueddiadau, a'r gwerthoedd uchaf ac isaf.

Cyfrifwch yw canfod swm rhywbeth yn fathemategol. Mae hi'n bwysig iawn eich bod chi'n dangos eich gwaith cyfrifo (os nad ydych chi'n cael yr ateb cywir, gallwch chi ddal i gael marciau am eich gwaith cyfrifo).

Mae **dewiswch** yn golygu dewis un o wahanol ddewisiadau.

Mae **cymharwch** yn gofyn i chi ganfod pethau sy'n debyg ac yn wahanol rhwng dau beth. Wrth roi manylion nodweddion tebyg a gwahanol, mae hi'n bwysig eich bod chi'n sôn am y ddau beth. Un syniad da yw ysgrifennu dau osodiad a'u cysylltu nhw â'r gair '*ond*'.

Mae **ystyriwch** yn golygu adolygu gwybodaeth a gwneud penderfyniad.

Mae **cwblhewch** yn golygu ychwanegu'r wybodaeth ofynnol.

Mae **disgrifiwch** yn golygu rhoi disgrifiad o rywbeth. Os oes rhaid i chi ddisgrifio'r duedd mewn data neu graff, rhowch werthoedd.

Mae **trafodwch** yn golygu cyflwyno'r pwyntiau allweddol.

Mae **gwahaniaethwch** yn golygu bod gofyn i chi ganfod gwahaniaethau rhwng dau beth.

Lluniadwch yw gwneud diagram o rywbeth.

Amcangyfrifwch yw cyfrifo neu farnu'n fras beth yw gwerth rhywbeth.

Mae **gwerthuswch** yn golygu llunio barn o ddata sydd ar gael, casgliad neu ddull, a chynnig dadl gytbwys â thystiolaeth i'w hategu hi.

Mae **esboniwch** yn golygu rhoi disgrifiad a defnyddio eich gwybodaeth fiolegol i roi rhesymau pam.

Nodwch yw adnabod rhywbeth a gallu dweud beth ydyw neu roi esboniad cryno ohono.

Mae **cyfiawnhewch** yn gofyn i chi gyflwyno dadl o blaid rhywbeth: er enghraifft, efallai y bydd cwestiwn yn gofyn i chi ydy'r data yn ategu casgliad. Yna, dylech chi roi rhesymau pam mae'r data yn ategu'r casgliad sydd wedi'i roi.

Labelwch yw rhoi enwau neu wybodaeth ar dabl, diagram neu graff.

Amlinellwch yw nodi'r prif nodweddion.

Mae **enwch** yn golygu adnabod rhywbeth gan ddefnyddio term technegol cydnabyddedig. Ateb un gair fydd hwn yn aml.

Mae **awgrymwch** yn gofyn am syniad call. Nid cofio syml yw hyn, ond defnyddio'r hyn rydych chi'n ei wybod.

Awgrymiadau cyffredinol ar gyfer yr arholiad

Cofiwch ddarllen y cwestiwn yn ofalus bob tro: darllenwch y cwestiwn ddwywaith! Mae hi'n hawdd rhoi'r ateb anghywir os nad ydych chi'n deall beth mae'r cwestiwn yn gofyn amdano. Mae'r holl wybodaeth sydd wedi'i rhoi yn y cwestiwn yno i'ch helpu chi i'w ateb. Mae arholwyr wedi trafod y geiriad yn fanwl i sicrhau ei fod mor glir â phosibl.

Edrychwch ar nifer y marciau sydd ar gael. Un rheol dda yw gwneud *o leiaf* un pwynt gwahanol ar gyfer pob marc sydd ar gael. Felly, gwnewch bum pwynt gwahanol wrth ateb cwestiwn pedwar marc, i fod yn ddiogel. Gwnewch yn siŵr eich bod chi'n gwirio eich bod chi'n ateb y cwestiwn sydd wedi'i ofyn – mae'n hawdd crwydro oddi ar bwnc!

Os yw diagram yn helpu, gwnewch un, ond gwnewch yn siŵr ei fod wedi'i anodi'n llawn.

Amseru

Mae 80 marc ar gael am bob papur arholiad UG CBAC, ac mae gennych chi 90 munud. Mae hyn yn rhoi syniad i chi o faint o amser y dylech chi ei dreulio ar bob cwestiwn arholiad; mae tuag un marc bob munud yn rheol dda. Peidiwch ag anghofio bod yr amseru hwn yn cynnwys mwy nag ysgrifennu; dylech chi dreulio amser yn meddwl, ac yn cynllunio hefyd ar gyfer yr ateb estynedig.

Amcanion asesu

Caiff cwestiynau arholiad eu hysgrifennu i adlewyrchu'r amcanion asesu (AA) sydd wedi'u pennu yn y fanyleb. Y tri phrif sgìl mae'n rhaid i chi eu datblygu yw:

AA1: Dangos gwybodaeth a dealltwriaeth o syniadau, prosesau, technegau a gweithdrefnau gwyddonol.

AA2: Cymhwyso gwybodaeth a dealltwriaeth o syniadau, prosesau, technegau a gweithdrefnau gwyddonol.

AA3: Dadansoddi, dehongli a gwerthuso gwybodaeth, syniadau a thystiolaeth wyddonol, gan gynnwys rhai sy'n ymwneud â materion.

Bydd y ddau arholiad ysgrifenedig hefyd yn asesu eich:

- sgiliau mathemategol (o leiaf 10%)
- sgiliau ymarferol (o leiaf 15%)
- gallu i ddewis, trefnu a chyfleu gwybodaeth a syniadau mewn modd dealladwy gan ddefnyddio confensiynau a geirfa wyddonol briodol.

Mae'n debygol y bydd unrhyw gwestiwn yn asesu'r sgiliau hyn i gyd i ryw raddau. Mae'n bwysig cofio mai dim ond tua thraean y marciau sy'n cael eu rhoi am gofio ffeithiau'n uniongyrchol. Bydd angen i chi ddefnyddio'r hyn rydych chi'n ei wybod hefyd. Os yw hyn yn rhywbeth sy'n anodd i chi, dylech chi ymarfer gymaint â phosibl o gyn-bapurau arholiad. Mae llawer o enghreifftiau'n ymddangos ar ffurf ychydig bach yn wahanol o un flwyddyn i'r nesaf.

Byddwch chi'n datblygu eich sgiliau ymarferol yn ystod sesiynau dosbarth, a bydd y papurau arholiad yn asesu hyn. Gallai hyn gynnwys:

- plotio graffiau
- adnabod newidynnau rheoledig ac awgrymu arbrofion cymharu priodol
- dadansoddi data a llunio casgliadau
- gwerthuso dulliau a gweithdrefnau ac awgrymu gwelliannau.

Lluniadu graffiau

Mae rhoi marciau llawn am graffiau yn beth prin. Mae camgymeriadau cyffredin yn cynnwys:

- labeli anghywir ar echelinau
- unedau ar goll
- plotio pwyntiau heb ddigon o ofal
- methu uno plotiau'n fanwl gywir
- graddfeydd sydd ddim yn llinol.

Allwch chi weld y camgymeriadau?

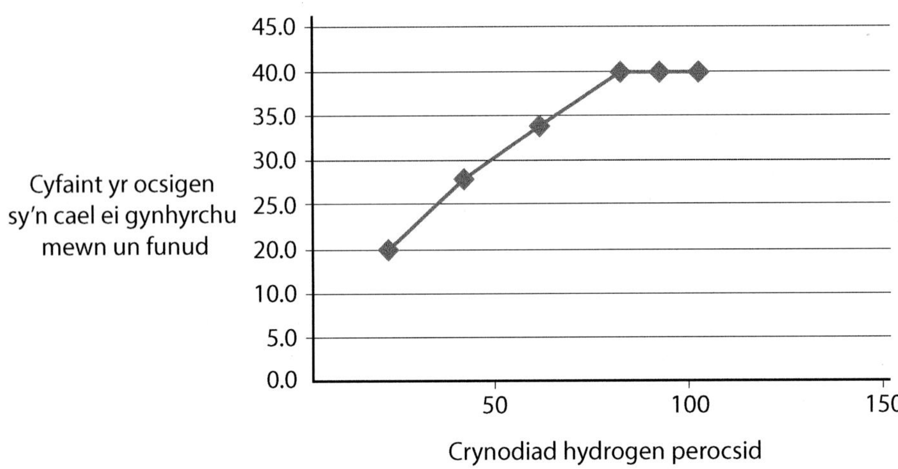

Y camgymeriadau yw:

- Dim unedau ar yr un o'r ddwy echelin.
- Dim gwerth tarddbwynt ar yr echelin lorweddol.
- Dydy'r echelin fertigol ddim yn llinol, h.y. dydy'r bylchau ddim yn hafal.

Gwnewch yn siŵr eich bod chi'n lluniadu barrau amrediad ac yn gallu esbonio eu harwyddocâd.

Deall AA1: Dangos gwybodaeth a dealltwriaeth

Bydd angen i chi ddangos gwybodaeth a dealltwriaeth o syniadau, prosesau, technegau a gweithdrefnau gwyddonol.

Mae 35% o'r cwestiynau ar bapur arholiad CBAC yn gofyn i chi gofio gwybodaeth a dealltwriaeth.

Rhai o'r geiriau gorchymyn cyffredin yn y cwestiynau hyn yw: nodwch, enwch, disgrifiwch, esboniwch.

Mae hyn yn cynnwys cofio syniadau, prosesau, technegau a gweithdrefnau sydd wedi'u nodi yn y fanyleb. Dylech chi wybod y cynnwys hwn.

Bydd ateb da yn defnyddio terminoleg fiolegol fanwl yn gywir, yn glir ac yn gydlynol.

Pe bai gofyn i chi ddisgrifio adeiledd startsh ac esbonio sut mae ei adeiledd yn ei wneud yn foleciwl da i storio glwcos, gallech chi ysgrifennu:

'Mae startsh wedi'i wneud o foleciwlau alffa glwcos wedi'u huno â'i gilydd. Oherwydd ei fod yn anhydawdd, mae'n ddelfrydol ar gyfer storio.'

Mae hwn yn ateb sylfaenol.

Mae angen i ateb da fod yn gywir ac yn fanwl. Er enghraifft,

'Mae startsh yn bolymer o foleciwlau alffa glwcos wedi'u huno gan adweithiau cyddwyso. Mae'n cynnwys dau foleciwl: amylos sy'n gadwyn syth wedi'i ffurfio o fondiau glycosidig 1–4 ac amylopectin sy'n ganghennog iawn wedi'i ffurfio o alffa glwcos wedi'i uno gan fondiau glycosidig 1–4 â changhennau 1–6 bob tua 20 o foleciwlau glwcos. Mae startsh yn foleciwl cryno iawn, ac oherwydd bod amylos ac amylopectin yn anhydawdd, dydy'r moleciwl ddim yn effeithio ar botensial dŵr y gell, ac felly mae'n gwneud moleciwl storio delfrydol mewn celloedd planhigyn. Mae amylopectin yn rhyddhau glwcos yn gyflym iawn oherwydd mae llawer o bennau rhydd ar gael i'r ensym amylas weithredu arnynt.'

Deall AA2: Cymhwyso gwybodaeth a dealltwriaeth

Bydd angen i chi gymhwyso gwybodaeth a dealltwriaeth o syniadau, prosesau, technegau a gweithdrefnau gwyddonol:

- mewn cyd-destun damcaniaethol
- mewn cyd-destun ymarferol
- wrth drin data ansoddol (data heb werth rhifiadol yw hyn, e.e. newid lliw)
- wrth drin data meintiol (data â gwerth rhifiadol yw hyn, e.e. màs/g).

Mae 45% o'r cwestiynau ar bapur arholiad CBAC yn gofyn i chi gymhwyso gwybodaeth a dealltwriaeth.

Rhai o'r geiriau gorchymyn cyffredin yn y cwestiynau hyn yw: disgrifiwch (ar gyfer data neu ddiagramau anghyfarwydd), esboniwch ac awgrymwch.

Mae hyn yn cynnwys cymhwyso syniadau, prosesau, technegau a gweithdrefnau sydd wedi'u nodi yn y fanyleb at sefyllfaoedd anghyfarwydd.

Disgrifio data

Mae'n bwysig disgrifio'n gywir beth rydych chi'n ei weld, a dyfynnu data yn eich ateb.

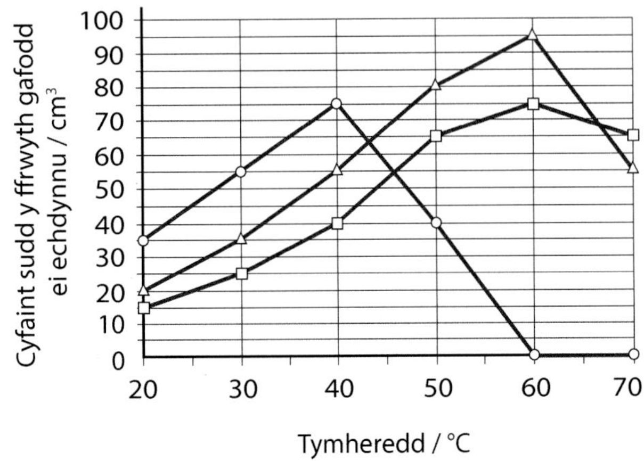

Pe bai gofyn i chi gymharu cyfaint y sudd sy'n cael ei gynhyrchu wrth ddefnyddio ensymau wedi'u rhwymo ag arwyneb pilen gel o gymharu â defnyddio'r ensym sy'n ansymudol yn y gleiniau, gallech chi ysgrifennu:

'Mae cyfaint y sudd sy'n cael ei echdynnu yn cynyddu gyda thymheredd hyd at y tymheredd optimwm, sef 60 °C, gyda'r ddau ensym. Uwchben hyn, mae cyfaint y sudd yn lleihau.'

Mae hwn yn ateb sylfaenol.

Mae angen i ateb da fod yn gywir ac yn fanwl. Er enghraifft,

'Mae cynyddu'r tymheredd yn cynyddu cyfaint sudd y ffrwyth sy'n cael ei echdynnu hyd at 60 °C. Mae cyfaint y sudd sy'n cael ei gasglu yn uwch hyd at 60 °C wrth ddefnyddio'r ensym wedi'i rwymo â'r bilen gel, ac yn cyrraedd uchafswm o 95cm³ o gymharu â 75cm³ wrth ddefnyddio'r ensym sy'n ansymudol yn y gleiniau. Dros 60 °C mae cyfaint sudd y ffrwyth sy'n cael ei echdynnu yn lleihau, ond mae hyn yn fwy amlwg wrth ddefnyddio'r ensym wedi'i rwymo ag arwyneb y bilen gel, sy'n lleihau 40cm³, o gymharu â dim ond 10cm³ wrth ddefnyddio'r ensym sy'n ansymudol yn y gleiniau.'

Pe bai gofyn i chi esbonio'r canlyniadau hefyd, byddai ateb sylfaenol yn cyfeirio at '*mwy o egni cinetig hyd at 60 °C, ac ensymau'n dadnatureiddio dros 60 °C*'. Bydd ateb da yn defnyddio terminoleg fiolegol fanwl yn gywir, yn glir ac yn gydlynol. Byddai ateb da hefyd yn cyfeirio at '*ffurfio mwy o gymhlygion ensym-swbstrad hyd at 60 °C*' ac yn cynnwys '*dros 60 °C, mae bondiau hydrogen yn torri, sy'n newid siâp y safle actif fel bod llai o gymhlygion ensym–swbstrad yn gallu ffurfio*'.

Gofynion mathemategol

Bydd o leiaf 10% o'r marciau ar draws y cymhwyster cyfan yn ymwneud â chynnwys mathemategol. Mae rhywfaint o'r cynnwys mathemategol yn gofyn am ddefnyddio cyfrifiannell; cewch chi ddefnyddio un yn yr arholiad. Mae'r fanyleb yn nodi y gallai fod gofyn i chi gyfrifo cymedr, canolrif, modd ac amrediad, yn ogystal â chanrannau, ffracsiynau a chymarebau. Mae Safon Uwch yn cynnwys rhai gofynion ychwanegol, **sydd wedi'u dangos mewn teip trwm**.

Bydd gofyn i chi brosesu a dadansoddi data gan ddefnyddio sgiliau mathemategol priodol. Gallai hyn gynnwys ystyried lled y gwall (*margin of error*), manwl gywirdeb a thrachywiredd data.

Cysyniadau	Ticiwch yma pan fyddwch chi'n hyderus eich bod chi'n deall y cysyniad hwn
Rhifyddeg a chyfrifo rhifiadol	
Trawsnewid rhwng unedau, e.e. mm^3 i cm^3	
Defnyddio nifer priodol o leoedd degol mewn cyfrifiadau, e.e. wrth gyfrifo cymedr	
Defnyddio cymarebau, ffracsiynau a chanrannau, e.e. cyfrifo cynnyrch canrannol, cymhareb arwynebedd arwyneb i gyfaint	
Amcangyfrif canlyniadau	
Defnyddio cyfrifiannell i ganfod a defnyddio ffwythiannau pŵer, esbonyddol a logarithmig, e.e. amcangyfrif nifer y bacteria sy'n tyfu mewn cyfnod penodol	
Trin data	
Defnyddio nifer priodol o ffigurau ystyrlon	
Canfod cymedrau rhifyddol	
Llunio a dehongli tablau a diagramau amlder, siartiau bar a histogramau	
Deall egwyddorion samplu fel maen nhw'n berthnasol i ddata gwyddonol, e.e. defnyddio Mynegai Amrywiaeth Simpson i gyfrifo bioamrywiaeth cynefin	
Deall y termau cymedr, canolrif a modd, e.e. cyfrifo neu gymharu cymedr, canolrif a modd set o ddata, e.e. taldra/màs/maint grŵp o organebau	
Defnyddio diagram gwasgariad i ganfod cydberthyniad rhwng dau newidyn, e.e. effaith ffactorau ffordd o fyw ar iechyd	
Gwneud cyfrifiadau trefn maint, e.e. defnyddio a thrin y fformiwla chwyddhad: chwyddhad = maint y ddelwedd / maint y gwrthrych go iawn	
Deall mesurau gwasgariad, gan gynnwys gwyriad safonol ac amrediad	
Canfod ansicrwydd mewn mesuriadau a defnyddio technegau syml i fesur ansicrwydd wrth gyfuno data, e.e. cyfrifo gwall canrannol os oes ansicrwydd mewn mesuriad	
Algebra	
Deall a defnyddio'r symbolau: $=, <, <<, >>, >, \propto, \sim$.	
Aildrefnu hafaliad	
Amnewid gwerthoedd rhifiadol mewn hafaliadau algebraidd	
Datrys hafaliadau algebraidd, e.e. datrys hafaliadau mewn cyd-destun biolegol, e.e. allbwn cardiaidd = cyfaint trawiad × cyfradd curiad y galon	
Defnyddio graddfa logarithmig yng nghyd-destun microbioleg, e.e. cyfradd twf micro-organeb fel burum	
Graffiau	
Plotio dau newidyn o ddata arbrofol neu ddata eraill, e.e. dewis fformat priodol i gyflwyno data	
Deall bod $y = mx + c$ yn cynrychioli perthynas linol	
Canfod rhyngdoriad graff, e.e. darllen pwynt rhyngdoriad oddi ar graff, e.e. pwynt digolledu mewn planhigion	
Cyfrifo cyfradd newid oddi ar graff sy'n dangos perthynas linol, e.e. cyfrifo cyfradd oddi ar graff, e.e. cyfradd trydarthu	
Lluniadu a defnyddio graddiant tangiad i gromlin fel ffordd o fesur cyfradd newid	
Geometreg a thrigonometreg	
Cyfrifo cylchedd, arwynebedd arwyneb a chyfaint siapiau rheolaidd, e.e. cyfrifo arwynebedd arwyneb neu gyfaint cell	

Deall AA3: Dadansoddi, dehongli a gwerthuso gwybodaeth wyddonol

Hwn yw'r sgìl olaf a'r anoddaf. Bydd angen i chi ddadansoddi, dehongli a gwerthuso gwybodaeth, syniadau a thystiolaeth wyddonol er mwyn:

- gwneud dyfarniadau a ffurfio casgliadau
- datblygu a mireinio dyluniadau a gweithdrefnau ymarferol.

Mae 20% o'r cwestiynau ar bapur arholiad CBAC yn gofyn i chi ddadansoddi, dehongli a gwerthuso gwybodaeth wyddonol.

Rhai o'r geiriau gorchymyn cyffredin yn y cwestiynau hyn yw: gwerthuswch, awgrymwch, cyfiawnhewch a dadansoddwch.

Gallai hyn olygu:

- Gwneud sylwadau am gynllun arbrawf a gwerthuso dulliau gwyddonol.
- Gwerthuso canlyniadau a thynnu casgliadau gan gyfeirio at fesuriad, ansicrwydd a gwallau.

Beth yw manwl gywirdeb?

Mae manwl gywirdeb yn ymwneud â'r cyfarpar sy'n cael ei ddefnyddio: Pa mor drachywir yw'r cyfarpar? Beth yw'r gwall canrannol? Er enghraifft, mae silindr mesur 5ml yn fanwl gywir i ± 0.1ml felly gallai mesur 5ml roi 4.9–5.1ml. Byddai mesur yr un cyfaint mewn silindr mesur 25ml sy'n fanwl gywir i ± 1ml yn rhoi 4–6ml.

Cyfrifo % gwall

Mae'n hafaliad syml: manwl gywirdeb/swm cychwynnol × 100. Er enghraifft, yn y silindr mesur 25ml mae'r manwl gywirdeb yn ± 1ml felly mae'r gwall yn 1/25 × 100 = 4%, ac yn y silindr 5ml mae'r manwl gywirdeb yn ± 0.1ml felly mae'r gwall yn 0.1/5 × 100 = 2%. Felly, i fesur 5ml mae'n well defnyddio'r silindr bach oherwydd hwnnw sy'n rhoi'r % gwall lleiaf.

Beth yw dibynadwyedd?

Mae dibynadwyedd yn ymwneud ag ailadrodd yr arbrawf. Mewn geiriau eraill, os ydych chi'n ailadrodd yr arbrawf dair gwaith ac yn cael gwerthoedd tebyg iawn, mae hyn yn dynodi bod eich darlleniadau unigol yn ddibynadwy. Gallwch chi gynyddu dibynadwyedd drwy sicrhau eich bod chi'n rheoli pob newidyn allai ddylanwadu ar yr arbrawf, a bod y dull yn gyson.

Disgrifio gwelliannau

Pe bai gofyn i chi ddisgrifio sut byddech chi'n gallu gwella dibynadwyedd canlyniadau arbrawf echdynnu sudd afal, byddai angen i chi edrych yn ofalus ar y dull a'r cyfarpar dan sylw.

C: Mae pectin yn bolysacarid adeileddol sy'n bodoli yng nghellfuriau celloedd planhigyn ac yn y lamela canol rhwng celloedd, lle mae'n helpu i rwymo celloedd wrth ei gilydd. Mae pectinasau yn ensymau sy'n cael eu defnyddio'n rheolaidd mewn diwydiant i gynyddu cyfaint a chlaerder sudd afal. Mae'r ensym yn cael ei wneud yn ansymudol ar arwyneb pilen gel, ac yna caiff ei osod mewn colofn. Caiff pwlp afal ei ychwanegu ar y top, a chaiff sudd ei gasglu ar y gwaelod. Mae'r diagram yn dangos y broses. Disgrifiwch sut gallech chi wella'r arbrawf.

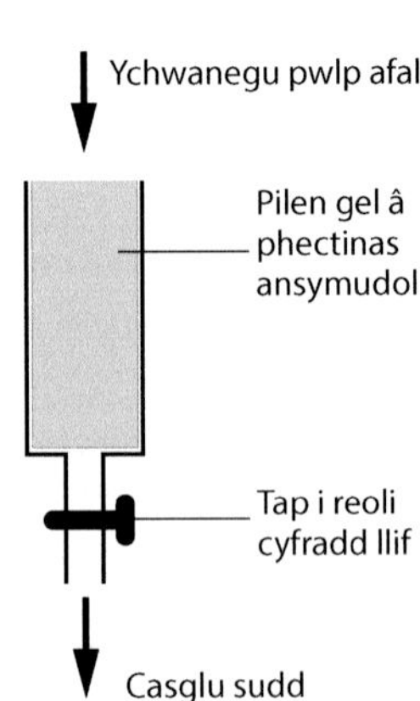

Gallech chi ysgrifennu:

'Byddwn i'n gwneud yn siŵr bod yr un màs o afalau yn cael ei ychwanegu, a bod yr afalau yr un oed.'

Mae hwn yn ateb sylfaenol.

Mae angen i ateb da fod yn gywir ac yn fanwl. Er enghraifft,

'Byddwn i'n gwneud yn siŵr bod yr un màs o afalau yn cael ei ychwanegu, er enghraifft 100g, a bod yr afalau yr un oed, e.e. 1 wythnos oed. Byddwn i hefyd yn rheoli'r tymheredd i fod yn optimwm i'r pectinasau dan sylw, e.e. 30 °C.'

Edrychwch ar yr enghraifft ganlynol:

Cynhaliodd disgybl arbrawf i ymchwilio i effaith tymheredd ar gellbilenni. Defnyddiodd dyllwr i dorri darnau o'r un maint o fetys, cyn eu golchi nhw a'u blotio nhw â thywel papur. Cafodd pob darn ei roi mewn tiwb profi oedd yn cynnwys 25cm^3 o ethanol 70% (hydoddydd organig) i'w feithrin ar 15 °C. Dechreuodd pigment coch o'r enw betacyanin sy'n bodoli yng ngwagolynnau'r celloedd betys ollwng i mewn i'r ethanol gan ei droi'n goch. Cafodd yr arbrawf ei ailadrodd ar 30 °C a 45 °C a chafodd yr amser gymerodd yr ethanol i droi'n goch ei gofnodi isod.

Tymheredd (°C)	Amser gymerodd yr ethanol i droi'n goch (s)			
	Arbrawf 1	**Arbrawf 2**	**Arbrawf 3**	**Cymedr**
15	450	427	466	447.7
30	322	299	367	329.3
45	170	99	215	161.3

C: Pa gasgliadau allech chi eu tynnu o'r arbrawf hwn o ran effaith tymheredd ar gellbilenni?

Gallech chi ysgrifennu:

'Mae cynyddu'r tymheredd yn cynyddu faint o lifyn sy'n gollwng o'r celloedd.'

Mae angen i ateb da fod yn gywir ac yn fanwl. Er enghraifft,

'Mae cynyddu'r tymheredd yn cynyddu egni cinetig moleciwlau'r bilen a'r llifyn. Mae'r cynnydd yn symudiad moleciwlau'r bilen yn cynyddu nifer y bylchau yn y bilen felly mae mwy o lifyn yn gallu dianc o'r celloedd.'

Pe bai gofyn i chi roi sylwadau am ddilysrwydd eich casgliad, gallech chi ysgrifennu:

'Roedd hi'n anodd nodi pryd roedd yr hydoddiannau yn troi'n goch, felly roedd hi'n anodd gwybod pryd i stopio amseru'r adweithiau.'

Byddai ateb da yn fwy manwl, er enghraifft,

'Mae'r canlyniadau ar 45 °C yn amrywiol iawn ac yn amrywio o 99 i 215 eiliad. Mae'n anodd ffurfio casgliad ynglŷn ag effaith tymheredd ar gellbilenni, oherwydd dim ond tri thymheredd oedd yn yr ymchwiliad. Roedd canfod diweddbwynt yr adwaith yn anhawster mawr arall, oherwydd doedd dim lliw coch safonol i'w ddefnyddio.'

Cwestiynau ac atebion

Mae'r rhan hon o'r canllaw yn edrych ar atebion gan ddisgyblion go iawn i gwestiynau. Mae'n cynnwys detholiad o gwestiynau am amrywiaeth eang o bynciau. Ym mhob achos, mae dau ateb wedi'u rhoi; un gan ddisgybl (Isla) gafodd farc uchel ac un gan ddisgybl gafodd farc is (Ceri). Rydym ni'n awgrymu eich bod chi'n cymharu atebion y ddau ymgeisydd yn ofalus; gwnewch yn siŵr eich bod chi'n deall pam mae'r naill ateb yn well na'r llall. Fel hyn, byddwch chi'n gwella eich dulliau ateb cwestiynau. Mae sgriptiau arholiadau yn cael eu marcio ar berfformiad yr ymgeisydd ar draws y papur cyfan ac nid cwestiynau unigol; mae arholwyr yn gweld llawer o enghreifftiau o atebion da mewn sgriptiau sy'n cael sgorau isel fel arall. Y neges yw bod techneg dda yn yr arholiad yn gallu gwella graddau ymgeiswyr ar bob lefel.

Uned 1

Uned 2

(a) Enwch y monomer sy'n gwneud y polymer, a'i ffurf. [1]

(b) Enwch y bond sy'n ffurfio rhwng y ddau siwgr hecsos. [1]

(c) Nodwch un gwahaniaeth adeileddol rhwng y moleciwl hwn a chellwlos. [1]

(ch) Esboniwch sut mae'r moleciwl sydd wedi'i ddangos yn rhoi cryfder i'r sgerbwd allanol. [2]

Ateb Isla

a) β glwcos ✓

b) bond glycosidig 1–4 ✓

c) mae $NHCOCH_3$ wedi cymryd lle rhai grwpiau OH ✓

ch) mae bondiau hydrogen yn ffurfio rhwng y cadwynau syth o foleciwlau β glwcos sydd yna'n ffurfio microffibrolion. ✓ ①

Sylwadau'r arholwr

① Dylai ateb Isla fod wedi ei ehangu i gynnwys y ffaith bod moleciwlau cyfagos wedi'u cylchdroi 180° a bod bondiau hydrogen yn ffurfio rhwng cadwynau paralel.

Mae Isla yn cael 4/5 marc

Ateb Ceri

a) glwcos ✗ ①

b) bond glwcosidig 1–4 ✗ ②

c) mae grwpiau $NHCOCH_3$ yn bresennol ✗ ③

ch) mae'r cadwynau'n ffurfio microffibrolion ✗ ④

① Dydy Ceri ddim wedi enwi'r ffurf, ß.

② Mae Ceri wedi camsillafu glycosidig; gallai rhywun ddrysu rhwng hwn a thermau eraill.

③ Mae Ceri wedi enwi'r grŵp ychwanegol ond dydy hi ddim wedi ei gymharu â chellwlos drwy ddweud ei fod wedi cymryd lle'r grwpiau OH.

④ Dydy Ceri ddim wedi esbonio sut mae'r cadwynau yn ffurfio microffibrolion.

Mae Ceri yn cael 0/5 marc

Sylwch

Mae'n bwysig eich bod chi'n darllen y cwestiwn yn ofalus ac yn rhoi ateb mor fanwl ag y gallwch chi. Mae sillafu yn bwysig, yn enwedig os ydych chi'n ysgrifennu gair sy'n gallu edrych yn debyg i rywbeth arall – glwcos yn yr achos hwn. Os oes gofyn i chi roi gwahaniaeth, rhaid i chi ddweud rhywbeth am y **ddau** beth – cellwlos **a** chitin yn yr achos hwn.

C ac A 2

(a) Mae mandyllau yn yr amlen o gwmpas y cnewyllyn, ond does dim mandyllau yn yr amlen o gwmpas yr organyn sydd wedi'i ddangos. Enwch yr organyn sydd wedi'i ddangos a disgrifiwch **un** gwahaniaeth *arall* rhwng y bilen o gwmpas yr organyn sydd wedi'i ddangos a'r bilen o gwmpas y cnewyllyn. [2]

(b) Gallwn ni gyfrifo arwynebedd arwyneb yr organyn sydd wedi'i ddangos drwy ddefnyddio'r fformiwla **arwynebedd arwyneb = $2\pi r l + 2\pi r^2$**, lle l = hyd yr organyn yn 9.1 µm, π = 3.14, diamedr yn 1.0 µm. Amcangyfrifwch arwynebedd arwyneb yr organyn sydd wedi'i ddangos. Dangoswch eich gwaith cyfrifo. [3]

(c) Mae arwynebedd arwyneb organyn sfferig â'r **un** cyfaint yn 23.1µm². Mae canlyniadau arbrofion wedi dangos bod organynnau â siâp silindr yn rhoi manteision i'r gell. Gwerthuswch y gosodiad hwn. [4]

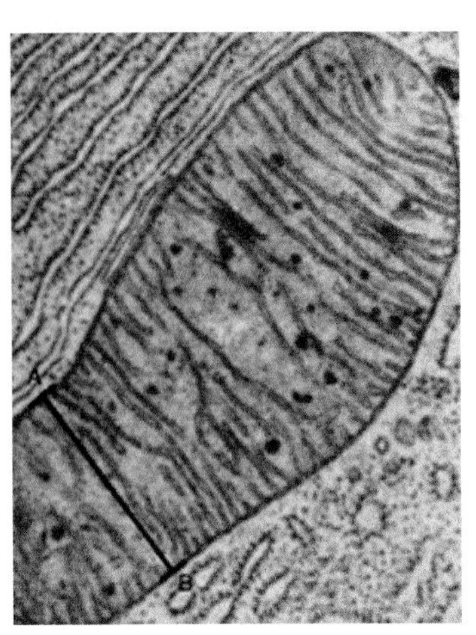

Ateb Isla

a) Mitocondrion. ✓ Mae gan fitocondria bilen fewnol wedi'i phlygu, a does gan y cnewyllyn ddim ✓ ①

b) Radiws = 0.5 ✓
$(2 \times 3.14 \times 0.5 \times 9.1) + (2 \times 3.14 \times 0.25)$ ✓
= 30.14 (µm²) ✓

c) Bydd gan fitocondrion sfferig bellter tryledu hirach i'r canol nag un silindrog ✓ a bydd ei gymhareb arwynebedd arwyneb : cyfaint yn uwch. ✓ Mae hyn yn golygu bod mwy o ocsigen yn cael ei amsugno a mwy o garbon deuocsid yn cael ei golli drwy gyfrwng trylediad. ✓ ②

Sylwadau'r arholwr

① Mae Isla yn gwneud cymhariaeth dda rhwng y pilenni yn y ddau organyn. Gallai Isla hefyd fod wedi dweud bod ribosomau ynghlwm wrth bilenni cnewyll, ond ddim wrth bilenni mitocondria.

② Mae Isla wedi rhoi ateb da, ond byddai ateb perffaith wedi cyfeirio at resbiradu mwy effeithlon a chynhyrchu mwy o ATP o ganlyniad.

Mae Isla yn cael 8/9 marc

Ateb Ceri

a) Mitocondria. ✓ Mae ganddynt bilen fewnol â llawer o blygion ①

b) Radiws = 0.5 ✓
= 31.71 (µm²) ✗ ②

c) Bydd gan fitocondrion sfferig bellter tryledu hirach i'r canol nag un silindrog ✓ sy'n golygu bod mwy o ocsigen yn cael ei amsugno. ③

Sylwadau'r arholwr

① Mae Ceri wedi gwneud camgymeriad wrth ddefnyddio lluosog mitocondrion, ond, er hyn, cafodd hi'r marc. Fodd bynnag, wnaeth Ceri ddim cymharu'r ddau organyn.

② Gan mai dim ond ychydig o waith cyfrifo mae Ceri wedi'i ddangos, dim ond un marc mae'n ei gael am gyfrifo'r radiws yn gywir.

③ Mae Ceri wedi nodi'r effaith ar y pellter tryledu'n gywir ac felly ar amsugno ocsigen, ond dylai hi fod wedi cynnwys y dull amsugno (trylediad).

Mae Ceri yn cael 3/9 marc

Sylwch

Dangoswch eich gwaith cyfrifo BOB AMSER wrth ateb cwestiynau mathemateg. Mae hyn yn golygu bod arholwyr yn gallu rhoi rhai marciau am y broses, ac yn caniatáu dwyn gwall ymlaen (hynny yw, os yw gweddill y gwaith cyfrifo'n gywir ond eich bod chi'n defnyddio gwerth anghywir o ran gynharach o'r cwestiwn, gallwch chi gael rhai marciau o hyd). Ar ôl gwneud cyfrifiad, gofynnwch i'ch hun ydy'r ateb yn un rhesymol ac ydych chi wedi rhoi'r pwynt degol yn y lle cywir, wedi trawsnewid un uned yn un arall yn gywir, wedi defnyddio'r unedau cywir.

Mae'r diagram isod yn dangos un o gydrannau DNA.

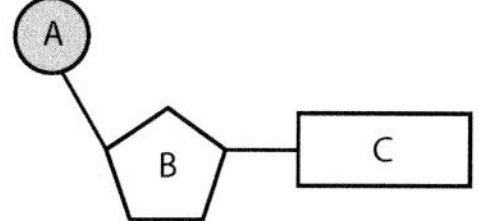

a) Enwch y moleciwlau A, B ac C. [2]

b) Disgrifiwch ddau wahaniaeth rhwng polymer DNA a pholymer RNA. [2]

c) Mae'r tabl isod yn dangos y basau gwanin a chytosin fel canrannau o gyfanswm y niwcleotidau sy'n bresennol mewn tair micro-organeb wahanol, wedi'u cyfrifo drwy ddilyniannu genom pob organeb. Daeth y gwyddonwyr i'r casgliad bod y firws yn cynnwys RNA un edefyn. Pa dystiolaeth sydd i ategu'r casgliad hwn? [2]

Micro-organeb	Cyfansoddiad basau (%)	
	G	C
burum	18.7	17.1
bacteria	36.0	35.7
firws	42.0	13.9

Ateb Isla

a) A = ffosffad ✓
B = deocsiribos ✓
C = bas nitrogenaidd ✓ pob un yn gywir = 2 farc

b) mae wracil yn cymryd lle thymin ✓, ac mae RNA yn un edefyn fel rheol, a DNA yn edefyn dwbl. ✓

c) Mewn moleciwlau edefyn dwbl, rhaid i gyfrannau'r basau cyflenwol G ac C fod yn hafal. Yn y firws, gwanin yw 42% a chytosin yw 13.9% felly dydy'r moleciwl ddim yn gallu bod yn edefyn dwbl, rhaid ei fod yn un edefyn. ✓ ①

Sylwadau'r arholwr

① Mae Isla yn nodi'n gywir bod gwanin a chytosin ddim yn hafal, felly dydy'r moleciwl ddim yn gallu bod yn edefyn dwbl. I gael marciau llawn, dylai Isla esbonio nad oes unrhyw dystiolaeth mai RNA yw'r moleciwl, oherwydd does dim cyfeiriad at gyfran thymin (byddai hwn yn sero mewn RNA).

Mae Isla yn cael 5/6 marc

Ateb Ceri

a) A = ffosffad ✓
B = pentos ✗
C = bas nitrogenaidd ✓ ① dau yn gywir = 1 marc

b) does dim thymin, ac mae RNA yn un edefyn fel arfer ✗ ②

c) Does dim thymin yn bresennol felly mae'n rhaid mai RNA ydyw, sy'n un edefyn fel arfer. ✗ ③

Sylwadau'r arholwr

① Dydy Ceri ddim yn enwi'r siwgr pentos mewn DNA.

② Mae Ceri yn nodi nad oes dim thymin yn bresennol a bod RNA yn un edefyn, ond dydy hi ddim wedi cymharu DNA ac RNA.

③ Dydy hi ddim yn darparu tystiolaeth, dim ond gosodiad yn seiliedig ar wybodaeth Ceri am RNA, gafodd ei asesu yn rhan b).

Mae Ceri yn cael 1/6 marc

Sylwch

Os oes gofyn i chi *gyfiawnhau* neu roi tystiolaeth o blaid casgliad, mae'n bwysig eich bod chi'n gwerthuso unrhyw ddata sydd wedi'u darparu. Dylech chi ddefnyddio hyn i ategu eich ateb.

C ac A 4

(a) Mae dŵr yn mynd i gelloedd gwreiddflew drwy gyfrwng osmosis. Mae potensial dŵr (Ψ) y dŵr yn y pridd yn Ψ –100kPa, ac mae'r potensial gwasgedd (Ψ_P) yn y gell wreiddflew yn +200kPa. Cyfrifwch botensial hydoddyn (Ψ_S) y gell wreiddflew os nad oes dim symudiad dŵr net gan ddefnyddio'r fformiwla $\Psi = \Psi_S + \Psi_P$. Dangoswch eich gwaith cyfrifo. [2]

(b) Cafodd arbrawf ei gynnal i ganfod sut mae ïonau nitrad yn mynd i wreiddiau planhigion. Mae'r canlyniadau wedi'u dangos gyferbyn.

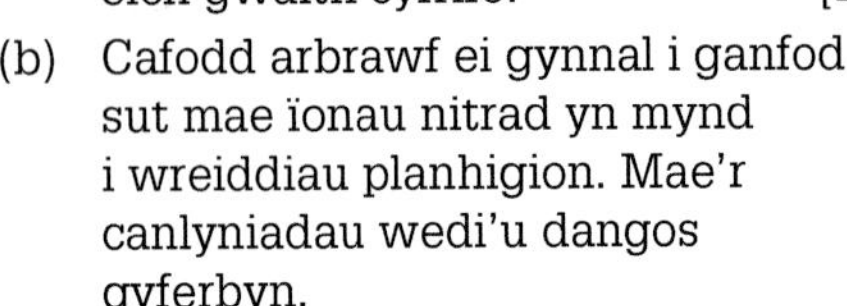

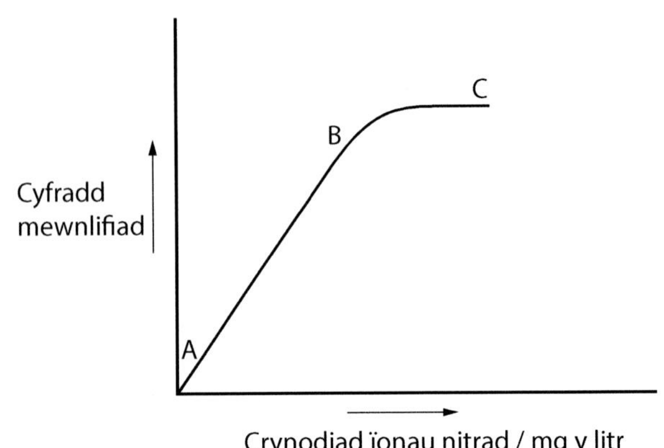

(i) Pa gasgliad allwch chi ei dynnu o'r dystiolaeth sydd wedi'i darparu am sut mae ïonau nitrad yn cael eu hamsugno? [2]

(ii) Pa dystiolaeth bellach fyddai ei hangen i gadarnhau pa ddull mewnlifiad yn union sy'n digwydd? [2]

Ateb Isla

a) $\Psi_S = \Psi - \Psi_P$ / h.y. -100 -200 ✓
= -300 ✗ ①

b) (i) Mae ïonau nitrad yn defnyddio protein cludo ✓ oherwydd dros bwynt B, dydy cynnydd pellach yng nghrynodiad yr ïonau ddim yn effeithio ar y gyfradd mewnlifiad ✓ ②

(iii) Byddwn i'n ailadrodd yr arbrawf yn absenoldeb ocsigen i weld a fyddai'r mewnlifiad yn stopio. ✓ Byddai hyn yn cadarnhau mai cludiant actif sy'n digwydd gan fod angen ocsigen i gynhyrchu ATP yn hytrach na thryledlad cynorthwyedig ✓ ③

Sylwadau'r arholwr

① Dydy Isla ddim wedi cynnwys unedau gyda'i hateb i ran a) felly mae hi wedi colli marc.

② Gallai Isla fod wedi cynnwys yn rhan i) bod hyn oherwydd bod y proteinau sianel i gyd yn cael eu defnyddio.

③ Mae rhan ii) yn ateb perffaith: Mae'n enwi'r ddau ddull ac yn rhoi syniad call ynglŷn â sut i wahaniaethu rhyngddynt yn seiliedig ar wybod bod angen ATP ar gyfer cludiant actif.

Mae Isla yn cael 5/6 marc

Ateb Ceri

a) $\Psi_S = \Psi - \Psi_P$ / h.y. –100 –200 ✓
= –300 kPa; ✓

b) (i) Mae tryledlad yn amsugno ïonau nitrad? ✗ oherwydd mae crynodiad yr ïonau nitrad rhwng A a B yn effeithio'n uniongyrchol arno? ✗ ①

(ii) Byddwn i'n ailadrodd yr arbrawf ✗ ②

Sylwadau'r arholwr

① Er ei bod hi'n wir bod cyfradd tryledlad mewn cyfrannedd â chrynodiad, dydy'r esboniad hwn ddim yn esbonio beth sy'n digwydd yn B–C.

② Dim ond darparu mwy o dystiolaeth fyddai ailadrodd yr arbrawf yn rhan ii), gan wella dibynadwyedd y casgliad.

Mae Ceri yn cael 2/6 marc

Sylwch

Pwrpas ailadrodd arbrawf yw gwella dibynadwyedd; nid yw'n rhoi mwy o dystiolaeth.

Mae'r diagram ar y dde yn dangos hydoedd cymharol cylchred y gell mewn celloedd sydd wrthi'n rhannu, wedi'u cymryd o flaenwreiddyn planhigyn garlleg.

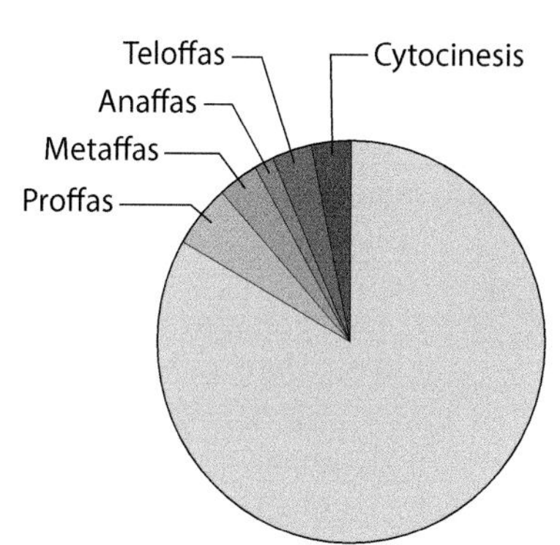

(a) Disgrifiwch y newidiadau sy'n digwydd i gnewyllyn cell planhigyn yn ystod proffas. [3]

(b) Mae cyffur newydd wedi ei ddatblygu sy'n atal mitosis drwy rwystro ffurfio ffibrau'r werthyd. Cafodd bylbiau garlleg eu tyfu mewn hydoddiant o'r cyffur newydd a chafodd swm y DNA oedd yn bresennol mewn cell o'r blaenwreiddyn ei fesur dros gyfnod 24 awr cylchred y gell. Mae'r canlyniadau wedi'u dangos isod ynghyd â chanlyniadau bylbiau garlleg wedi'u tyfu mewn dŵr.

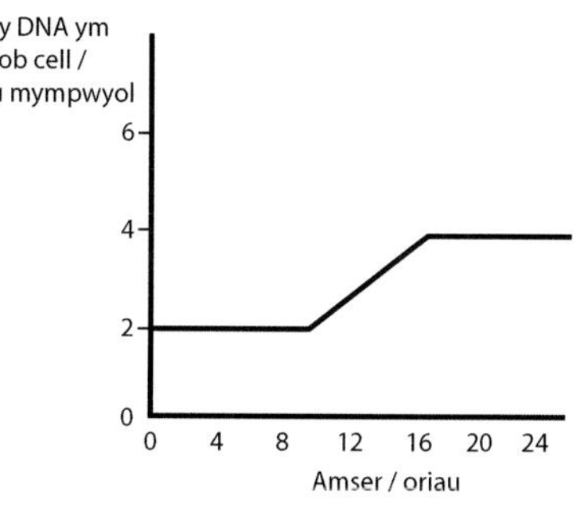

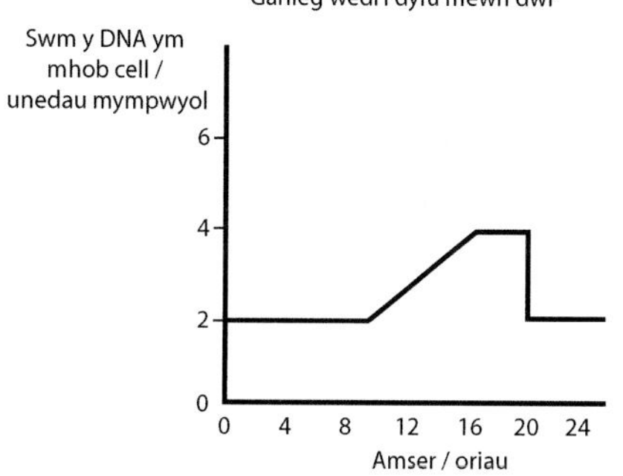

Defnyddiwch eich gwybodaeth am gylchred y gell i esbonio sut mae canlyniadau'r arbrawf hwn yn dangos bod y cyffur newydd yn atal mitosis. [3]

Ateb Isla

a) Yn ystod proffas mae'r bilen gnewyllol yn diflannu ✓ ac mae'r cromosomau'n cyddwyso gan ymddangos fel dau gromatid ar wahân ✓ sydd wedi'u huno gan y centromer. ✓

b) Mae rhyngffas yn digwydd yn y ddau arbrawf wrth i swm y DNA ddyblu. ✓ Pan mae'r garlleg yn cael ei roi yn y cyffur newydd, dydy'r DNA ddim yn haneru ar ôl 20 awr fel sy'n digwydd yn y garlleg wedi'i dyfu mewn dŵr. ✓ Mae hyn yn dangos nad oes dim cytocinesis oherwydd mae diffyg ffibrau'r werthyd yn atal anaffas. ✓

Sylwadau'r arholwr

Mae Isla wedi dysgu digwyddiadau allweddol proffas ac wedi gallu dangos y berthynas rhwng y graff a'i gwybodaeth hi am gytocinesis.

Mae Isla yn cael 6/6 marc

Ateb Ceri

a) Yn ystod proffas mae'r cromosomau'n cyddwyso ✓ ac mae centriolau'n ymddangos. ✗ ①

b) Pan mae'n cael ei roi yn y cyffur, dydy'r DNA ddim yn lleihau, ✗ felly dydy cellraniad ddim wedi digwydd. ✗ ②

Sylwadau'r arholwr

① Mae'r cyfeiriad at y centriolau'n ymddangos yn anghywir oherwydd dydy'r rhain ddim yn bodoli mewn planhigion datblygedig.

② Mae'r cyfeiriad at DNA yn lleihau yn rhy amwys. Mae'r cwestiwn yn gofyn sut mae'r canlyniadau'n dangos bod y cyffur newydd yn atal mitosis: mae'r cyfeiriad at gellraniad ddim yn digwydd hefyd yn rhy amwys, gan fod y wybodaeth yn y cwestiwn yn nodi bod y cyffur newydd yn atal y werthyd rhag ffurfio. Dylai Ceri gysylltu hyn â'r ffaith nad yw anaffas yn digwydd, ac o ganlyniad, na fydd cytocinesis yn digwydd.

Mae Ceri yn cael 1/6 marc

Sylwch

Dysgwch ddigwyddiadau allweddol mitosis (a meiosis) a gwnewch yn siŵr eich bod chi'n gallu adnabod lluniadau o bob cam. Dylech chi allu defnyddio data a roddir i ffurfio neu ategu casgliad.

Mae pectin yn bolysacarid adeileddol sy'n bodoli yng nghellfuriau celloedd planhigyn ac yn y lamela canol rhwng celloedd, lle mae'n helpu i glymu celloedd at ei gilydd. Mae pectinasau yn ensymau sy'n cael eu defnyddio'n rheolaidd mewn diwydiant i gynyddu cyfaint a chlaerder sudd afal. Mae'r ensym yn cael ei wneud yn ansymudol ar arwyneb pilen gel, ac yna caiff ei osod mewn colofn. Caiff pwlp afal ei ychwanegu ar y top, a chaiff sudd ei gasglu ar y gwaelod. Mae'r diagram yn dangos y broses.

Ychwanegu pwlp afal

Pilen gel â phectinas ansymudol

Tap i reoli cyfradd llif

Casglu sudd

a) Esboniwch pam byddai lleihau cyfradd llif defnydd drwy'r golofn yn golygu bod mwy o sudd yn cael ei gasglu. [1]

b) Cafodd y broses o echdynnu sudd gan ddefnyddio pectinas ei chymharu gan ddefnyddio'r un cyfeintiau a chrynodiadau o ensymau rhydd, ensymau'n sownd wrth arwyneb pilen gel ac ensymau wedi'u mewngapsiwleiddio mewn gleiniau alginad. Mae'r graff isod yn dangos y canlyniadau.

Defnyddiwch y graff a'ch gwybodaeth eich hun am ensymau i ateb y cwestiynau canlynol.

(i) Disgrifiwch ac esboniwch ganlyniadau'r ensymau rhydd ar dymheredd dros 40 °C. [4]

(ii) Esboniwch pam roedd cynnyrch y sudd yn uwch wrth ddefnyddio ensymau rhydd ar dymheredd rhwng 20 °C a 40 °C nag wrth ddefnyddio unrhyw fath o ensymau ansymudol. [2]

(iii) Esboniwch y gwahaniaethau rhwng canlyniadau'r ensymau wedi'u rhwymo â'r arwyneb pilen gel a'r rhai a oedd yn ansymudol yn y gleiniau, ar dymheredd rhwng 20 °C a 60 °C. [2]

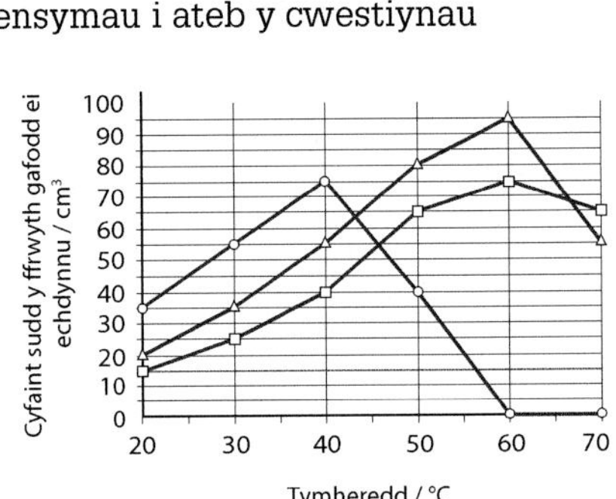

Ateb Isla

a) *Mae'n rhoi mwy o amser i'r pectinas ymddatod yr afal yn sudd ac felly mae mwy o gymhlygion ensym-swbstrad yn ffurfio. ✓*

b) i) *Dros 40 °C mae llai o sudd yn cael ei echdynnu, ✓ dros 60 °C does dim sudd yn cael ei echdynnu ✓ oherwydd ar 60 °C mae'r ensymau wedi'u dadnatureiddio'n llwyr ✓ oherwydd bod y bondiau hydrogen wedi torri.* ①

ii) *Mae'r ensymau rhydd yn gallu symud o gwmpas ac felly mae ganddynt fwy o egni cinetig ✓ ac felly maen nhw'n fwy tebygol o wrthdaro â'r pectinas i ffurfio cymhlygion ES. ✗* ②

iii) *Mae mwy o sudd yn cael ei gasglu wrth ddefnyddio ensymau sydd wedi'u rhwymo wrth y bilen gel oherwydd mae'r rhain yn cyffwrdd y ffrwyth yn uniongyrchol. ✓* ③

Sylwadau'r arholwr

Mae Isla yn dangos dealltwriaeth dda o ffordd gymhleth o gymhwyso cineteg ensymau ac ensymau ansymudol at sefyllfa ymarferol.

① Gallai Isla fod wedi esbonio effaith torri'r bondiau hydrogen ar y safle actif, h.y. bod yr adeiledd trydyddol yn newid ei siâp.

② Mae Isla yn defnyddio'r talfyriad ES – dydy hwn ddim yn dalfyriad derbyniol ar gyfer ensym–swbstrad.

③ Roedd angen i Isla esbonio pam byddai llai o sudd yn dod wrth ddefnyddio ensymau ansymudol yn y gleiniau, h.y. bod rhaid i'r swbstrad dryledu i mewn i'r glain.

Mae Isla yn cael 6/9 marc

Ateb Ceri

a) Mae mwy o amser i'r pectinas dreulio'r afal. ✗ ①

b) i) Dros 40°C mae llai o sudd yn cael ei echdynnu, ✓ oherwydd mae'r ensymau wedi'u dadnatureiddio ✗, oherwydd mae'r bondiau peptid yn torri. ✗ ②

ii) Mae'r ensymau rhydd yn gallu symud o gwmpas ac felly mae ganddynt fwy o egni cinetig ✓ ac felly mae mwy o wrthdrawiadau rhwng yr ensym a'r swbstrad. ✗ ③

iii) Mae mwy o sudd yn cael ei gasglu o'r ensymau sydd wedi'u rhwymo wrth y bilen gel. ✗ ④

Sylwadau'r arholwr

① Mae angen esbonio'n llawn pam mae mwy o sudd yn cael ei gasglu, gan gynnwys cyfeirio at gymhlygion ensym–swbstrad.

② Dydy hi ddim yn gywir dweud bod yr ensymau wedi'u dadnatureiddio ar 50°C oherwydd mae rhywfaint o sudd yn dal i gael ei gasglu. Mae llawer ohonynt wedi dadnatureiddio, ond nid y cyfan, felly mae'n well dweud bod ensymau yn dadnatureiddio dros 40°C. Mae Ceri yn anghywir wrth ddweud bod bondiau peptid yn torri.

③ Mae Ceri yn cyfeirio at fwy o wrthdrawiadau ond rhaid i'r rhain fod yn **llwyddiannus**, h.y. ffurfio cymhlygion ensym–swbstrad.

④ Dim ond disgrifio mae Ceri. Does dim esboniad, felly dydy hi ddim yn cael marciau.

Mae Ceri yn cael 2/9 marc

Sylwch

Byddwch yn ofalus â thalfyriadau – peidiwch â defnyddio cymhlygion ES ar gyfer cymhlygion ensym–swbstrad oni bai eich bod chi wedi ei ysgrifennu'n llawn yn gyntaf. Mae'n hanfodol eich bod chi'n darllen y cwestiwn ac yn dilyn y geiriau gorchymyn i sicrhau eich bod chi'n rhoi'r ateb gofynnol ac felly'n cael marciau llawn. Os oes gofyn i chi esbonio yn nhermau cineteg ensymau, gwnewch yn siŵr eich bod chi'n cyfeirio at gymhlygion ensym–swbstrad.

ac A 7

Gan ddefnyddio enghreifftiau, esboniwch sut mae adeiledd carbohydradau a lipidau yn eu galluogi nhw i gyflawni eu hamrywiaeth o swyddogaethau mewn organebau byw. [9]

Ateb Isla

Mae carbohydradau'n cynnwys carbon, hydrogen ac ocsigen ac maen nhw'n cael eu defnyddio ar gyfer resbiradaeth, fel moleciwlau storio ac i gynnal adeiledd. Mae glwcos yn fonosacarid chwe charbon, a hwn yw prif ffynhonnell egni organebau byw. Mae'n cael ei hydrolysu'n rhwydd yn ystod resbiradaeth i gynhyrchu ATP, ✓ ac mae'n gweithredu fel bloc adeiladu ar gyfer polysacaridau mwy cymhleth. Mae planhigion yn defnyddio startsh i storio glwcos oherwydd yn wahanol i glwcos, mae'n anhydawdd ac felly'n anadweithiol o ran osmosis. ✓ Mae wedi'i wneud o amylos ac amylopectin. ① Mae amylos yn cynnwys moleciwlau alffa glwcos wedi'u huno â bondiau glycosidig 1-4 i ffurfio cadwynau syth, sy'n dirdroi i ffurfio helicsau. Mewn amylopectin mae'r moleciwlau alffa glwcos yn fwy canghennog, oherwydd bondiau glycosidig 1-4 ac 1-6. Mae hyn yn creu adeiledd cryno iawn sy'n hawdd ei storio mewn celloedd planhigyn ✓ ond mae'n hawdd ei hydrolysu i ffurfio glwcos pan mae ei angen ar gyfer resbiradaeth. ② Mae anifeiliaid yn storio glwcos ar ffurf glycogen. Mae glycogen yn foleciwl cryno iawn arall sy'n anadweithiol o ran osmosis, ond mae wedi'i wneud o foleciwl canghennog sy'n cynnwys alffa glwcos wedi'i uno â bondiau glycosidig 1-6, ac mae ei adeiledd yn debyg i amylopectin. ✓

Mae planhigion ac anifeiliaid hefyd yn defnyddio carbohydradau i gynnal adeiledd. Mae cellfuriau planhigion wedi'u cryfhau gan gellwlos, sydd wedi'i wneud o gadwynau o foleciwlau beta glwcos. Mae bob yn ail foleciwl glwcos yn cylchdroi 180° ac yn ffurfio cadwynau syth. ✓ Mae bondiau hydrogen yna'n ffurfio rhwng y cadwynau hir paralel i ffurfio microffibrolion, sydd yn eu tro yn cael eu dal gyda'i gilydd mewn ffibrau. ✓ Mae presenoldeb ffibrau wedi'u trefnu ar ongl sgwâr i ffibrau eraill yn y cellfur yn darparu cryfder. ✓ Mewn pryfed, mae citin yn ffurfio mewn ffordd debyg, ond bod grwpiau asetylamin yn cymryd lle rhai o'r grwpiau OH. Mae eu trefniad yn debyg, gan greu moleciwl cryf ac ysgafn sy'n rhan o sgerbwd allanol pryfed. ✓ ③

Mae lipidau hefyd yn cynnwys carbon, hydrogen ac ocsigen, ond mae cyfran ocsigen yn llai. Mae'r rhain yn foleciwlau amholar ac felly maen nhw'n anhydawdd mewn dŵr, sy'n golygu eu bod nhw'n gallu cael eu defnyddio fel cyfrwng diddosi ar ffurf cwyrau dail, ac olewau ar adenydd adar. ✓ Gan eu bod nhw'n anhydawdd, mae lipidau hefyd yn storfa dda o egni ar ffurf olewau mewn hadau ac asidau brasterog dirlawn mewn anifeiliaid. ✓ Mae storio brasterau dan arwyneb y croen hefyd yn helpu i atal colledion gwres gan fod brasterau yn wael am ddargludo gwres, ✓ ac fel un o gydrannau myelin, maen nhw'n amgylchynu niwronau gan ddarparu ynysiad trydanol. ✓ Oherwydd niferoedd uchel yr atomau hydrogen, mae eu hydrolysis yn rhyddhau mwy o egni o bob gram na charbohydradau – dwywaith gymaint o egni mewn gwirionedd, ✓ ac mae'r broses hefyd yn rhyddhau dŵr metabolaidd, sy'n bwysig i anifeiliaid diffeithdir fel y llygoden fawr godog sydd ddim yn cael llawer o ddŵr. Mae rhai brasterau yn cael eu storio o gwmpas organau bregus fel yr aren i'w hamddiffyn rhag niwed corfforol. Mae lipidau hefyd yn gydrannau allweddol ym mhilen blasmaidd celloedd, lle maen nhw'n ffurfio ffosffolipidau. ✓ ④

Mae angen carbohydradau a lipidau hefyd i wneud moleciwlau eraill sy'n bwysig i blanhigion ac anifeiliaid fel niwcleotidau drwy ychwanegu ffosffad ✓ a chloroffyl gyda magnesiwm. ✓

Sylwadau'r arholwr

① Mae Isla yn disgrifio prif swyddogaethau glwcos yn dda.

② Mae adeiledd startsh wedi'i ddisgrifio'n dda i esbonio ei swyddogaeth fel moleciwl storio.

③ Mae hi'n disgrifio'n glir sut mae microffibrolion yn ffurfio ac yn defnyddio hyn i esbonio sut mae citin yn cyfrannu at gynnal adeiledd.

④ Mae hi wedi defnyddio priodweddau lipidau i esbonio eu swyddogaethau.

Sylwadau crynhoi

Byddai Isla yn cael marciau llawn (**9/9**) am ateb y cwestiwn yn llawn gan ddefnyddio enghreifftiau da i gysylltu adeileddau lipidau a charbohydradau â'u swyddogaethau, heb gynnwys dim byd amherthnasol na hepgor dim byd o bwys. Mae Isla yn defnyddio confensiynau a geirfa wyddonol yn briodol ac yn gywir.

Ateb Ceri

Mae carbohydradau yn cael eu defnyddio ar gyfer resbiradaeth, ac fel moleciwlau storio ac i gynnal adeiledd. ✓ Mae startsh yn cael ei storio mewn planhigion oherwydd yn wahanol i glwcos mae'n anhydawdd ac yn gryno ac felly mae'n hawdd ei storio mewn celloedd planhigyn. ✓ ① Mae anifeiliaid yn storio glwcos ar ffurf glycogen. Mae cellfuriau planhigion yn cynnwys cellwlos, sydd wedi'i wneud o foleciwlau beta glwcos sy'n gwneud ffibrau yn y cellfur i ddarparu cryfder. ② Mae lipidau yn anhydawdd mewn dŵr, felly maen nhw'n gwneud egni da mewn anifeiliaid ③. Mae ganddynt fwy o egni na charbohydradau ④ ac maen nhw hefyd yn rhyddhau dŵr, sy'n bwysig mewn diffeithdir. Mae brasterau yn cael eu storio o gwmpas organau bregus fel yr aren i'w hamddiffyn nhw ⑤. Maen nhw hefyd yn bodoli ym mhilen blasmaidd celloedd, lle maen nhw'n ffurfio ffosffolipidau.

Sylwadau'r arholwr

① Gallai Ceri fod wedi cynnwys y ffaith nad yw startsh yn effeithio ar osmosis mewn celloedd. Byddai angen i Ceri sôn bod startsh yn storfa egni/glwcos, a bod adeileddau heligol a changhennog amylos ac amylopectin yn ei wneud yn fwy cryno.

② Dydy hi ddim yn glir beth yn union sy'n darparu cryfder yma. Gallai Ceri fod wedi cynnwys manylion am sut mae moleciwlau beta glwcos wedi'u trefnu yn gadwynau a microffibrolion, a manylion am gitin.

③ Er bod Ceri yn sôn am y ffaith bod lipidau yn anhydawdd, gallai hi gysylltu hyn â diddosi.

④ Mae angen dweud dwywaith gymaint o egni.

⑤ Mae angen i Ceri esbonio sut fath o amddiffyn, h.y. amddiffyn rhag niwed corfforol.

Sylwadau crynhoi

Byddai Ceri'n cael **1** marc allan o **9** oherwydd er ei bod hi'n gwneud rhai pwyntiau perthnasol gan ddangos rhywfaint o resymu, dydy hi ddim yn esbonio adeiledd yr elfennau allweddol sy'n eu galluogi nhw i gyflawni eu swyddogaeth. Mae Ceri ar adegau wedi defnyddio confensiynau a geirfa wyddonol.

Sylwch

Nid un marc am bob pwynt yw'r ymateb estynedig – mae'n ymwneud yn fwy â sut rydych chi'n ateb y cwestiwn. Mae cynllun yn hanfodol er mwyn i chi ysgrifennu'n ddealladwy, a rhaid i chi ddefnyddio terminoleg wyddonol yn gywir.

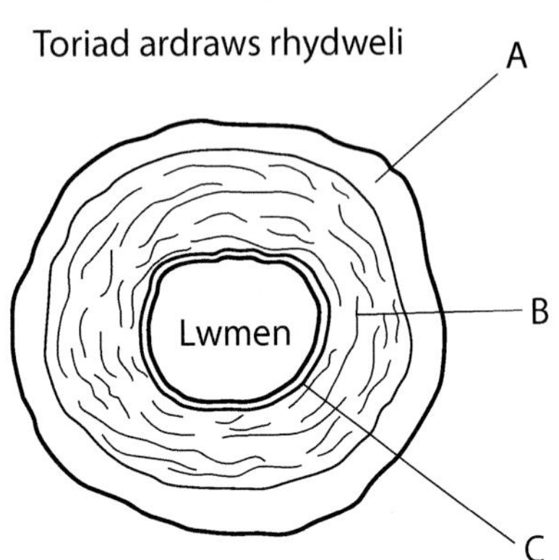

(a) Labelwch A, B ac C sydd wedi'u dangos yn y diagram. [2]

(b) Mae rhydwelïau coronaidd yn gallu cael eu blocio mewn cleifion sy'n dioddef clefyd ischaemig y galon o ganlyniad i ddeiet a lefel uchel o golesterol ynddo. Esboniwch sut byddai rhydweli yn cael ei blocio. [2]

Ateb Isla

a) A = ffibrau colagen ✓
B = haen cyhyr elastig ✓
C = endotheliwm ✓ tri yn gywir = 2 farc ①

b) Mae deiet a lefel uchel o golesterol ynddo yn arwain at ddyddodi braster yn y wal sy'n niweidio'r endotheliwm ✓ ac yn achosi atherosglerosis. ✓ Mae hyn yn achosi i dolchen ffurfio.

Sylwadau'r arholwr

① Byddai tunica externa/adventitia hefyd yn dderbyniol ar gyfer a), tunica media ar gyfer b), tunica intima/interna ar gyfer c).

Mae Isla yn cael 4/4 marc

Ateb Ceri

a) A = colagen ✓
B = cyhyrau ✓
C = epitheliwm ✗ dau yn gywir = 1 marc ①

b) Dyddodi colesterol ✗ ② yn y waliau sy'n achosi tolchen ✗

Sylwadau'r arholwr

① Er bod cyhyrau'n iawn, mae haen cyhyr yn well o ran y fioleg. Mae Ceri wedi drysu rhwng dau derm sy'n swnio'n debyg, epitheliwm ac endotheliwm. Math o feinwe gyswllt yw epitheliwm, nid yr haen sydd wedi'i dangos.

② Mae hyn yn anghywir. Dylai Ceri ddweud mai braster sy'n cael ei ddyddodi.

Mae Ceri yn cael 1/4 marc

Mae'r diagram isod yn dangos penglogau tri phrimat gwahanol. Mae *Australopithecus afarensis* a *Homo erectus* wedi bod yn ddiflanedig ers dros filiwn o flynyddoedd.

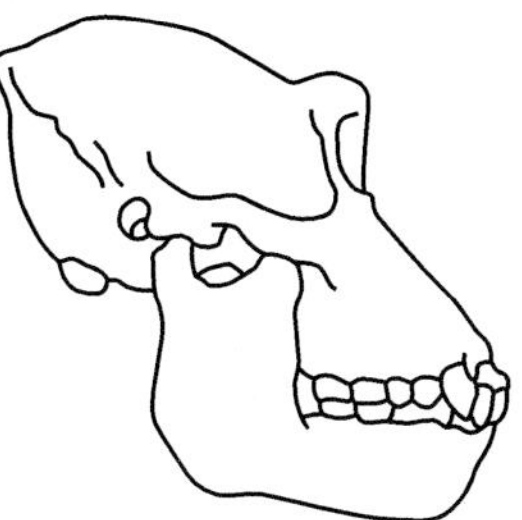

Gorilla gorilla

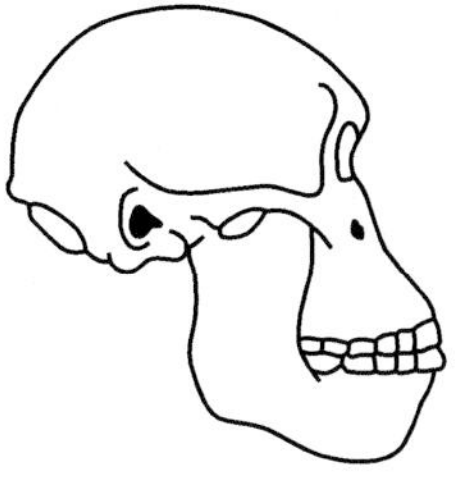

Australopithecus afarensis

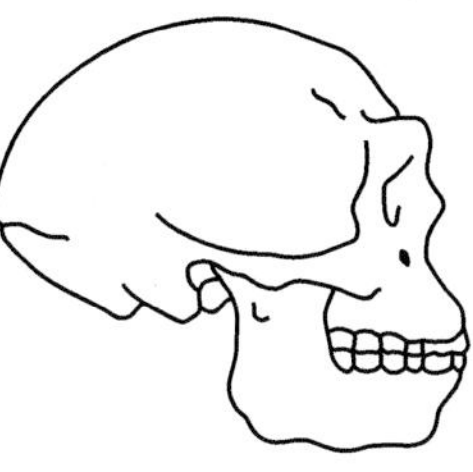

Homo erectus

a) Enwch y dosbarth mae'r primatiaid hyn i gyd yn perthyn iddo. [1]

b) Diffiniwch y term rhywogaeth. [2]

c) (i) Gan gyfeirio at y diagramau, awgrymwch pam mae gwyddonwyr yn ystyried bod *Homo erectus* yn perthyn yn agosach i *Australopithecus afarensis* nag i *Gorilla gorilla*. [1]

(ii) Gan ddefnyddio eu dosbarthiad, nodwch pa brimat sy'n perthyn agosaf i fodau dynol modern, ac esboniwch eich ateb. [2]

Ateb Isla

a) Fertebrata ✗ ①

b) Grŵp o organebau â nodweddion tebyg sy'n gallu rhyngfridio ✓ i gynhyrchu epil ffrwythlon. ✓

c) i) Mae siâp creuan a gên Homo erectus ac Australopithecus afarensis yn siâp tebyg i'w gilydd. ✓

ii) Homo erectus, ✓ oherwydd mae erectus a sapiens yn rhannu'r un genws ✓

Sylwadau'r arholwr

① Fertebrata yw'r ffylwm, nid y dosbarth.

Mae Isla yn cael 5/6 marc

Ateb Ceri

a) Mamolion. ✓

b) Grŵp o organebau sy'n gallu bridio ✗ ① i gynhyrchu epil ffrwythlon ✓

c) i) Mae'r penglogau yn edrych yn debyg ✗ ②

ii) Homo erectus ✓, oherwydd mae'r penglog yn edrych yn fwy dynol ✗ ③

Sylwadau'r arholwr

① I fod yn aelod o'r un rhywogaeth, mae angen i organebau ryngfridio (neu fridio gyda'i gilydd).

② Mae penglogau tebyg yn rhy amwys. Mae angen i Ceri fod yn benodol am siâp y penglog, yr ên, y greuan neu'r dannedd, a nodi pa brimatiaid mae hi'n sôn amdanynt.

③ Dylai Ceri fod wedi defnyddio eu dosbarthiad fel roedd y cwestiwn yn gofyn amdano, yn hytrach na chyfeirio at y diagram.

Mae Ceri yn cael 3/6 marc

a) Mae'r diagram yn dangos toriad hydredol drwy ran o'r llwybr ymborth.

(i) Enwch y rhan o'r llwybr ymborth lle byddech chi'n canfod ffurfiad A. [1]

(ii) Enwch y bibell waed sy'n cludo asidau amino i'r afu/iau. [1]

(iii) Defnyddiwch y diagram i lenwi'r tabl canlynol. [3]

Llythyren	Enw	Swyddogaeth
B		cynyddu'r arwynebedd arwyneb
C		cynnwys chwarennau sy'n rhyddhau secretiadau
D	is-fwcosa	

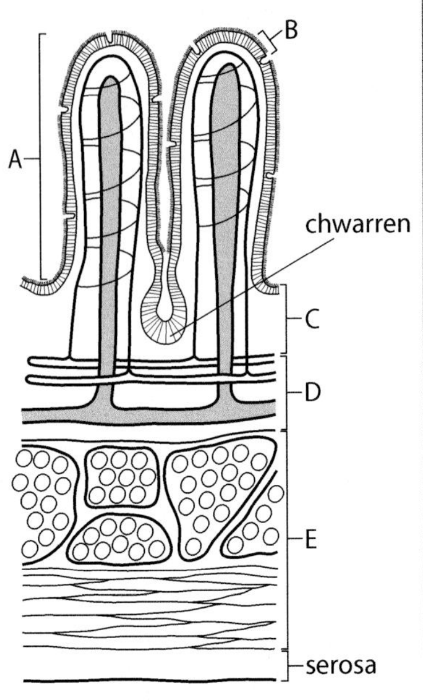

b) Mae clefyd coeliag yn glefyd sy'n effeithio ar y coluddyn bach, gan wneud y filysau'n fflat. Awgrymwch pam mae'r symptomau yn aml yn cynnwys dolur rhydd a blinder. [3]

Ateb Isla

a) i) llewm ✓

ii) Gwythïen bortal hepatig ✓

iii) B = microfilysau ✓

C = mwcosa ✓

D = cynnwys pibellau i gludo cynhyrchion treuliad ✓

b) Dydy'r corff ddim yn gallu amsugno cymaint o glwcos ar gyfer resbiradaeth, sy'n achosi blinder. ✓ Mae dolur rhydd yn digwydd oherwydd dydy'r corff ddim yn gallu amsugno cymaint o ddŵr. ✓ ①

Sylwadau'r arholwr

① I gael marciau llawn, byddai angen i Isla esbonio effaith y filysau fflat, h.y. bod yr arwynebedd arwyneb ar gyfer amsugno a threulio yn lleihau (oherwydd yr ensymau sydd wedi'u rhwymo wrth bilen yr epitheliwm).

Mae Isla yn cael 7/8 marc

Ateb Ceri

a) i) llewm ✓

ii) Gwythïen bortal hepatig ✓

b) iii) B = cilia ✗ ①

C = mwcosa ✓

D = cynnwys pibellau gwaed ✗ ②

c) Dydy'r corff ddim yn gallu amsugno cymaint o glwcos, sy'n achosi blinder a dolur rhydd ✓ ③

Sylwadau'r arholwr

① Mae Ceri wedi drysu rhwng cilia a microfilysau: Blew bach sy'n leinio'r tracea yw cilia, ac mae microfilysau'n ffurfio wrth i bilen filysau blygu tuag i mewn.

② Dydy Ceri ddim yn cynnwys y swyddogaeth yma, sef bod y pibellau'n cludo cynhyrchion treuliad.

③ Mae angen i Ceri wneud y cysylltiad rhwng amsugno llai o glwcos a llai o resbiradaeth, sy'n achosi blinder. Mae angen i Ceri esbonio pam mae dolur rhydd yn digwydd.

Mae Ceri yn cael 4/8 marc

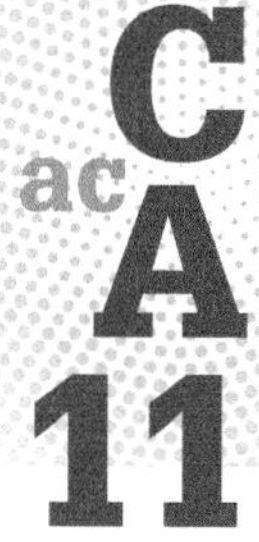

Mae'r diagramau isod yn dangos toriad drwy ysgyfant iach a thoriad drwy ysgyfant claf sy'n dioddef o emffysema. Mae'r ddau ddiagram wedi'u lluniadu wrth yr un raddfa.

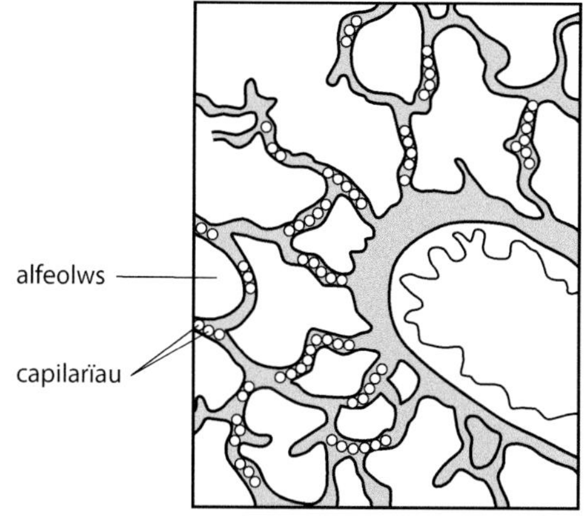

Ysgyfant iach

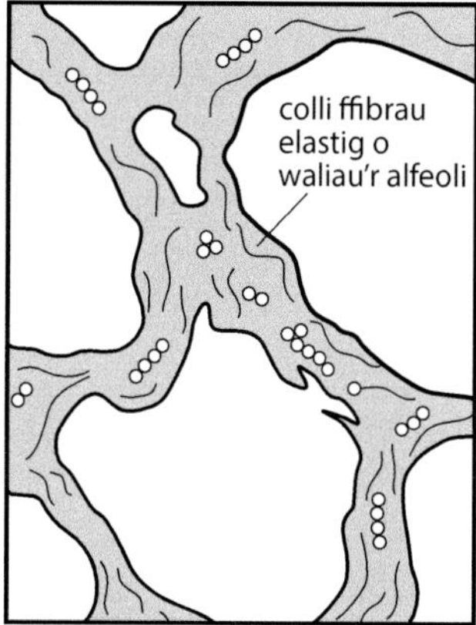

Dioddefwr emffysema

a) Rhestrwch **dri** addasiad ar gyfer cyfnewid nwyon sydd wedi'u dangos yn y diagram o'r ysgyfant iach uchod. [3]

b) Disgrifiwch sut mae un o'r addasiadau rydych chi wedi'u rhestru yn rhan (a) o gymorth i gyfnewid nwyon. [1]

c) Defnyddiwch y wybodaeth yn y diagram i awgrymu pam mae dioddefwyr emffysema yn aml yn fyr o wynt wrth wneud ymarfer corff ysgafn. [4]

Ateb Isla

a) Mae'r waliau'n denau ✓ ac mae rhwydwaith mawr o gapilarïau i'w weld. ✓ ①

b) Mae'r waliau tenau yn lleihau'r pellter sydd gan nwyon i dryledu. ✓

c) Mae llai o alfeoli yn lleihau'r arwynebedd arwyneb ar gyfer cyfnewid nwyon ✓, ac oherwydd bod waliau'r alfeoli yn fwy trwchus ✓, mae'r pellter tryledu yn cynyddu. ✓ ②

Sylwadau'r arholwr

① I gael marciau llawn, byddai angen i Isla gynnwys y ffaith bod yr arwynebedd arwyneb yn fawr.

② Mae angen i Isla wneud y cysylltiad terfynol, rhwng arwynebedd arwyneb llai ac amsugno llai o ocsigen. Gallai Isla hefyd fod wedi cynnwys effaith colli elastigedd o waliau'r alfeoli a lleihau'r cyfaint cyfnewid/cyfaint yr aer sy'n gallu cael ei gyfnewid mewn un anadl.

Mae Isla yn cael 6/8 marc

Ateb Ceri

a) Mae'r cellfuriau'n denau ✗ ① ac yn llaith. ✗ ② mae cyflenwad gwaed da i'w weld. ✗ ②

b) Mae cellfuriau tenau yn golygu bod trylediad yn digwydd yn gyflymach. ✗ ③

c) Mae llai o alfeoli yn lleihau'r arwynebedd arwyneb ar gyfer amsugno ocsigen ✓, ac oherwydd bod y waliau'n fwy trwchus ✓, mae trylediad yn cymryd mwy o amser. ✗ ④

Sylwadau'r arholwr

① Mae Ceri wedi defnyddio'r term cellfur yn hytrach na waliau alfeoli, sy'n anghywir, oherwydd does gan gelloedd anifail ddim cellfuriau.

② Mae Ceri wedi disgrifio nodweddion cyffredinol arwynebau cyfnewid nwyon, yn hytrach na disgrifio'r rhai sydd wedi'u dangos yn y diagram. Byddai angen i Ceri ddweud rhwydwaith capilarïau mawr yn lle.

③ Dydy Ceri heb gael ei chosbi eto am ddefnyddio cellfuriau, ond byddai angen iddi hi ddweud bod y pellter tryledu yn fyrrach NID bod trylediad yn digwydd yn gyflymach.

④ Byddai angen i Ceri esbonio mai effaith waliau alfeoli mwy trwchus yw bod y pellter tryledu yn cynyddu, sy'n golygu bod llai o ocsigen yn cael ei amsugno.

Mae Ceri yn cael 2/8 marc

C ac A 12

Cynhaliodd gwyddonwyr arbrawf i ymchwilio i ba bibellau mewn planhigyn oedd yn cael eu defnyddio i drawsleoli hydoddion. Cafodd un planhigyn ei roi mewn jar nwy, a chafodd carbon deuocsid yn cynnwys carbon ymbelydrol (^{14}C) ei ychwanegu ato. Ar ôl dwy awr, torrodd y gwyddonwyr doriad o'r brigyn cyn defnyddio ffilm ffotograffig i gynhyrchu awtoradiograff ohono.

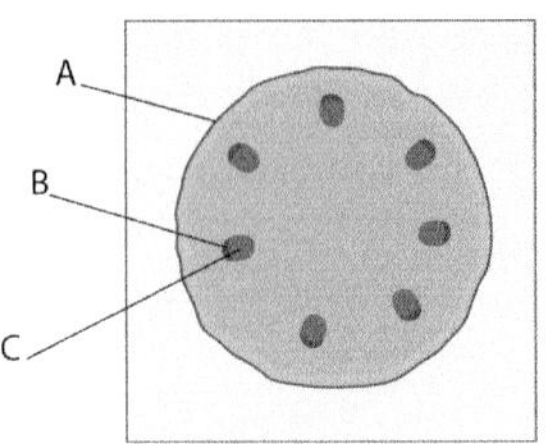

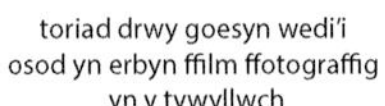
toriad drwy goesyn wedi'i osod yn erbyn ffilm ffotograffig yn y tywyllwch

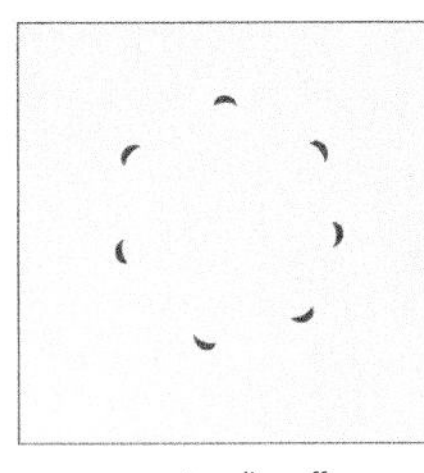
yr awtoradiograff ar ôl 12 awr

(a) Enwch ffurfiadau A, B ac C. [3]

(b) Defnyddiwch yr awtoradiograff, a'ch gwybodaeth eich hun, i ateb y cwestiynau canlynol.

(i) Enwch y bibell mae hydoddion yn cael eu trawsleoli drwyddi. [1]

(ii) Esboniwch yn llawn sut gwnaethoch chi ffurfio'r casgliad hwn. [3]

Ateb Isla

a) A = endodermis ✗ ①
B = Ffloem ✓
C = Sylem ✓

b) i) ffloem ✓

c) ii) mae'r awtoradiograff yn dangos mannau tywyll ✓ yn yr un lle ag y mae'r ffloem ✓.

Sylwadau'r arholwr

① Mae Isla wedi drysu rhwng endodermis ac epidermis.

② Gallai Isla fod wedi cynnwys bod y carbon ymbelydrol mewn carbon deuocsid wedi cael ei drawsnewid yn swcros sydd yna'n cael ei drawsleoli yn y tiwbiau ffloem.

Mae Isla yn cael 5/7 marc

Ateb Ceri

a) A = epidermis ✓
B = Sylem ✗
C = Ffloem ✗ ①

b) i) ffloem ✓

c) ii) mae rhai mannau tywyll sy'n dangos mae'n rhaid bod carbon deuocsid ymbelydrol yn symud drwy'r pibellau ✗ ②

Sylwadau'r arholwr

① Mae Ceri wedi drysu rhwng lleoliad y sylem a'r ffloem.

② Mae Ceri wedi nodi bod mannau tywyll yn bresennol, ond mae hi'n anghywir wrth ddweud bod hyn oherwydd carbon deuocsid ymbelydrol, a dydy hi heb enwi'r bibell. Dylai hi fod wedi dweud mai swcros ymbelydrol sy'n symud drwy diwbiau ffloem.

Mae Ceri yn cael 2/7 marc

(a) Gofynnwyd i ddisgyblion gydosod arbrawf i ymchwilio i golled dŵr gan blanhigyn. Mae'r cyfarwyddiadau wedi'u rhoi isod.

A. Torri dau gyffyn deiliog
B. Gorchuddio dail un cyffyn â jeli petroliwm (Vaseline)
C. Rhoi'r cyffion mewn biceri dŵr ar wahân a gorchuddio arwyneb y dŵr ag olew
CH. Cofnodi cyfanswm màs pob arbrawf sydd wedi'i gydosod
D. Rhoi'r cyffion mewn golau a'u pwyso nhw eto bob 30 munud am 5 awr. Yna cyfrifo'r newid màs canrannol.

Gwelodd y disgyblion fod newid màs canrannol y cyffyn â jeli petroliwm ar ei ddail yn llai na'r cyffyn heb jeli petroliwm.

Daeth y disgyblion i'r casgliad bod newid màs canrannol y dŵr gafodd ei golli o'r cyffyn yn hafal i fàs y dŵr gafodd ei amsugno gan y cyffyn. Esboniwch pam byddai'r disgyblion yn anghywir i ddod i'r casgliad hwn. [3]

(b) Roedd y disgyblion hefyd am gyfrifo lled cyfartalog stoma sydd ar agor. Disgrifiwch sut gallen nhw wneud hyn gan ddefnyddio cyfres o electronmicrograffau o ochr isaf deilen. Chwyddhad yr electronmicrograffau oedd 2500×. [3]

Ateb Isla

Byddai angen rhywfaint o'r dŵr sy'n dod i'r planhigyn ar gyfer pethau eraill fel ffotosynthesis ✓ a chynnal chwydd-dyndra ✓. ①
Mesur lled stomata ar y ffotograff mewn mm a'i drawsnewid yn µm drwy ei luosi â 1000 ✓. Yna rhannu hyn â'r chwyddhad, 2500 i ganfod lled gwirioneddol y stomata (gwrthrych) ✓. Byddai angen ailadrodd hyn o leiaf 3 gwaith er mwyn cyfrifo cymedr ✓.

Sylwadau'r arholwr

① Gallai Isla fod wedi cynnwys y ffaith bod resbiradaeth yn cynhyrchu rhywfaint o ddŵr.

Mae Isla yn cael 5/6 marc

Ateb Ceri

Mae angen dŵr hefyd ar gyfer ffotosynthesis ✓ a chynnal chwydd-dyndra ✓. ①
Mesur lled stomata ② yna rhannu hwn â 2500 i ganfod lled gwirioneddol y stomata ✓ ③

Sylwadau'r arholwr

① Gallai Ceri hefyd fod wedi cynnwys y ffaith bod resbiradaeth yn cynhyrchu rhywfaint o ddŵr.

② Byddai angen i Ceri gynnwys manylion sut i drawsnewid i µm.

③ Mae angen i Ceri ddweud sut byddai hi'n cyfrifo cyfartaledd (cymedr) drwy ailadrodd yr arbrawf.

Mae Ceri yn cael 3/6 marc

Disgrifiwch sut mae carbon deuocsid yn cael ei gludo yn y gwaed. Awgrymwch pam mae ocsigen yn cael ei ryddhau yn rhwyddach mewn cyhyrau lle mae asid lactig wedi cronni. [9]

Ateb Isla

Mae rhywfaint o garbon deuocsid yn cael ei gludo yng nghelloedd coch y gwaed ar ffurf carbamino-haemoglobin ✓, ond mae'r rhan fwyaf yn cael ei gludo ar ffurf ïonau deucarbonad (HCO_3^-) ✓. Mae carbon deuocsid yn cael ei drawsnewid yn HCO_3^- yng nghelloedd coch y gwaed, ar ôl adwaith sy'n cynnwys yr ensym carbonig anhydras ✓. ① Mae HCO_3^- yn tryledu allan o gell goch y gwaed ac i'r plasma lle mae'n cael ei gludo i'r ysgyfaint ✓. Yn ystod ymarfer corff, mae cyhyrau'n dechrau resbiradu'n anaerobig felly mae glwcos yn cael ei drawsnewid yn asid lactig, sy'n cronni yn y cyhyrau. ✓ Mae crynodiad uwch yr asid lactig yn y cyhyrau'n gostwng pH y gwaed wrth i'r asid lactig ryddhau protonau. Mae hyn yn lleihau affinedd haemoglobin ag ocsigen, sef effaith Bohr ✓, ac yn achosi i ocsihaemoglobin ddaduno yn rhwyddach, sydd i'w weld wrth i'r gromlin ddaduniad ocsigen symud i'r dde ✓. Mae hyn yn fantais yn ystod ymarfer corff, oherwydd mae ocsigen yn cael ei ryddhau yn rhwyddach i feinweoedd sy'n resbiradu ✓. ②

Sylwadau'r arholwr

Mae Isla yn llunio ateb clir, cyfannol, gan resymu'n ddilyniannol. Mae'n ateb y cwestiwn yn llawn heb gynnwys dim byd amherthnasol na hepgor dim byd o bwys. Mae'r ymgeisydd yn defnyddio confensiynau a geirfa wyddonol yn briodol ac yn sillafu'n gywir.

① Gallai Isla fod wedi cynnwys manylion am ddaduno asid carbonig i ffurfio hydrogen ac ïonau hydrogen carbonad, a'r syfliad clorid sy'n digwydd i gynnal niwtraliaeth electrocemegol drwy gyfrwng tryledïad cynorthwyedig.

② Gallai Isla fod wedi ehangu ei hateb i gyfeirio at ïonau H^+ yn rhwymo wrth ocsihaemoglobin sy'n rhyddhau ocsigen.

Mae Isla yn cael 7/9 marc

Ateb Ceri

Mae carbon deuocsid yn cael ei gynhyrchu fel nwy gwastraff sy'n cael ei gludo yn y plasma i'r ysgyfaint lle mae'n cael ei ddileu. Caiff rhywfaint o garbon deuocsid ei gludo yng nghelloedd coch y gwaed fel carbamino-haemoglobin. ✓
Wrth ymarfer corff, caiff mwy o garbon deuocsid ei gynhyrchu ac mae angen ei ddileu. Rydym ni'n anadlu'n gyflymach ac yn drymach i helpu i gael gwared arno. ① Mae carbon deuocsid yn cael ei gludo yn y gwaed wedi'i hydoddi yn y plasma. ② Mae'r gromlin ddaduniad yn newid os oes llawer o asid lactig yn bresennol, mae'n symud i'r dde, a symudiad Bohr yw hyn. ✓ ③

Sylwadau'r arholwr

Mae Ceri'n ymgeisydd sy'n gwneud rhai pwyntiau perthnasol, fel y rhai yn y cynnwys dangosol, ond dydy hi ddim yn dangos llawer o resymu. Mae'n ateb y cwestiwn ond gan hepgor rhai pethau sylweddol. Mae'r ymgeisydd ar adegau yn defnyddio confensiynau a geirfa wyddonol.

① Mae angen i Ceri ddangos y cysylltiad rhwng crynodiadau asid lactig uchel a gostyngiad mewn pH.

② Dylai Ceri ehangu ar sut mae carbon deuocsid yn cael ei gludo, h.y. ar ffurf ïonau hydrogen carbonad yn y gwaed, a rhywfaint ar ffurf carbamino-haemoglobin yng nghelloedd coch y gwaed.

③ Mae Ceri'n sôn am symudiad Bohr ond mae angen iddi hi ddangos dealltwriaeth; er enghraifft, yr effaith ar affinedd haemoglobin ag ocsigen, a sut mae hyn yn rhyddhau ocsigen yn fwy rhwydd.

Mae Ceri yn cael 3/9 marc

Cwestiynau ymarfer ychwanegol

1. Mae angen ïonau anorganig ar organebau byw.
   a) Cwblhewch swyddogaethau'r ïonau canlynol yn y tabl isod. [2]

Ïon	Swyddogaeth
Magnesiwm	
Ffosffad	

   b) Esboniwch pam mae diffyg haearn yn y deiet yn aml yn arwain at anaemia. [2]
   c) Mae dŵr yn hanfodol i fywyd. Esboniwch sut mae ei briodweddau yn ei alluogi i oeri anifeiliaid. [3]
2. a) Beth yw ystyr meinwe? [1]
   b) Esboniwch sut mae epitheliwm cennog wedi addasu i'w swyddogaeth yn yr ysgyfaint. [2]
   c) Mae penisilin yn wrthfiotig sy'n gweithio drwy atal trawsgysylltiadau peptidoglycan yng nghellfuriau bacteria Gram positif, sy'n gwneud cellfuriau'r celloedd yn wannach. Mae hyn yn golygu bod lysis osmotig yn gallu digwydd i'r bacteriwm. Defnyddiwch eich gwybodaeth am adeiledd firysau i esbonio pam dydy gwrthfiotigau ddim yn effeithiol yn erbyn firysau fel ffliw. [1]
3. Mae'r diagram yn dangos y model mosaig hylifol ar gyfer adeiledd pilen a gynigiodd Singer a Nicolson yn 1972.

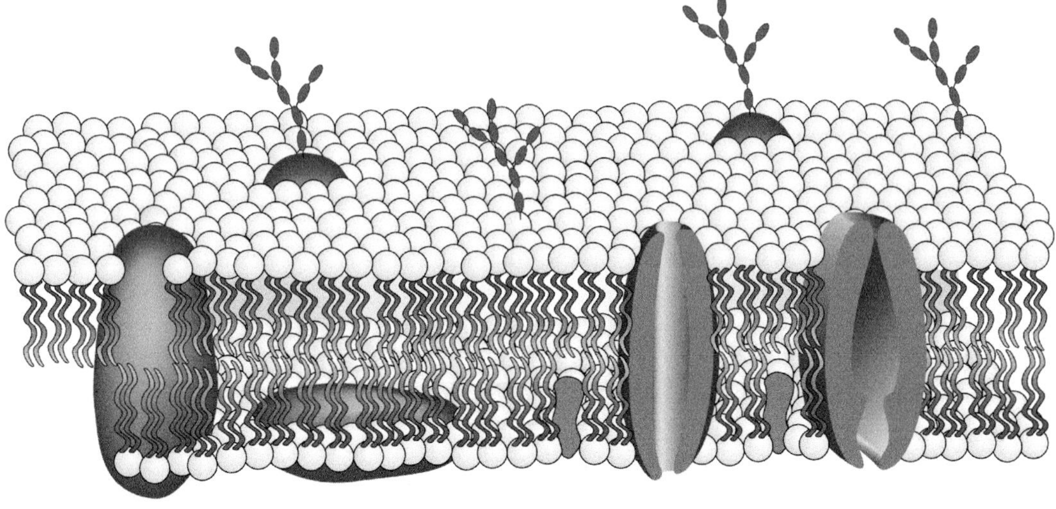

   a) Pam rydym ni'n dweud bod y model yn fosaig hylifol? [2]
   b) Mewn ffibrosis cystig, mae'r proteinau cludo clorid yn ddiffygiol ym mhilenni'r epitheliwm ciliedig sy'n leinio'r tracea a'r bronciolynnau. O ganlyniad i hyn, dydy ïonau clorid ddim yn cael eu secretu o'r gell, nac yn cael eu hamsugno gan y mwcws sy'n gorchuddio'r gell.
      i) Defnyddiwch eich gwybodaeth am osmosis i esbonio pam mae mwcws y cleifion hyn yn aml yn drwchus. [2]
      ii) Awgrymwch pam mae cleifion yn aml yn dweud bod anadlu aer y môr yn gwella eu symptomau. [2]

4. Mae isolewcin yn atalydd cystadleuol cildroadwy i'r ensym threonin dadaminas.
   a) Esboniwch pam mae isolewcin yn atalydd cystadleuol i'r ensym. [3]
   b) Sut gallem ni oresgyn effaith ataliol isolewcin? [1]

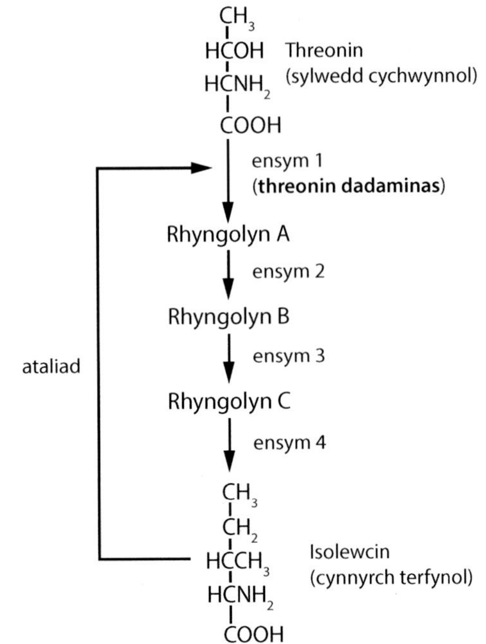

5. Mae tetracyclin yn wrthfiotig sy'n rhwymo wrth yr is-uned ribosom fach mewn bacteria, gan atal tRNA rhag ymuno â'r cymhlygyn mRNA–ribosom. Mewn arbrawf, edrychodd gwyddonwyr ar y gostyngiad yn nhwf bacteria ar blatiau agar gan ddefnyddio gwahanol grynodiadau tetracyclin. Mae'r tabl yn dangos y canlyniadau:

Crynodiad y tetracyclin / mg	Gostyngiad yn nhwf y boblogaeth / %
0	0
10	15
20	30
40	60

   a) Pa gasgliad allwch chi ei ffurfio o'r canlyniadau? [2]
   b) Sut gallech chi fireinio'r arbrawf er mwyn bod yn fwy hyderus yn eich casgliad? [2]
   c) Esboniwch pam mae defnyddio tetracyclin yn atal twf poblogaeth bacteria. [2]

6. a) Mae canran y celloedd sydd ar bob cam yng nghylchred y gell mewn cyfrannedd â hyd y cam hwnnw. Gan ddefnyddio microsgop, arsylwodd disgybl ar 100 o gelloedd a gwelodd 5 yn cyflawni proffas. Os yw cyfanswm hyd cylchred y gell yn 24 awr, cyfrifwch hyd proffas mewn munudau. Dangoswch eich gwaith cyfrifo. [2]
   b) Disgrifiwch sut mae metaffas 1 meiosis yn wahanol i fetaffas mitosis. [2]

7. Disgrifiwch sut byddech chi'n cynnal arbrawf i amcangyfrif nifer y pryfed lludw sy'n bresennol mewn coetir $100m^2$. [5]

8. Mae'r diagram isod yn dangos system draceol pryfyn.

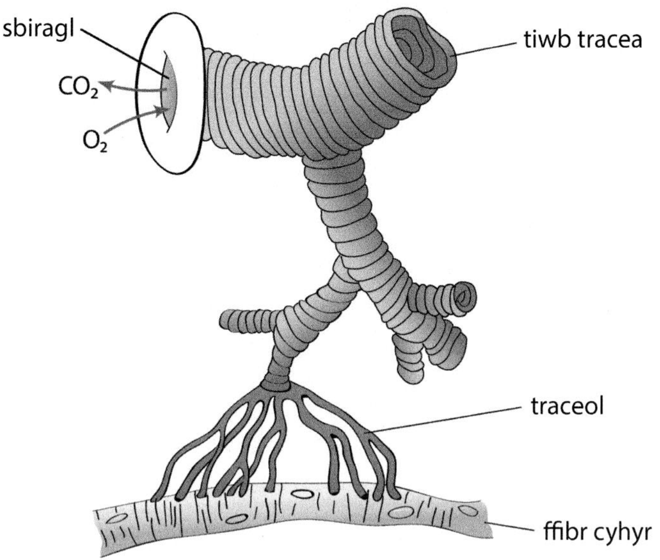

a) Defnyddiwch y diagram, a'ch gwybodaeth chi, i esbonio'r cyfyngiadau sydd ar bryfed o ran eu maint a'u siâp. [3]

b) Esboniwch sut mae pryfed wedi addasu i fyw mewn amgylchedd sych. [2]

9. Mae cwasiorcor, sy'n gyflwr lle mae hylif yn cronni yn y meinweoedd, yn fwyaf amlwg yng nghorff plant sy'n dioddef diffyg maeth, o ganlyniad i ddeiet ag ychydig iawn o brotein ynddo. Defnyddiwch eich gwybodaeth am osmosis i esbonio pam mae'r hylif yn cronni. [5]

10. Mae'r diagram isod yn dangos y gwahanol lwybrau mae dŵr yn eu dilyn ar draws cortecs y gwreiddyn mewn planhigion.

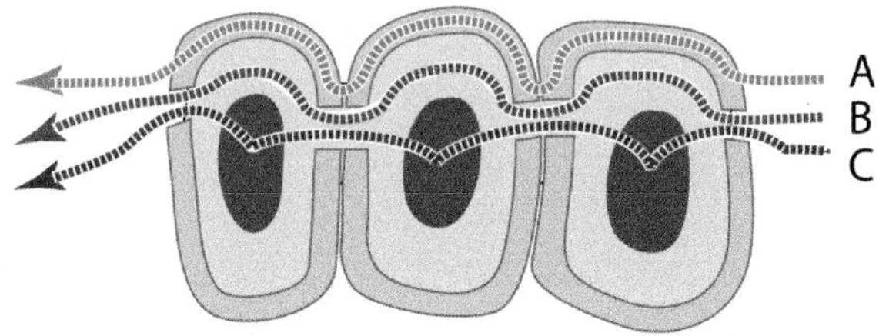

a) Enwch lwybrau A, B ac C. [2]

b) Defnyddiwch eich gwybodaeth am adeiledd y cellfur i esbonio pam mae dŵr yn llifo'n bennaf ar hyd llwybr A. [2]

11. Rydym ni'n defnyddio prasicwantel i drin heintiau llyngyr, ac rydym ni'n meddwl ei fod yn gweithio drwy atal y llyngyren rhag gallu gwrthsefyll cael ei threulio gan y mamolyn lletyol. Gan ddefnyddio eich gwybodaeth am *Taenia*, awgrymwch sut mae'r cyffur yn gweithio i gael gwared ar y parasit. [2]

Atebion i'r cwestiynau cyflym

Adran 1.1

① Mae ïonau Cl^- â gwefr negatif yn atynnu deupol positif dŵr, ac mae'r ïonau sodiwm â gwefr bositif, Na^+, yn atynnu'r deupol negatif.

② Mae gan foleciwl polar wefr drydanol wedi'i dosbarthu yn anghyfartal. Mae gan yr ocsigen ychydig o wefr negatif, ac mae gan yr hydrogen ychydig o wefr bositif.

③ A = cydlyniad yn creu tyniant arwyneb, B = gwres cudd anweddu uchel, C = hydoddydd

④ A = pentos B = glwcos C = trios

⑤ $C_6H_{12}O_6 + C_6H_{12}O_6 - H_2O = C_{12}H_{22}O_{11}$

⑥

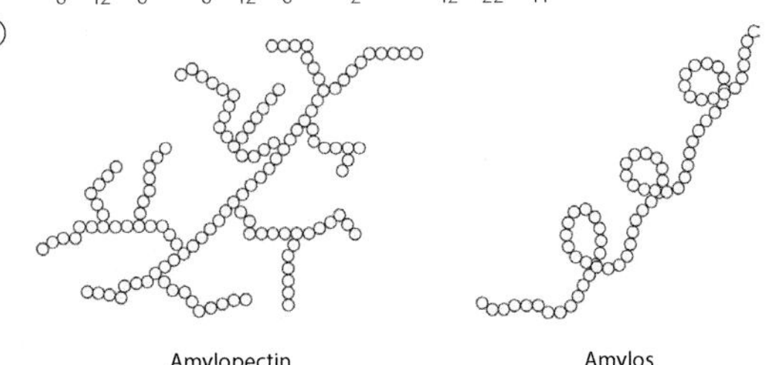

⑦ Bond ester, adwaith hydrolysis

⑧ Mae lipidau'n cynnwys dwywaith gymaint o egni â charbohydradau. Dydy lipidau ddim yn effeithio ar botensial dŵr celloedd felly maen nhw'n anadweithiol o safbwynt osmosis.

⑨ Dŵr sy'n cael ei gynhyrchu drwy ocsidio bwyd yn ystod resbiradaeth.

⑩ Mae gan ffosffolipid 2 asid brasterog; mae gan driglyseridau 3. Mae gan ffosffolipid grŵp ffosffad; does gan driglyseridau ddim un.

⑪ Cynffon lipid ffosffolipid

⑫ Bond peptid

⑬ Hydrogen, ïonig, deusylffid, a peptid

⑭ Mae A ac C yn broteinau crwn, mae B yn brotein ffibrog.

Adran 1.2

① A = 2000, B = 7.25×10^{-3}, C = 130

② cloroplast

③ 1 = C, 2 = A, 3 = B, 4 = Dd, 5 = Ch, 6 = D

④

Celloedd procaryotig	Celloedd ewcaryotig
e.e. bacteria ac algâu gwyrddlas	e.e. planhigion, anifeiliaid, ffyngau a phrotoctistiaid
Dim organynnau pilennog	**Organynnau pilennog**
Ribosomau'n llai (70S) ac yn rhydd yn y cytoplasm	Mae'r ribosomau'n fwy (80S), yn rhydd ac ynghlwm wrth bilenni, e.e. RE garw
DNA yn rhydd yn y cytoplasm	DNA wedi'i leoli ar gromosomau yn y cnewyllyn
Dim pilen gnewyllol	**Cnewyllyn pilennog amlwg**
Cellfur yn cynnwys peptidoglycan (mwrein)	Cellfur mewn planhigion wedi'i wneud o gellwlos. Mewn ffyngau mae wedi'i wneud o gitin

⑤ 1 = Ch, 2 = Dd, 3 = D, 4 = C, 5 = B, 6 = A

Adran 1.3

① Mae cyfradd mewnlifiad mewn <u>cyfrannedd</u> union â chrynodiad ocsigen.

② Mae cyfradd mewnlifiad mewn <u>cyfrannedd</u> union â chrynodiad ïonau nitrad rhwng pwyntiau A a B ond mae'r graff yn gwastadu rhwng B ac C wrth i nifer y proteinau cludo fynd yn gyfyngol.

③ a) Mae hyn yn cynyddu'r ocsigen yn y pridd; mae angen hwn ar gelloedd gwreiddiau i gynhyrchu ATP yn ystod resbiradaeth aerobig. Yna caiff ATP ei ddefnyddio ar gyfer cludiant actif ïonau mwynol i mewn i'r celloedd gwreiddiau.

b) Mae twf yn wael o ganlyniad i anallu planhigion i dderbyn ïonau nitrad yn actif oherwydd y diffyg ocsigen mewn priddoedd dwrlawn. Mae angen nitradau ar blanhigion i syntheseiddio protein a thyfu.

④ A i C, A i B ac C i B. A i B fydd y cyflymaf – graddiant uchaf.

⑤ Gan nad oes dim symudiad net,
Ψ = potensial dŵr y pridd
= –100 kPa.
$-100 = \Psi_S + 200$
$\Psi_S = -100 - 200 = -300$ kPa

⑥ Gallwn ni ddod i'r casgliad, wrth i dymheredd y betys gynyddu, bod mwy o lifyn yn tryledu allan. Mewn geiriau eraill, mae cynyddu'r tymheredd yn cynyddu athreiddedd pilenni'r betys. Mae hyn oherwydd: Mae tymheredd uwch yn cynyddu'r gyfradd trylediad, oherwydd mae gan y gronynnau llifyn fwy o egni cinetig.
Ar dymheredd uchel, mae'r proteinau yn y bilen yn dechrau dadnatureiddio a chreu bylchau, sy'n caniatáu i fwy o'r llifyn dryledu allan.

Ychwanegol

(i) Mae ethanol yn hydoddi ffosffolipidau sy'n creu bylchau yn y bilen

(ii) Mae tymheredd uwch yn cynyddu egni cinetig y moleciwlau llifyn sy'n cynyddu cyfradd trylediad y llifyn ar draws y bilen.

⑦ 1 = Ch, 2 = A, B, C, Ch, 3 = C, 4 = B, Ch (C)

Adran 1.4

① Metabolaeth = anabolaeth + catabolaeth

② Heb yr ensym

Egni

egni actifadu

swbstrad

cynnyrch

Datblygiad yr adwaith

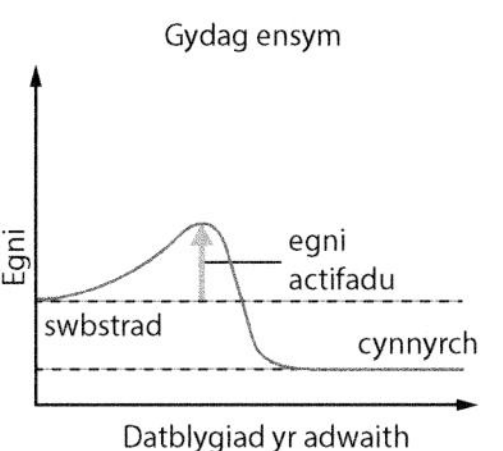

③ c yw'r rhyngdoriad â'r echelin y

$y = -x + 2$

graddiant = m

mae graddiant negatif yn golygu bod y llinell yn mynd i'r chwith

④ Mae atalyddion cystadleuol yn glynu wrth y safle actif, ac mae atalyddion anghystadleuol yn rhwymo wrth safle alosterig (safle heblaw'r safle actif).

⑤ (1) Mae'r biosynhwyrydd yn benodol a dim ond glwcos mae'n ei ganfod; gallai prawf Benedict ganfod presenoldeb unrhyw siwgr rhydwythol.

(2) Mae biosynhwyryddion yn gallu canfod crynodiadau llawer is na phrawf Benedict.

(3) Mae'r canlyniad yn feintiol, yn wahanol i brawf Benedict sy'n ansoddol (dibynnu ar newid lliw).

Adran 1.5

① Rhaid mai DNA ydyw (oherwydd y thymin) ac un edefyn oherwydd dydy A ddim yn hafal i T.

② CUAAAGGCUUAACCGG (Gofalus – cofiwch, does dim thymin mewn RNA)

③ RNA polymeras

④ Mae'n cynnwys ardaloedd sydd ddim yn codio neu intronau, a rhaid cael gwared ar y rhain.

⑤ Ychwanegu asid amino at tRNA, sy'n golygu bod angen ATP.

⑥ 1 = B, 2 = A, 3 = B, 4 = C

Adran 1.6

① 1 = B, 2 = A, 3 = Ch, 4 = C, 5 = C

② Y drefn gywir yw D, C, B, A

③ Unrhyw dri o ddyblygu DNA, twf, syntheseiddio organynnau, ATP a syntheseiddio protein.

④ 1 = A, 2 = A, 3 = B, 4 = C, 5 = C

⑤ A = anaffas 1, B = metaffas 1, C = anaffas 2, CH = rhyngffas (caniatewch proffas cynnar)

Adran 2.1

① Mae gan ffurfiadau homologaidd, e.e. aelod blaen morfil a bod dynol, adeiledd tebyg ac felly darddiad tebyg, ond mae ffurfiadau cydweddol yn gwneud yr un gwaith heb fod yn rhannu'r un tarddiad, e.e. adenydd aderyn a phryfyn.

② Cae A sydd â'r mwyaf o fioamrywiaeth gan ei fod yn agosach at 1.

③ A. Anghywir B. Cywir C. Cywir Ch. Cywir

Adran 2.2

① Mae cynyddu'r maint yn cynyddu'r gyfradd fetabolaidd, felly mae'r gofynion ocsigen yn cynyddu, ond mae'r gymhareb arwynebedd arwyneb : cyfaint yn lleihau, felly dydy'r arwyneb allanol ddim yn ddigonol i fodloni'r gofynion.

② Tagellau, ysgyfaint, traceau

③ llai, un, paralel, ran, ecwilibriwm, llai, awyru, llawr, nofio

④ rhydweli ysgyfeiniol

⑤ A = ANGHYWIR, B = ANGHYWIR, C = CYWIR, Ch = ANGHYWIR, D = CYWIR

⑥ 15/50 = 0.3mm

Ychwanegol

5.1 kPa. Cyrraedd ecwilibriwm, h.y. y ddau wasgedd rhannol yr un fath.

Adran 2.3a

① A. Capilari

B. Rhydweli

C. Rhydweli, capilari, gwythïen

CH. Rhydweli, gwythïen

D. gwythïen

② P = Newid foltedd sy'n gysylltiedig â chyfangu'r atria

QRS = Cyfangu fentriglau

T = ailbolaru cyhyrau'r fentrigl

TP = Yr amser llenwi

③ Symud i'r chwith = mae gan haemoglobin affinedd *uwch* ag ocsigen ac felly mae'n mynd yn fwy dirlawn ag ocsigen nag arfer ar yr un gwasgedd rhannol ocsigen isel.

Symud i'r dde = mae gan haemoglobin affinedd *is* ag ocsigen ac felly mae'n rhyddhau ei ocsigen yn rhwyddach nag arfer ar yr un gwasgedd rhannol ocsigen isel.

④ Cynhyrchu mwy o haemoglobin/celloedd coch y gwaed.

Ychwanegol

Rhyddhau 95 – 44% = 51%

$0.51 \times 280 \times 10^6 = 142.8 \times 10^6$

$142.8 \times 10^6 \times 4 = 571.2 \times 10^6$

⑤ Cynnal niwtraliaeth electrocemegol.

Adran 2.3b

① Cynhaliad, a chludo dŵr (ac ïonau mwynol).

② Mae stribed Casparaidd yn ffurfio band gwrth-ddŵr o gwmpas y celloedd endodermaidd, sy'n atal dŵr rhag mynd drwodd.

③ Byddai'n cael ei ryddhau neu ei atal oherwydd mae angen ATP ar fewnlifiad mwynau ar gyfer cludiant actif.

④ Adlyniad, cydlyniad, capilaredd, gwasgedd gwraidd.

⑤ A. Lleihau – dydy aer dirlawn ddim yn cael ei chwythu i ffwrdd oddi wrth arwyneb y ddeilen/ plisg tryledu yn aros sy'n lleihau'r graddiant potensial dŵr.

B. Lleihau – mae glaw yn cynyddu lleithder ac felly'n lleihau'r graddiant.

C. Cynyddu – cynyddu egni cinetig sy'n cynyddu cyfradd anweddu a thryledu.

⑥ Mae'r aer o gwmpas y stomata yn ddirlawn ag anwedd dŵr gan leihau'r graddiant potensial dŵr rhwng tu mewn a thu allan y ddeilen.

⑦ Mae'r ddau yn cynnwys cwtigl gwrth-ddŵr ac yn gallu cau sbiraglau/stomata i leihau colledion dŵr.

⑧ Cynhyrchu ATP ar gyfer cludiant actif.

⑨ Unrhyw ddau o: tiwbiau hidlo, cymargelloedd, parencyma ffloem.

⑩ Mannau tyfu, e.e. gwreiddiau.

Adran 2.4

① Mwcosa, is-fwcosa, cyhyr a serosa.

② A ac C = Capilari, B = Lacteal

③ Llysysydd – dannedd llygad yn union yr un fath â'r blaenddannedd, cilddannedd mawr ag ymylon enamel yn cydgloi.

Cigysydd – ysgithrau, a dannedd llygad mawr.

④ Dydy mamolion ddim yn cynhyrchu cellwlas. Heb y bacteria, fydden nhw ddim yn gallu treulio cellwlos.

⑤ pH eithafol, ensymau treulio, system imiwnedd yr organeb letyol, peristalsis, anhawster i ganfod cymar.

Gweler atebion y crynodeb treuliad ar dudalen 152.

Atebion i'r cwestiynau ymarfer ychwanegol

Cynllun marcio

1. a) Magnesiwm – un o ansoddion cloroffyl [1]

   Ffosffad – un o ansoddion ffosffolipidau mewn cellbilenni / mae ei angen i wneud niwcleotidau/ATP [1]

   b) Mae angen haearn i gynhyrchu haemoglobin [1]

   Hebddo, allwn ni ddim gwneud cymaint o gelloedd coch y gwaed [1]

   c) Mae gan ddŵr wres cudd anweddu uchel oherwydd bod llawer o fondiau hydrogen rhwng moleciwlau [1]

   Pan mae dŵr yn anweddu o chwys, mae angen llawer o egni i wneud i ddŵr anweddu / i dorri'r bondiau hydrogen rhwng moleciwlau dŵr [1]

   Cyfeirio at y ffaith bod dŵr yn foleciwl deupol [1]

2. a) Grŵp o gelloedd tebyg sy'n cydweithio i wneud rhywbeth penodol [1]

   b) Wedi'i wneud o gelloedd fflat [1]

   creu llwybr tryledu byr i dryledu nwyon/neu enwi nwy [1]

   c) Does dim peptidoglycan/cellfuriau mewn firysau, felly dydy gwrthfiotigau ddim yn effeithio arnynt [1]

3. a) Hylifol – mae'r ffosffolipidau'n rhydd i symud [1]

   Mosaig – mae'r moleciwlau protein wedi'u trefnu ar hap [1]

   b) i) Dydy ïonau clorid ddim yn gostwng potensial dŵr mwcws / mae potensial dŵr y mwcws yn aros yn uchel [1]

   Dydy dŵr ddim yn mynd i mewn i'r mwcws drwy gyfrwng osmosis/i lawr graddiant potensial dŵr felly mae'n aros yn drwchus [1]

   ii) Anadlu aer môr / sodiwm clorid [1] sy'n gostwng potensial dŵr mwcws fel bod dŵr yn mynd i mewn iddo drwy gyfrwng osmosis, ac yn ei deneuo [1]

4. a) Mae gan isolewcin siâp tebyg i threonin [1] felly mae'n cystadlu am safle actif yr ensym [1] gan atal y swbstrad/threonin rhag rhwymo [1]
   b) Pan mae crynodiad yr isolecwin yn gostwng/crynodiad y threonin yn cynyddu [1]
5. a) Mae tetracyclin yn lleihau twf y bacteria [1], mae dyblu crynodiad y tetracyclin yn dyblu'r lleihad yn y twf [1]
   b) Mwy o grynodiadau tetracyclin [1] defnyddio ailadroddiadau [1] NID defnyddio rheolydd
   c) Mae tetracyclin yn atal trosiad mRNA [1] felly does dim modd syntheseiddio proteinau ar gyfer (twf / enghraifft o brotein) [1]
6. a) 5/100 [1] × (24 × 60) = 72 <u>munud</u> [1]
   b) Metaffas 1 (meiosis) parau homologaidd o gromosomau (deufalentau) yn eu trefnu eu hunain ar y cyhydedd, ac ym metaffas mitosis, mae'r cromosomau'n eu trefnu eu hunain [1]

      Mewn metaffas 1 (meiosis) mae'r cromosomau'n cael eu trefnu'n annibynnol, a dydy hyn ddim yn digwydd ym metaffas mitosis [1]
7. Dal anifeiliaid mewn arwynebedd penodol, e.e. 10m^2, a'u marcio nhw (mae hi'n bwysig nad yw hyn yn eu niweidio nhw nac yn eu gwneud nhw'n fwy gweladwy i ysglyfaethwyr) ac yna eu rhyddhau nhw. [1] Cyn gynted â'u bod nhw wedi cael cyfle i ailintegreiddio â'r boblogaeth, e.e. 24 awr, maen nhw'n cael eu hail-ddal. [1] Gallwn ni amcangyfrif cyfanswm maint y boblogaeth gan ddefnyddio nifer yr unigolion gafodd eu dal yn sampl 2 a'r nifer yn y sampl hwnnw sydd wedi'u marcio (h.y. wedi'u dal o'r blaen). [1]

Maint y boblogaeth = $\frac{\text{nifer yn sampl 1} \times \text{nifer yn sampl 2}}{\text{nifer wedi'u marcio yn sampl 2}}$ [1]

Cyfeirio at ailadrodd yr arbrawf [1]

Angen lluosi i fyny o 10m^2 i 100m^2 [1] UNRHYW 4

Rhaid tybio nad oes dim genedigaethau/marwolaethau/mewnfudo/allfudo wedi digwydd yn ystod yr amser rhwng casglu'r ddau sampl [1]

8. a) Mae'r system cyfnewid nwyon yn gyfyngedig, e.e. dim pigment resbiradol / gwaed i gludo ocsigen/carbon deuocsid [1]

      Dibynnu ar drylediad nwyon drwy system draceol, sy'n araf [1]

      Mecanwaith awyru'n dibynnu ar symudiadau'r abdomen [1]

      Rhaid i'r nwyon hydoddi mewn hylif ar ben y traceolau cyn tryledu i'r cyhyr [1]

      UNRHYW 3
   b) Gallu cau'r sbiraglau i leihau colledion dŵr [1]

      Mae'r sgerbwd allanol yn cynnwys citin, sy'n wrth-ddŵr/ cyfeirio at haen o gwyr ar y sgerbwd allanol [1]
9. Mae deiet heb lawer o brotein yn arwain at lai o albwmin gwaed/protein gwaed [1] sy'n cynyddu potensial dŵr y gwaed [1]. Mae hyn yn lleihau'r graddiant potensial dŵr ym mhen gwythiennol y gwely/rhwydwaith capilarïau [1] felly caiff llai o ddŵr ei adamsugno i'r gwaed drwy gyfrwng osmosis [1]. Mae mwy o ormodedd hylif meinweol sy'n methu draenio i'r system lymffatig, felly mae hylif yn cronni ym meinweoedd y corff [1]
10. a) A = apoplast, B = symplast, C = gwagolynnol. (3 yn gywir = 2, 2 yn gywir = 1 marc)
    b) (Llwybr apoplast/A) dŵr yn symud rhwng bylchau yn y cellfur cellwlos [1], mae hyn yn bosibl oherwydd bod ffibrau cellwlos yn athraidd i ddŵr a hydoddion [1]
11. Atal synthesis atalyddion ensym [1], teneuo'r cwtigl [1]

ychwanegol

Atebion i'r crynodeb o dreuliad.

Bwyd	Rhan o'r coludd	Ensym(au)	Safle cynhyrchu	pH	Swbstrad	Cynhyrchion	Sut mae'n cael ei amsugno
Carbohydrad	Ceg	Amylas	**Chwarennau poer**	7	**Startsh**	Maltos	Mae glwcos yn mynd i mewn i gelloedd **epithelaidd** drwy gyfrwng **cydgludiant** ac yn mynd i mewn i gapilari'r filws drwy gyfrwng **tryledіad cynorthwyedig**
	Dwodenwm (rhan 1af y coluddyn bach)	Amylas	**Pancreas**	7	**Startsh**	Maltos	
	Ilewm (2il ran y coluddyn bach)	**Maltas**	Mwcosa'r **ilewm**	8.5	Maltos	**Glwcos**	
		Swcras			Swcros	**Glwcos + ffrwctos**	
		Lactas			Lactos	**Glwcos + galactos**	
Protein	Stumog	**Peptidas**	Chwarennau gastrig	2	**Protein**	Polypeptidau	Mae asidau amino yn mynd i mewn i gelloedd **epithelaidd** drwy gyfrwng cludiant actif ac yna i mewn i gapilari'r filws drwy gyfrwng **tryledіad cynorthwyedig**
	Dwodenwm (rhan 1af y coluddyn bach)	endopeptidasau	**Pancreas**	7	**Protein**	Polypeptidau	
	Ilewm (2il ran y coluddyn bach)	endopeptidasau ac ecsopeptidasau	Mwcosa'r **ilewm**	8.5	Polypeptidau	**Asidau amino**	

Lipid*	**Dwodenwm** (rhan 1af y coluddyn bach) **Ilewm** (2il ran y coluddyn bach)	**Lipas** **Lipas**	**Pancreas** Mwcosa'r **ilewm**	7 8.5	Lipidau Lipidau	**Asidau brasterog** a **glyserol** **Asidau brasterog** a **glyserol**	Mae asidau brasterog a glyserol yn mynd i mewn i gelloedd **epithelaidd** drwy gyfrwng tryledaid. Maen nhw'n ail-gyfuno i ffurfio **triglyseridau** ac yn mynd i mewn i lacteal y filws
Cellwlos	-Amherthnasol-	-	-	-	-	-	Darparu swmp ac ysgogi **peristalsis**
Dŵr	-Amherthnasol-	-	-	-	-	-	Drwy gyfrwng **osmosis** i filysau a'r colon

Mynegai